COLECCIÓN GUADARRAMA
DE CRÍTICA Y ENSAYO

COLECCION GUADARRAMA
DE CRITICA Y ENSAYO

19

ESTUDIOS SOBRE UNAMUNO Y MACHADO

A. SANCHEZ BARBUDO

ESTUDIOS
SOBRE
UNAMUNO Y MACHADO

EDICIONES GUADARRAMA
MADRID

Depósito Legal: M. 2.788.—1959

Impreso en España por
Talleres gráficos de «Ediciones Castilla, S. A.»

NOTA DEL EDITOR

Al incluir esta obra de Sánchez Barbudo en nuestra "Colección Guadarrama de Crítica y Ensayo", lo hemos hecho, al igual que procedimos con otros autores en ella publicados, por juzgar el libro una contribución seria e importante al estudio del tema Unamuno-Machado. Nuestro afán es mantener en ella un criterio de amplia libertad, escuchando los más diversos pareceres sobre los problemas culturales que nos agitan, vía única para que existan diálogo y comprensión. La cultura implica anhelo de verdad, discusión, diversidad de enfoques. Sólo así se conseguirán luz y claridad.

Esto en modo alguno quiere decir que nos adherimos a las opiniones y asertos del libro. Cada escritor tiene el derecho y el deber de sentirse responsable de sus personales puntos de vista, que no tienen por qué coincidir con los de nuestra Editorial.

Esta obra de Sánchez Barbudo significa un esfuerzo para aclarar ciertos rasgos de la gigantesca figura de don Miguel, y fué realizada con la máxima seriedad y decoro científico. Si en algunos puntos no pensamos como él, nada quiere decir en pro o en contra del libro. La crítica y, tal vez, el futuro serán quienes decidirán sobre sus páginas, penetrantes, llenas de sugerencias, con enorme afán de ahondar en los misterios que todavía rondan el alma de Unamuno.

LOS EDITORES.

NOTA DEL AUTOR

Los trabajos que en este volumen aparecen reunidos fueron publicados primero, entre 1949 y 1954, en Hispanic Review, Insula, Revista Hispánica Moderna *y* Revista de la Universidad de Buenos Aires.

Al darlos de nuevo a la imprenta he hecho algunos cortes, casi siempre para evitar repeticiones o buscando mayor concisión y claridad, y se han incorporado al texto muchas notas; pero no hay correcciones importantes, y no se han añadido sino unas cuantas líneas, al pie de una página. En nada se ha alterado lo fundamental.

Aunque recientemente han aparecido algunos escritos de Machado y de Unamuno, y muchos trabajos sobre ambos autores, algunos excelentes, no creo hayan variado en nada los hechos o escritos en que yo basaba mis juicios e interpretaciones —o la posibilidad de que éstas sean acertadas—, y, por lo tanto, no he sentido en modo alguno la necesidad de cambiar mi opinión.

Bien sé que algunas de estas opiniones podrán acaso servir de apoyo a las de otras personas cuyo punto de vista dista del mío, pese a fortuitas coincidencias. Puede ser también que mi posición contraríe a algunos, por los cuales, aunque discrepe en ciertos puntos, siento gran estima y respeto.

*   *   *

Aprovecho esta oportunidad para agradecer muy sinceramente la ayuda que la J. S. Guggenheim Memorial Foundation y la Universidad de Wisconsin me prestaron, y gracias a la cual pude, en las bibliotecas de Nueva York y Washington, reunir los materiales indispensables para los estudios sobre Unamuno.

A. SÁNCHEZ BARBUDO.

Enero 1959.
University of Wisconsin
Madison, Wis.
U. S. A.

I

LA FORMACION
DEL PENSAMIENTO DE UNAMUNO

UNA CONVERSION "CHATEAUBRIANESCA" A LOS VEINTE AÑOS

PRIMERA CRISIS EN CEBERIO

Unamuno fué educado por su madre "en la más íntima y profunda piedad cristiana y católica" *. Desde los catorce años por lo menos, y hasta los dieciséis en que marchó a Madrid, perteneció en Bilbao a la Congregación de San Luis Gonzaga **. En los *Recuerdos de niñez y de mocedad* evoca sus experiencias de congregante. Entraba al anochecer en el claustro y percibía junto a los confesionarios "algún negro bulto", y en el cerrado espacio del templo escuchaba el resonar de "alguna tos solitaria". A la luz de una bujía, "débil luminar que ardía en las sombras", leía un fraile...

"Cesaba, empezaba el armonio en un rincón y cada cual echaba a volar su fantasía... Mi pobrecita imaginación, plegadas sus

* *Dos artículos y dos discursos* (Madrid, 1930), p. 17. Unamuno nació el 29 de septiembre de 1864. Su padre murió en 1870 (cf. *Recuerdos de niñez y de mocedad,* Madrid, 1908, p. 6).
** Cf. J. Iturrioz, S. J., "Crisis religiosa de Unamuno joven. Algunos datos curiosos", *Razón y Fe,* 558-559 (Madrid, jul.-ag. 1944), página 110.

implumes alas, acurrucada, no meditaba en vuelo, sino soñaba en quietud... De perfumes se nutría mi alma. Era la edad en que... sólo se imagina la muerte en remota lejanía, confundidos sus confines con los de la vida... Soñaba en ser santo..." *.

El recuerdo de tales sueños volvería con frecuencia a Unamuno en los momentos de angustia, durante todas las crisis de su vida y especialmente en la más intensa de ellas, la de 1897, cuando se hundió "hasta en las devociones más rutinarias, para sugerirse su propia infancia" **, pues, sedienta el alma hasta la agonía" escuchaba "ecos dulces de la niñez lejana como rumor de aguas vivas" ***. Poco después de haber escrito *Vida de Don Quijote y Sancho,* fatigado tal vez de sostener en alto la bandera de la lucha por la fe, entraría un día acongojado en el templo de que habla en sus *Recuerdos,* y allí contemplaría, melancólico, las piedras antes contempladas, las alturas donde anidaban sus viejas plegarias:

....

entré fuera de mí y de tus rincones
brotó mi alma de entonces y a cantarme

....

Bajaron compasivas de tus bóvedas
las oraciones de mi infancia lenta ****.

* *Recuerdos...,* pp. 159-161.
** *Epistolario a Clarín,* Madrid, 1941, p. 90.
*** Prólogo, fechado en mayo de 1897, al libro de Juan Arzadum, *Poesías* (Bilbao, 1897), pp. VI-VII.
**** "En la Basílica del Señor Santiago de Bilbao, fechado el 10 de abril de 1906, *Poesías* (Bilbao, 1907), p. 76.

Y aun muy poco antes de morir suplicaba a Dios le volviese a la edad feliz en que "vivir es soñar".

Pero, ¿cuánto, en verdad, había durado para él tal sueño, aquella "infancia lenta", aquella paz? Muy poco, por lo que él mismo nos dice en sus *Recuerdos*. Los libros comenzaron pronto a inquietarle. Leía a Balmes y a Donoso Cortés, y a los catorce años ya le consumía "un ansia devoradora de esclarecer los eternos problemas", cumpliéndose en él "la labor de la crisis primera del espíritu". Pero lo que fué el momento culminante de esa crisis de adolescencia, lo dijo sólo Unamuno en unas páginas agregadas en 1908 a sus *Recuerdos,* escritas quince años después que el resto de esa obra *.

Cuenta entonces que había ido al pueblo de Ceberio, donde asistió a una boda, y agrega (pp. 200-201):

"No en la excursión de la boda, sino después... me encontraba yo una tarde, al morir de la luz, en el balcón de madera del caserío... Y me dió una congoja que no sabía de dónde arrancaba y me puse a llorar sin saber por qué. Fué la primera vez que me ha sucedido esto, y fué el campo el que en silencio me susurró al corazón el misterio de la vida."

Por vez primera, pues, tuvo Unamuno, antes de los dieciséis años, como una revelación del vacío, pues en eso consistía sin duda el "misterio de la vida"; instantáneo convencimiento

* En los *Recuerdos,* Unamuno dice que éstos no son sino "rehacimientos de escritos que hace unos quince años publiqué en cierta hoja literaria de *El Nervión,* diario de Bilbao" (p. 183). M. García Blanco precisó que fué "bajo el título de *Tiempos antiguos y modernos...,* en 1891 y 1892" (cf. "Unamuno y sus seudónimos", *Bulletin of Spanish Studies,* 94, April 1947, p. 126).

de que el mundo no tenía finalidad: una certeza que, en el fondo de sí, guardó hasta sus últimos días. "Yo creo que el mundo no tiene finalidad... somos los hombres quienes le damos un sentido y una finalidad que no tiene", decía en un discurso, dos años antes de morir (cf. *Ahora,* Madrid, 25 diciembre, 1934). Ese susurro como de alas del "ángel negro", cuando roto el velo de ilusiones—esfumadas ya la "duda" y la "pelea"—la vida revelaba su triste secreto, lo escucharía muchas veces Unamuno. "El ángel negro el corazón me toca/con sus alas llamándome del sueño / en que me finjo..." (*Rosario de sonetos líricos,* Madrid, 1911, LXXIX, pp. 166-167). Y años antes comentando el encuentro de Don Quijote con las imágenes, alude a "esos momentos en que sacude al alma el soplo del aletazo del ángel del misterio", y agrega: "estando distraído, en fiesta o en agradable charla, de repente parece como si la muerte aleteara sobre mí. No la muerte, sino algo peor, una sensación de anonadamiento, una suprema angustia" (*Ensayos,* Aguilar, Madrid, 1945, II, p. 292). Esos momentos de verdadera congoja, de los que él dejó recuerdo aquí y allá en sus libros, son como el fondo de su pensamiento, la espina que mantiene dolorosamente viva toda su obra. Añoranza de la fe de su niñez y repetición de la congoja que sintió una vez en Ceberio, se mezclarían luego siempre en Unamuno, en su vida y en su obra, cuando su crisis de 1897 y en sus más importantes libros; y debieron aparecer ya juntas, quizás por vez primera, en 1884, cuando Unamuno, a sus veinte años, regresó a Bilbao desde Madrid con su flamante título de doctor en filosofía...

Los *Recuerdos* acaban precisamente en el momento en que el joven Unamuno se disponía a emprender el viaje a Madrid. El ha aludido en diferentes ocasiones a la pena que sintió "al

trasponer la peña de Orduña", cuando dejó Bilbao "en septiembre de 1880" *, y la impresión deprimente y tristísima"
que le causó su entrada en la corte **. Mas de sus años de es-
tudiante muy poco es lo que sabemos. Nunca quiso recordarlos
demasiado. En mayo de 1930 decía a un periodista:

"Tengo de aquellos años—del ochenta al ochenta y cuatro—
un recuerdo confuso y triste... Sólo vivía para recordar mi tierra
y soñar en volver a ella... No quiero recordar aquel primer destierro en Madrid ***."

LA PÉRDIDA DE LA FE

Pero fué en Madrid, en esos años, donde Unamuno perdió
su fe. Al menos en Madrid dejó de acudir a la iglesia: así lo
declaró él mismo, más de una vez, cincuenta años más tarde,
indicando el lugar preciso donde oyó su última misa. "En esa
calle (de la Montera), la iglesia, de estilo jesuítico, de San
Luis, donde quebró (el "mozo morriñoso" que llegó a Madrid
en 1880) la seguida de sus misas regulares", escribía Unamuno
en un artículo de 1932 (*Paisajes del alma*, Revista de Occidente, Madrid, 1944, p. 141). Lo mismo había dicho, o muy parecido, en un discurso pronunciado en el Hotel Nacional de
Madrid el 3 de junio de 1931. En el periódico *El Sol* (Madrid,
4 junio 1931) se citan frases textuales de él: "En 1880... vine
a Madrid... al pasar la peña de Orduña...". Pero sólo se da en
síntesis lo que más nos interesa: "Refiere (Unamuno) sus visi-
tas a la iglesia de San Luis, donde se interrumpió su costum-

---

* Prólogo a *De mi país* (Madrid, 1903), p IX.
** Cf. "Ciudad y campo", de 1902, *Ensayos*, I, p. 357.
*** Cf. C. González Ruano, *Vida, pensamiento y aventura de Mi-
guel de Unamuno* (Madrid, 1930), pp. 47-48.

bre de oír misa los domingos, como lo había hecho mientras fué creyente apostólico y romano". Y ya en *Paz en la Guerra,* refiriéndose a Pachico Zabalbide, que como es bien sabido no es sino el propio Unamuno, había éste escrito:

"... le mandó su tío a estudiar a Madrid, era la época en que con el krausismo soplaban vientos de racionalismo. Pachico casi lloró .. al trasponer la peña de Orduña... El primer curso iba a misa todos los días y comulgaba mensualmente, pensando mucho en su país... La labor de racionalizar su fe íbala carcomiendo, despojándola de sus formas y reduciéndola a sustancia y jugo informe. Así es que al salir de misa en la mañana de un domingo —hacía tiempo que no iba a ella sino en los días festivos— se preguntó qué significase ya en él tal acto y lo abandonó desde entonces, sin desgarramiento alguno sensible por el pronto, como la cosa más natural del mundo" (p. 57).

Fijémonos en eso de que el abandono fué después del primer curso (es decir, cuando Unamuno tenía diecisiete años, muy probablemente), y sin desgarramiento alguno "por el pronto".

Unamuno en todo caso perdió la fe en Madrid antes de cumplir los veinte años. Esto es bien conocido y se ha repetido muchas veces. Mas en una carta a Clarín de 31 de mayo de 1895, publicada en 1941, se lee:

"Yo también tengo mis tendencias místicas, pues no en vano he estado asistiendo a misa al día y comulgando al mes con verdadero fervor y no por una fórmula hasta los veintidós años, y de puro religiosidad creo dejé de hacerlo *."

* *Epistolario...*, p. 53.

¿A los veintidós años pues, en Bilbao, o en Madrid antes de los veinte? Lo que interesa, más que la fecha precisa, es el porqué de esta contradicción.

En la misma carta, refiriéndose a un cuento que pensaba escribir, decía Unamuno:

"Llega a Madrid un muchacho llevando en su alma una honda educación religiosa... En puro querer racionalizar su fe, la pierde (así me sucedió)."

Esto viene a confirmar lo que sabíamos, que fué en Madrid donde él perdió la fe; pero indica, además, que él lo recordaba perfectamente (ya que el cuento es evidentemente autobiográfico), incluso en la carta en que decía a Clarín cosa distinta; y aunque le obsedía ese recuerdo, ya que como vemos el tema del cuento era el mismo de la historia de Pachico que escribía por la misma época. No le faltó, pues, la memoria en 1895, y si no mentía en todo a Clarín (y ninguna razón existe, me parece para suponer tal cosa) al decir que estuvo asistiendo a misa con verdadero fervor *hasta* los veintidós años, sólo queda una solución: que después de haber perdido la fe en Madrid la hubiera recobrado en algún momento, probablemente a su regreso a Bilbao, a los veinte años. Claro es que aun no sería completamente correcto el empleo de ese "hasta" en la carta a Clarín, que sugiere una continuidad que no existió; pero tal inexactitud es justificable, y en cambio si no admitimos que hubo una conversión, y por otro lado damos por supuesto, como suele hacerse, que él había perdido la fe en Madrid, tropezaremos siempre con ese escollo del tajante "hasta los veintidós años", o tendremos que eludirlo, como suelen hacer los críticos que se han ocupado de la fe de Unamuno, aun después de publicado el *Epistolario a Clarín*. Aunque todos identifican a Pachico con Unamuno, pensando sobre todo en la historia de la pérdida de la fe, poca o ninguna importancia se da a la posterior conversión de Pachico, de que se habla, aunque sea muy brevemente, en la misma novela. Y es que el efecto que pudiera producir lo que en una página se dice sobre la "crisis de retroceso" de ese personaje, queda casi inmediatamente anulado por lo que a continuación se agrega, como veremos, y luego ya no se vuelve a hablar de ella. Diríase, pues, que tal crisis no tuvo importancia alguna en la vida de Pachico, cosa que todos han observado, pero de ahí se ha deducido, con menos fundamento, que tampoco debió tenerla en la vida de Unamuno.

El P. Miguel Oromí *, por ejemplo, basándose tan sólo en el relato de *Paz en la Guerra*, alude a una "crisis de retroceso" de Unamuno, pero afirma decididamente que ésta "le duró por pocos días". Y la carta a Clarín no la menciona. El P. J. Iturrioz, S. J. **, se basa en cambio en ella para poder referirse a un Unamuno "de fe entera y de prácticas religiosas conformes a sus tradiciones familiares hasta los veintidós años", mas en la página siguiente, recordando el plan del cuento de que Unamuno habla en la carta a Clarín, afirma que "allí (en Madrid) perdió su fe", y no advierte por lo visto, a pesar de su mucho sentido común, la incongruencia que implican sus dos afirmaciones juntas. Y el P. N. G. Caminero *** nos dice con muy

* *El pensamiento filosófico de Miguel de Unamuno* (Madrid, 1943), página 55.
** *Op. cit.*, pp. 111-112.
*** N. González Caminero, S. I., *Unamuno. Trayectoria de su ideología y de su crisis religiosa* (Universidad Pontificia, Comillas, Santander, 1948), pp. 61 y 68.

buenas razones que al regresar a Bilbao "el congregante mariano se había vuelto ateo y apóstata del catolicismo", y poco después, apoyándose también en el cuento y en la novela, se refiere a una "efímera crisis" de vuelta al catolicismo. Mas esa noticia de que Unamuno oyó misa con fervor hasta los veintidós años, con la que el P. Caminero tuvo sin duda que tropezar, ya que había leído la carta a Clarín, él la olvida, pues no sabe qué hacer con ella. El supone, como el P. Oromí, que la crisis no tuvo importancia, y sin embargo cree, al parecer, que el trozo de una carta a Clarín de 5 de mayo de 1900, en la que Unamuno habla de "una crisis en que lloró más de una vez", se refiere a esa "crisis de retroceso" de 1884, cuando en realidad Unamuno se está refiriendo a su crisis de 1897, de la que el P. Caminero no tenía noticia.

LA CONVERSIÓN EN BILBAO EN 1884

Unamuno, pues, debió pasar por la experiencia de una conversión, hacia sus veinte años. Ahora bien, eso es precisamente lo que le ocurría al muchacho de su cuento, ya que siguiendo en su explicación del plan de éste, decía aún Unamuno en la misma carta a Clarín de 31 de mayo de 1895:

"Siente cansancio y que el mundo le devora el alma. Entra un día en una iglesia, y el recinto, las luces... le transportan a sus años de sencillez... y cobra nueva fe y oye misa sin ser creyente oficial."

Esta "conversión" parecerá quizás demasiado literaria, parece demasiado chateaubrianesca, y lo es, como veremos. Pero observemos que no es el realismo de la escena apuntada lo que nos hace suponer que a Unamuno le ocurriese cosa parecida; sino, al contrario, sabiendo que tuvo él que haber pasado por una conversión, ello queda confirmado, a mi juicio, por el hecho de que en un cuento que es en todo lo demás autobiográfico aluda a tal conversión aunque sea muy literariamente. *

El "recinto" y las "luces", los recuerdos al volver a su tierra, el ahogo en un mundo sin Dios; todo pudo influir en su conversión. Mas el motivo determinante, y en el que creo nadie ha reparado, fué otro, que él mismo nos indica al narrar la muy parecida historia de Pachico: fué su madre, el deseo de evitar a ésta un dolor. Se dice en *Paz en la Guerra* (páginas 58-59):

"Cuando su tío llegó a saber el cambio verificado en la mente de Pachico, llamóle aparte, y de tal modo supo hablarle de su pobre madre que le dejó lloroso y conmovido. La vieja fe forcejeaba por renacer, y pasó Pachico una crisis de retroceso... Y después de una noche de insomnio y de tormenta mental, medio atontado, fuese con su tío a la siguiente mañana, aniversario de la muerte de su madre, a confesar... Era su estado espiritual el de aquellos que sobre la base de la fe antigua, dormida y no muerta, han cobrado otra nueva."

En la misma página 59 se dice que, al dejar el confesionario, Pachico quedó "desilusionado del ensayo". Y sin embargo se alude inmediatamente a la fe "nueva" cobrada; y poco después a las inquietudes y tristes reflexiones que "le llevaban en la oscuridad solitaria de la noche a la emoción de la muerte... Era un terror loco a la nada, a hallarse solo en el tiempo vacío... Aterrábale menos que la nada el infierno..." (pp. 59-60). La nueva fe de Pachico no era, al parecer, muy firme.

En lo que principalmente difiere esta versión de la del cuento es en que el factor esencial en la crisis de retroceso no son luces ni colores tanto como la "pobre madre". Aparte la mayor verosimilitud de dicho motivo básico (aunque evocaciones y nostalgias chateaubrianescas hicieran también lo suyo), y de que en conjunto el relato éste parezca más espontáneo, más sincero, la razón mayor que hay, a mi entender, para suponer que es aquí donde Unamuno más se acercó a la verdad, es que en la carta a Clarín de 5 de mayo de 1900, refiriéndose a la crisis de 1897, cuando "creyó en realidad haber vuelto a la fe de su infancia, y... empezó a practicar", agrega que:

"Fué una fiesta en casa, vió gozar a su madre (que es el único freno que le contiene de escribir muchas cosas que piensa)..."

Si en 1900, época en que Unamuno de nuevo había perdido la esperanza de creer, y ya para siempre, su madre actuaba aún como freno que le impedía decir, y también escribir, lo que pensaba sobre el tema de creencias religiosas, mucho más eficazmente debió haber actuado ese freno dieciséis años antes, cuando Unamuno regresó a Bilbao incrédulo, pero ansioso de su hogar y de su tierra. "Ella protegió muchos años mi inocencia", escribía veinte años más tarde Unamuno *.

Observemos ahora que si la conversión del muchacho del cuento por motivos de emoción y colorido, parecía en extremo literaria, y más concretamente chateaubrianesca, la de Pachico, a pesar de su mayor realismo, lo parece también, sobre todo al recordar que fué igualmente la madre muerta lo que hizo que

* Prólogo al libro de Emiliano de Arriaga, *Revoladas de un chimbo* (Bilbao, 1920), p. xv.

Chateaubriand llorara, volviese a creer y escribiera el *Genio del Cristianismo* apenas pisó de nuevo su tierra nativa. En el prefacio de la primera edición del *Génie du Christianisme* explicaba Chateaubriand la causa de su conversión con las mismas famosas palabras que luego aparecen en el Libro IX, primera parte, de sus *Mémoires*: "Elle (ma mère) chargea, en mourant, une de mes soeurs de me rappeler à cette religion dans laquelle j'avais été élevé... j'ai pleuré et j'ai cru" (*Mémoires d'outretombe*, ed. E. Biré, Paris, t. II, p. 180). Tal vez Unamuno se aparta sólo de la verdad al contar la historia de Pachico cuando dice que, tras una noche de "tormenta" volvió éste a la iglesia precisamente en la mañana "aniversario de la muerte de su madre". La madre de Unamuno no había muerto cuando él regresó a Bilbao en 1884, pues murió en 1908 [*]. Si él altera los hechos, como los alteró el vizconde, para aumentar la emoción de su relato, lo hizo Unamuno también, muy posiblemente, no sólo por eso, sino para imitar a Chateaubriand. La historia toda de Pachico, es decir la historia de Unamuno, tiene en suma cierto aire chateaubrianesco, pero que ello no es casual lo indica el propio Unamuno cuando dice, en el momento en que inicia la historia de Pachico, que dicho personaje "exaltó su imaginación con la lectura de Chateaubriand y de los demás divagadores del catolicismo romántico" (pp. 56-57).

Unamuno siempre nombraba a Chateaubriand con desdén, aunque incluyera luego, un poco paradójicamente, al personaje de éste, *René*, al lado de Pascal o de Kierkegaard, entre los grandes desesperados: ello sin embargo se comprende, pues es *René* en lo anecdótico, pero también en lo esencial, en la

---

[*] Cf. Manuel Laranjeira, *Cartas. Prefacio e cartas de Miguel de Unamuno* (Lisboa, 1943), pp. 19 y 169.

comedia y en el *drama,* padre de la desesperación romántica. Pero se entiende menos que Unamuno le nombre despectivamente en la misma página en que le imita, o al menos le recuerda, incluso en lo banal. Y si destaco ahora este punto de contacto, que merece estudio más detenido, es porque Unamuno, hijo del romanticismo en más de un sentido, desolado nieto de Rousseau, así como *René* y *Obermann* son sus hijos, si tiene mucho de la desesperación grave de un Sénancour, tiene no poco, como ya hizo notar Ortega y Gasset, a lo largo de toda su obra, de la desesperación literaria, exhibida y saboreada, de un Chateaubriand.

Si Unamuno al recordar en 1895 su conversión, es decir al trazar para Clarín el plan de su cuento, es muy probable que pensara en Chateaubriand, es seguro que le recordaba en 1896, cuando redactó por última vez su novela, ya que como hemos visto en ella lo cita *. Lo que no es tan seguro, aunque sí muy probable, ya que nos dice que Pachico lo leía, es que Unamuno hubiese pensado en Chateaubriand en el momento de su conversión.

En *Paz en la Guerra,* pasadas sólo dos páginas de aquélla en que Unamuno había contado brevemente en qué consistió la crisis de retroceso de Pachico, observamos con asombro que éste, interviniendo no sin pedantería en una discusión de sus amigos.

"... les fué diciendo que los dogmas habían sido verdaderos en un tiempo, verdaderos puesto que se produjeron, pero que

* "La redacción definitiva la hice este verano (julio-septiembre de 1896) en una aldea de mi Vizcaya", decía Unamuno a Clarín, refiriéndose a *Paz en la Guerra,* en carta de 31 de diciembre de 1896 (cf. *Epistolario...*).

hoy no son ya verdaderos ni falsos, por haber perdido toda substancia y todo sentido (p. 63)."

Si algo de esto lo dijo en efecto alguna vez el joven Unamuno, y no es sólo reflejo de lo que pensaba hacia 1896 el Unamuno que redactaba la novela, ello debió ser después de 1886, es decir cuando ya habían pasado esos dos años en que diariamente él estuvo asistiendo a misa en Bilbao, pues no es concebible que mientras era o parecía tan devoto y comulgaba con "verdadero fervor" dijese tal cosa de los dogmas. En cambio, pudo muy bien haberlo dicho poco después de 1886, ya que en una carta de 18 de diciembre de 1890, a su amigo Juan Arzadun, decía casi lo mismo al referirse a su próxima boda: "No puedo con toda esa escoria de paganismo que ha venido a parar a fórmulas hueras" (cf. *Sur*, Buenos Aires, sept. 1944).

Entre la conversión de Pachico y el día en que dijo a sus amigos lo que hemos citado, habían pasado dos años de beatería, y si Unamuno no alude a ellos es porque no quiso recordarlos el profesor socialista y anticlerical que redactaba la novela. Pero entonces no debería haberse referido a la conversión, a la fe nueva que cobró Pachico, para mostrar casi inmediatamente, y sin haber dicho que la perdiera, que ya no la tenía. Evidentemente en esa parte de la novela hay como un corte, que se nota leyendo con atención, como un salto: un salto de dos años en la vida de Unamuno, de los que nada hasta ahora se ha dicho, y que debieron ser importantes en la formación de sus ideas religiosas.

En esos dos años, si Unamuno en verdad no creyó, como parece lo más probable (dado el carácter chateaubrianesco de la conversión, por lo que se dice y se deja de decir de Pachico, ya que el muchacho del cuento asistía a misa sin ser "creyente oficial", puesto que Unamuno abandonó luego su propósito de creer, etc...), es seguro, sin embargo, que al menos debió esforzarse en creer—entre otras razones, para no aparecer ante sí mismo como hipócrita—, que debió luchar consigo y poner en práctica, angustiado, el consejo de Pascal, a los que buscan fe, de tomar agua bendita "haciendo todo como si creyesen". Y no me parece aventurado suponer tal cosa hoy que nos consta que por lo menos otra vez, en 1897, Unamuno había hecho lo mismo. Eso explicaría el "verdadero fervor" con que asistió a misa hasta los veintidós años, fervor nacido de la voluntad más que de la fe. De ahí que Unamuno diga también a Clarín que "de puro religiosidad" dejó de ir a misa, y de ahí, tal vez, esa extraña convicción del muchacho de su cuento, eco de la del propio Unamuno, de que siendo "hondamente religioso" ya "no necesita ser creyente".

Esos años debieron ser en Unamuno base de su antidogmatismo, luego desarrollado por la lectura de Harnack y de otros, y de su antipatía a la fe rutinaria que observamos en toda su obra; y base también de esa confusión luego siempre repetida —y aumentada tras nuevas experiencias y diversas lecturas— que él hace de la fe verdadera con el anhelo de fe, ya que desde entonces debió pensar que su ansia de creer implicaba una fe mayor que la de aquellos que sin pasión pensaban creer. De esos dos años —de 1884 a 1886— arrancaría, pues, lo esencial de Unamuno, el cual aparece completamente formado después de su crisis de 1897 —resumen apasionado de todas sus anteriores experiencias religiosas— y después de la lectura que hizo de Kierkegaard en los años que siguieron al de 1900.

SOBRE LA CONCEPCION DE "PAZ EN LA GUERRA"

UNA "MARAVILLOSA REVELACIÓN NATURAL"

En una carta de 18 de diciembre de 1890 a su amigo Juan Arzadun, en la que le anunciaba su próxima boda, escribía Unamuno, recién cumplidos los veintiséis: *Esta insociabilidad es incurable... yo firme en mi ideal de cuáquero, despreciador de la etiqueta, tallado para casa, y ella empeñada en domesticarme... Que me ha civilizado es indudable; pero aunque el oso es susceptible de cultura, queda siempre oso y yo siempre cuáquero* *.

Sus ideas políticas y religiosas se reflejan también en la misma carta. Refiriéndose a la ceremonia de la boda, que anunciaba "para el 25 o el 31 de enero", agregaba: *No puedo con toda esa escoria de paganismo que ha venido a parar a fórmulas hueras. Todo ello debiera ser: Una bendición pública, un juramento público ante el altar del Dios del Pueblo, dos firmas en el registro civil, y se acabó.*

Por esa época colaboraba en periódicos izquierdistas, y, muy probablemente, se hallaba afiliado al partido socialista.

No sabemos hasta qué punto insociabilidad y socialismo en-

* "Cartas de Miguel de Unamuno", *Sur*, Buenos Aires, sept. 1944.

volverían desesperación; pero sí hemos de creer lo que él mismo dijo luego en una carta, antes de 1891 estuvo muy cerca del suicidio. Se refería al prólogo que escribió en 1908 al libro *Poesías*, de José Asunción Silva, y declaró: *¡A través de sus versos se ve tanto en Silva que me pasó a mí! Y a mí me libró de su fin el haberme casado a tiempo* *.

En todo caso, a mediados de 1892, pasado ya el primer curso en Salamanca, y en vísperas de ser padre, Unamuno se hallaba, al parecer, muy activo, satisfecho de su posición, escribiendo su novela, proyectando obras filosóficas, dispuesto a la polémica y ansioso, sobre todo, de hacer ruido **.

Es éste, sin duda, el período positivista, "spenceriano", como él luego nos diría, de su vida. Pero las preocupaciones religiosas de su primera juventud, si estuvieron acalladas durante algún tiempo, no tardarían en renacer.

Ese mismo verano de 1892 marchó el matrimonio a Bilbao. Fué quizá entonces cuando Unamuno, hallándose un día en lo alto de un monte, contemplando el valle, tuvo una especie de iluminación; un momento de dramático entusiasmo que, como veremos, parece relacionado con la idea que es germen de gran parte de su obra toda: que hay un hondo silencio, eterna quietud, bajo la agitación pasajera, bajo las externas apariencias.

* La carta al señor Max Grillo, sin fecha, se encuentra en un artículo escrito por éste titulado "Conversando con Unamuno" (*Revista de América*, Bogotá, oct. 1945).

** En carta a Juan Arzadun de 17 de julio de 1892 (*Sur*, septiembre 1944), escribía: "La novela, que avanza ya mucho, se completa y se redondea... Preparo además una obra que podría titular *Nuevo Discurso del Método*, si esto no fuera muy presuntuoso". También piensa escribir unos *Ejercicios intelectuales*: "Empiezo con un relato animado y *pintoresco* de nuestras universidades... Y luego esperaré a pie firme la avalancha, si viene."

Eso, una idea tan simple pero vivamente sentida, relacionada también con la de sí mismo, relacionada con el "misterio de la personalidad", que tanto le obsesionaba, es lo que constituye el alma de *Paz en la Guerra,* y es el tema central (la idea de la "intrahistoria") de *En torno al casticismo.* Pero lo es también en cierto modo, de *Vida de Don Quijote y Sancho y Del sentimiento trágico de la vida.* En ellas, como en casi todas las obras más importantes de Unamuno a partir de 1900, no es ya el tema la búsqueda de paz en la guerra, del silencio y calma, de un fondo permanente bajo la capa *histórica,* bajo la inquietud, sino, al contrario, lo que hace el Don Quijote de Unamuno, o lo que Unamuno mismo explica en su obra fundamental que debe hacerse, es luchar por la fe, luchar desesperadamente para encubrir el íntimo silencio. Es una guerra por encima de la *paz* y no ya un buscar paz en la guerra. Creo que la unidad de la obra de Unamuno desde este punto de vista no ha sido nunca suficientemente destacada. De todos modos, después de *Paz en la Guerra* hay como un cambio de signo.

La visión a que me refería se encuentra como diluída en las páginas de su primera novela, especialmente al final; mas para Unamuno tuvo que ser un momento preciso, una visión determinada parecida a ésta de Pachico en las últimas páginas de la obra: *Tendido en la cresta, descansando en el altar gigantesco, bajo el insondable azul... En maravillosa revelación natural penetra entonces la verdad, verdad de inmensa sencillez: que las puras formas son para el espíritu purificado la esencia íntima; que muestran las cosas a toda luz sus entrañas mismas; que el mundo se ofrece todo entero, y sin reserva, a quien a él sin reserva y todo entero se ofrece* *.

---

* *Paz en la Guerra,* Madrid, 1897, pp. 346-347.

El gran secreto del mundo, pues, la "verdad de inmensa sencillez" es que no hay secreto, que detrás no hay nada, que las puras formas se levantan cubriendo el vacío. Y todo ello viene a decir lo mismo que el campo le susurró una vez, hacia sus quince años, hallándose en un balcón en el pueblo de Ceberio. Mas el goce de ver clarísimamente—o la causa que fuera—hizo que tan triste revelación le pareciese esta vez maravilloso descubrimiento. Maravilloso sería, en efecto, el paisaje; pero no saber que un día dejaría de verlo. Por eso, disipada la emoción estética, vuelve la amargura.

A Pachico (p. 348) "hásele fundido, en la montaña, la eterna tristeza de las honduras del alma, en la temporal alegría de vivir", escribía Unamuno, refiriéndose a esa visión exaltada de su personaje. Pero inmediatamente resulta que "una vez ya en la calle, al ver trajinar a las gentes y afanarse en sus trabajos, asáltale, cual tentación, la duda de la finalidad eterna de todos aquellos empeños temporales".

Sin embargo, en *Paz en la Guerra* esa amargura llega atenuada. Unamuno no se había aún por entonces decidido a clamar: quería encontrar en el humanitarismo, en el socialismo, un quehacer que le distrajese; quería acallar esa protesta, levantada desde el fondo de su ser, que luego ya no pudo sofocar, que estallaría —"como una descarga fulminante", según explicó el propio Unamuno en una carta en 1897— pocos años después. El Unamuno progresista de 1892 entraba en conflicto con el que, tal vez el verano de ese mismo año, contemplando el valle, había una vez más descubierto el vacío, sentido la soledad. Pero él buscaba conciliación y se decía que esas horas en que sus ojos se llenaron del paisaje y su alma pareció distendida, esas horas de paz, paz del campo que identificaba con su propio íntimo silencio, eran las horas en que tomaba fuerzas para la lucha, el manantial que alimentaba sus esfuerzos generosos: *Despiértase entonces la comunión entre el mundo que le rodea y el que encierra en su propio seno; llegan a la fusión ambos; el inmenso panorama y él... paz brota de las luchas por la vida, suprema armonía de las disonancias; paz en la guerra misma y bajo la guerra, inacabable, sustentándola... Cobra entonces fe para guerrear en paz; para combatir los combates del mundo descansando, entre tanto, en la paz de sí mismo... Así es como allí arriba, vencido el tiempo, toma gusto a las cosas eternas, ganando bríos para lanzarse luego al torrente incoercible del progreso, en que rueda lo pasajero sobre lo permanente... y baja decidido a provocar en los demás el descontento, primer motor de todo progreso y de todo bien. En el seno de la paz verdadera y honda es donde sólo se comprende y justifica la guerra... No fuera de ésta, sino dentro de ella, en su seno mismo, hay que buscar la paz; paz en la guerra misma* (pp. 347-349).

Así acaba su novela. Paz era entonces para él, pues, "suprema armonía", un remanso deseable sustentando las inquietudes. Años más tarde, sin embargo, Unamuno sentiría que "la paz es terrible", que la paz es la muerte, y por eso la lucha levantada sobre ella no sería ya lucha desesperada: *Fragor y estruendo apagan el incesante rumor de las aguas eternas, las de debajo de todo, que van diciendo que todo es nada. Y a estas aguas se las oye en el silencio de la paz, y por eso él lucha: para soportar la cruz de la soledad, que en la paz me aplasta el corazón.*

Esta posición resulta mucho más clara que la de *Paz en la Guerra.* Y es la misma que poco antes de escribir lo que acabamos de citar había ejemplificado en su *Vida de Don Quijote y Sancho,* donde el hidalgo lucha y enloquece para encubrir el

silencio, buscando fe, para salvarse de la muerte: *¡No morir!*
Esta es la raíz última, la raíz de las raíces de la locura quijo-
tesca. ¡No morir!

Unamuno no dejó de llamarnos la atención sobre su primera novela, su libro preferido; y suplicaba a Clarín que lo le-
yese. Tenía razón. Recomendaba especialmente las páginas finales; en efecto, las más bellas, y clave de toda su obra. Pero
éstas son confusas. Parecen encerrar una intuición vivísima os-
curecida luego. Y dicha intuición es tal vez la que tuvo cuando aquella "revelación natural", cuando aquella visión ligada íntimamente a todo el final de la novela: una visión que siendo
en verdad dolorosa él transformó precariamente en fuente de
entusiasmos.

Más tarde, por los mismos años en que sentiría que "la paz
es terrible", la belleza de un nuevo paisaje habría de revelarse
otra vez que "detrás no hay nada", y esa misma belleza le
exaltaría haciéndole olvidar la muerte; pero sólo un instante,
sólo mientras duró la emoción estética; luego, casi inmediatamente, volvería la amargura, ya sin disimulos, ya sin ate-
nuantes *.

Pachico quiso suponer, o más bien quiso por él suponer
Unamuno, que la "resignación transcendente" que le diera la
"contemplación serena" en las alturas, es decir, ese olvidar la
muerte, ese conformarse con la muerte, podía durar. Pero Una-

* "Inmóviles los álamos, / quietas las torres en el cielo quieto. /
Y es todo el mundo; / detrás no hay nada... / ¡Hermosura! ¡Hermosura!, / descanso de las almas doloridas, / enfermas de querer sin esperanza. / ¡Santa hermosura, / solución del enigma!... / La noche
cae, despierto, / me vuelve la congoja, / la espléndida visión se ha de-
rretido, / vuelvo a ser hombre." ("Hermosura", *Poesías,* Bilbao, 1907,
páginas 53-54).

muno, a pesar del plan de vida que parece trazarse a sí mismo trazando el de Pachico, a pesar de esos buenos propósitos, no se conformó. La angustia religiosa, la preocupación por lo esencial no tardaría en prender nuevamente en él.

De todos modos, más o menos alterada, la idea esencial de su novela —calma bajo la agitación— reaparecerá siempre en sus libros. Calma y agitación, guerra y paz, luego querrán decir para él otra cosa; pero el conflicto, el contraste que encerraba ya la primera idea, seguirá siendo la base de su obra toda. Y es que en ese conflicto Unamuno sentiría siempre la expresión más plena de su ser: era una lucha entre el Unamuno externo y el de dentro, verdadero; un contraste entre sus escritos o sus palabras, a menudo sólo el eco de un dolor o una esperanza, y el fondo de su alma. Ese problema, o "misterio" como él prefería decir, de "la personalidad" se convertía en obsesión en sus últimos años, pero aparece ya en sus primeras obras *.

Creo es interesante destacar que esa idea básica de su primera novela y de su obra en general suponía algo para él muy entrañable, ya que por otra parte tal pensamiento, tal impresión —que hay un fondo estable bajo las formas cambiantes,

---

* Ya en 1897, en el prólogo al libro *Poesías,* de J. Arzadun (Bilbao, 1897), decía: "... hay en nosotros dos hombres; el uno..., del fondo...; el otro..., moldeado... sobre el primero e ingénito". En *Paz en la Guerra,* al tratar de las acciones o del carácter de Pachico, se alude frecuentemente a ese contraste entre lo íntimo y lo externo de la persona; ello aparte de que, como ya indica el título, toda la novela parece tener como base ese dualismo. Y que incluso el tema central de *En torno al casticismo* se relaciona de algún modo con el mismo problema, lo indica el propio Unamuno al escribir en dicha obra: "Un mezquino sentido toma por la casta íntima... su desarrollo *histórico,* como tomamos por nuestra personalidad íntima el yo que de ella nos refleja el mundo" (*Ens.* 1, p. 122).

pasajeras— es tan viejo como el pensamiento mismo, se ha repetido mil veces, y pudo, por tanto, Unamuno "tomarlo" de cualquier parte. Mas seguramente, como ya alguien ha insinuado, pensando en *En torno al casticismo,* o lo tomó de Carlyle —de quien hay luego influencia evidente, aunque secundaria, en *Amor y Pedagogía*— o fué al menos éste quien le ayudó a formularlo. Pero tampoco debemos olvidar a Tolstoi, que es muy probable ayudara a Unamuno a algo más que a encontrar el título de su novela.

LA NADA Y LA PAZ

Esa idea, pues, carlyleana —tan vieja como la filosofía misma— de que las vestiduras encubren las esencias, y con ella, y antes de ella, la preocupación que Unamuno tuvo desde joven por "el otro" Unamuno, el verdadero, el de dentro, debieron contribuir a la concepción de *En torno al casticismo* y *Paz en la Guerra,* por diferentes que estas obras sean. Mas seguramente fué factor no despreciable en la fusión de ambas ideas, sobre todo en la novela, esa "revelación natural" que él debió tener alguna vez; aquella contemplación de un paisaje que le hizo adivinar el vacío último sobre el cual las formas se levantan, lo cual le haría sentir el de su propia alma sobre el cual sus pasajeros afanes se elevaban. El vió claro que todo es forma, que no hay esencias, que el fondo es el vacío; lo vió tan claro entonces, que inmediatamente quiso consolarse, engañándose, identificando la nada con la paz, con la intimidad de su alma, con el silencio que era fuente de donde brotaban nobles, románticas inquietudes. Pero al fin, pasados pocos años, después de escrita ya la novela, no pudo por más tiempo callar, y volvió acrecentada la desesperación, y con ella el ansia de fe, de esa fe ingenua de la infancia, siempre evocada y que nunca pudo recobrar. Y entonces surgió el Unamuno de la protesta, el de esa inconformidad con la muerte que, siendo algo tan general, tan humano, es en él lo más característico: ese grito apasionado —latente en sus mejores obras— que es en Unamuno lo más verdadero, lo más original.

Volviendo de nuevo a la "revelación natural", cabría preguntarse si es que Unamuno en verdad la tuvo (y ello creo parecerá indudable a quien lea con atención las páginas de su novela que señalo), cuando fué ello.

Un artículo de Unamuno de 2 de marzo de 1891, publicado en Bilbao *, termina con esta moraleja, que querría ser humorística: "No hay interiores; el exterior es impermeable, y las cosas son lo que parecen: retazos sueltos sin sentido". Esto viene a ser la misma "verdad de inmensa sencillez" que luego descubriría emocionado. Pero en el artículo falta completamente la poesía, el entusiasmo. Tal idea, fruto de reflexiones y lecturas, implica una concepción materialista, pesimista del mundo, nada nueva. Si entonces él hubiera *visto* lo que ya se sabía, si ya en 1891 él hubiera tenido la citada "revelación", las líneas anteriores reflejarían algo del calor que reflejan las páginas finales de la novela. Por otra parte, dado que esa visión de Pachico no parece ni mucho menos un añadido en la novela, sino que está ligada a lo esencial del tema, y dado que él estuvo trabajando en su obra varios años, no pudo ser mucho después de 1891 cuando tuvo la visión, que debía servirle para fundir los diversos materiales acumulados en torno al huevo de *Solitaña*

---

* "Bilbao al aire libre", incluído en *De mi país* (Madrid, 1903, páginas 71-75).

(el cuento que incubaba, ya que *Paz en la Guerra* es creación
"ovípara"). Aquel doloroso instante de paz en las alturas, que
le llenó de exaltación ante el hermoso panorama, aun dicién-
dose que detrás no había nada; aquel instante de silencio en
medio de las inquietudes, debió ser la íntima sacudida que produjo la cristalización de su novela, y fué muy probablemente
en el verano de 1892, pues desde Bilbao escribía a su amigo
Juan Arzadun, el 3 de agosto: *Esta mañana me ha dado Concha mi primer hijo... Trabajo más que nunca y con más fruto que nunca en mi hijo espiritual. Mientras pugnaba por salir el uno laboraba yo mentalmente en la gestación del otro...
He pasado unos días en Somorrostro, días fecundísimos; he visto con claridad todo, he sentido mucho y reconstruído no poco.*

En Somorrostro habían ocurrido acciones importantes durante la guerra civil, y sobre ellas él se había documentado *. Si
allí fué donde adivinó el vacío, donde sintió la paz, debió ello
ser significativo, iluminador; esa soledad, esa calma, estuvo
también allí anidada en los días de la guerra; esa paz profunda
del campo era la que por los ojos debía haber entrado al alma
de alguno de los combatientes, de su Ignacio; como entró en
el alma de su Pedro Antonio. La calma de Pedro Antonio, y
antes la de *Solitaña,* es la que se descubre mirando a los ojos
de ciertos campesinos españoles; calma de fondo de lago. Esa
visión primera había obsesionado a Unamuno, y de ella él partió; pero luego, tras la "revelación natural", debió comprender
que ésa era la *paz* última en el mundo, la paz también que él
mismo encerraba.

*   "Metíme... en la rebusca de noticias referentes a la última guerra
civil... y muy en especial cuanto se refería al bombardeo de mi pueblo,
Bilbao... y a las acciones de Somorrostro", escribía en 1904 (*Ens.* I, página 597).

Algo importante de todos modos debió haber visto ese mes de julio de 1892, algo decisivo para la gestación de su "hijo espiritual" debió haber sentido, cuando no deja de aludir a ello el mismo día en que nace su primer hijo, y en la misma carta en que comunica a un amigo esa noticia.

Es hacia 1895 cuando se observa en él un recrudecimiento de preocupaciones religiosas hasta entonces quizá sofocadas *. Bajo el peso de ellas debió redactar por última vez su novela: eso quizá explica cierto desacuerdo, cierta indecisión, que se observa a veces en la obra, al explicar, por ejemplo, lo que paz y guerra para él —para Pachico— significaban; y también al querer encontrar una fórmula que justificase a la vez el progresismo y la melancolía, la cual en él debió ser creciente. Esas preocupaciones son las que en 1897 le llevarían a sentirse "al borde de la Nada", y a repetirse buscando salvación en Dios, y no ya en luchas pasajeras, "que hay gracia y que hay fe", la cual se logra queriendo de veras creer **. Pero en 1895 aún no había llegado a ese punto.

El escrito más importante para juzgar de su posición religiosa en esa época, es, entre los que conocemos, la carta a Clarín de 31 de mayo de 1895: *He seguido con interés la última dirección de usted, su período místico en cierto modo... Yo también tengo mis tendencias místicas... Estas van encarnando en*

---

* De mayo de 1895 es el ensayo "De mística y humanismo", que forma parte de *En torno al casticismo*. Pocos meses antes escribía (*De mi país*, op. cit., p. 129) que los cantares de Trueba "en horas de desaliento... nos vuelven a nuestra inocencia a que recobremos... algo de la cándida inocencia, de la visión serena y optimista del mundo".

** Cf. la carta de 30 de octubre de 1897 a J. Arzadun (*Sur,* septiembre, 1944, pp. 53-59).

el ideal socialista, tal cual lo abrigo. Sueño con que el socialismo sea una verdadera reforma religiosa *.

Al terminar *Paz en la Guerra* decía Unamuno, refiriéndose a Pachico (p. 343): "Se le va curando, aunque lentamente y con recaídas, el terror a la muerte". Era ésa la engañosa mejoría de todo enfermo grave. Unamuno, en verdad, no se curaría: sólo podría lograr adormecer el dolor hablándonos de él. Muy pocos meses después de que salieran a la luz esas líneas, habría de convencerse que su mal era incurable.

---

* Comenzaba a ser moda por esa época el intento de buscar armonía entre el socialismo y el espíritu religioso. "El económico y el religioso son... los factores cardinales de la historia humana", escribía Unamuno en mayo de 1896 (*Ens*. I, p. 187).

UNA EXPERIENCIA DECISIVA: LA CRISIS DE 1897

"DE SÚBITO LE SOBREVINO UN LLANTO INCONSOLABLE..."

En 1897 pasó Unamuno por cierta crisis que tuvo importancia grande en la formación de su pensamiento. Alusiones a ella no faltan en sus cartas; pero es posible que, aun reunidas éstas, no proporcionen una idea clara de lo ocurrido sino al que tenga noticia previa de los hechos. Esa noticia se encuentra en un artículo que casi nadie, por lo visto, ha leído *. Sólo así se explica que no se ocupen de tal crisis los mejores críticos de Unamuno, ni siquiera el P. González Caminero, que ha hecho un amplio análisis de la "trayectoria de su ideología y de su crisis religiosa".

El artículo de Pedro Corominas es una revelación basada en confidencias epistolares que hizo a su autor el propio Unamuno cuarenta años antes. Quizás lo que en él se afirmaba no fué creído, pero ahora se verá que es bien cierto, al menos lo esencial. Lo comprueban, además de otros escritos, las cartas de Unamuno de los años 1897 a 1900 de que nos vamos a ocu-

* Pedro Corominas, *"La trágica fí de* Miguel de Unamuno", *Revista de Catalunya,* Barcelona, feb., 1938, núm. 83, pp. 155-170. Una traducción castellana del mismo, por la cual citamos, "El trágico fin de Miguel de Unamuno", *Atenea,* Santiago de Chile, jul., 1938, LIII, 101-114.

par *. Pero no es mi propósito confirmar tan solo la verdad de lo que el señor Corominas contaba, sino precisar hasta donde sea posible en qué consistió esa crisis y el significado que pudo tener en el desarrollo del pensamiento de Unamuno. Escribía Corominas:

"Su crisis religiosa, más bien mística, de 1897 le había dejado al enfriarse un espíritu calcinado... Duró unos cuantos años, pero su intensidad fué decreciendo... En una carta me explicó la crisis como una descarga fulminante que le hirió en una hermosa noche. Ya hacía horas que no podía dormir y se [*sic*] daba vueltas desasosegadamente en su lecho matrimonial, donde su esposa le oía... De súbito le sobrevino un llanto inconsolable... Entonces la pobre mujer, vencido el miedo por la piedad, lo abrazó y acariciándole le decía: *¿Qué tienes, hijo mío?* Al día siguiente Unamuno lo abandonaba todo e iba a recluirse en el convento de frailes dominicos de Salamanca, donde estuvo tres días. Algunos años después me mostró el convento y el lugar donde pasó las primeras horas rezando de cara a la pared."

Pues bien, en la carta de 3 de enero de 1898, a Ilundain, escribía Unamuno:

"¡Qué cosa más terrible atravesar la estepa del intelectua-

* Carta a Clarín de 5 de mayo de 1900, *Epistolario a Clarín,* Madrid, 1941, pp. 84-100. Carta a Juan Arzadun de 30 de octubre de 1897, *Sur,* Buenos Aires, núm. 119, sept. 1944, pp. 53-59. Carta a Ganivet de 20 de noviembre de 1898, *Insula,* Madrid, núm. 35, 15 noviembre de 1948, p. 7. "Cartas inéditas de Miguel de Unamuno y de Pedro Jiménez Ilundain", *Rev. de la Univ. de Buenos Aires,* núm. 7, julio-septiembre, 1948, pp. 49-87. (Cartas de Unamuno de 3 de enero, 25 de marzo y 23 de diciembre de 1898.)

lismo, y encontrarse un día en que, como llamada y visita de advertencia, nos viene la imagen de la muerte y del total acabamiento! Si supiera usted qué noches de angustia y qué días de inapetencia espiritual... Me cogió la crisis de un modo violento y repentino... y comprendí la vida recogida, cuando, al verme llorar se le escapó a mi mujer esta exclamación viniendo a mí: "¡Hijo mío!" Entonces me llamó hijo, hijo. Me refugié en prácticas que evocaran los días de mi infancia... *".

El señor Corominas seguía diciendo en su artículo:

"Poco después, a mediados de 1897, comenzaba y mantenía conmigo... una correspondencia continuada, compuesta de largas cartas con una crucecita arriba: me explicaba todos los detalles de su conversación, como no creo lo hiciera a nadie más y me decía lo que tenía que hacer para convertirme... Los dos sentíamos el corazón empapado de una vaga religiosidad, que yo no alcanzaba a precisar en la figura concreta de una fe que él afirmaba poseer."

Que Unamuno había hecho al menos, a raíz de su crisis, un esfuerzo por recobrar la fe, lo indica él mismo en varios pasajes de sus cartas. El 5 de mayo de 1900, por ejemplo, escribía

* En *Vida de Don Quijote y Sancho*, comentando el encuentro de Don Quijote con las imágenes, trata Unamuno de la angustia que nos alza en "vuelo congojoso... al conocimiento substancial". Y entonces, sin que ello aparentemente venga muy a cuento, añade: "Hay quien no descubre la hondura toda del cariño que su mujer le guarda al oírla, en momento de congoja, un desgarrador ¡hijo mío!, yendo a estrecharle maternalmente en sus brazos" (*Ensayos*, Madrid [Aguilar], 1945, II, 293).

a Clarín, refiriéndose sin duda a lo que le había ocurrido tres años antes, y nombrándose por pudor, en tercera persona:

"Y sufría, sufría mucho. Después de una crisis en que lloró más de una vez... creyó en realidad haber vuelto a la fe de su infancia, y... empezó a practicar, hundiéndose hasta en las devociones más rutinarias, para sugerirse su propia infancia *."

No son, pues, con él justos quienes le acusan de no haberse nunca en verdad propuesto creer. No era ésa la primera vez, y quizás tampoco fué la última, que Unamuno intentó, sin lograrlo, volver a la fe perdida de su infancia. Cierto es que después de 1900 se instaló de un modo demasiado definitivo en la "lucha" y en la "duda"; pero esto, lejos de ser porque en el fondo poseía una última e inquebrantable "confianza" en Dios y en su salvación personal, como cree Julián Marías, y podría en efecto deducirse de alguna página de Unamuno, me parece era más bien por todo lo contrario: porque no tenía confianza alguna; y lucha y duda, y todos sus juegos con ideas, sentimientos y palabras, sólo le servían para ocultar un vacío, para engañarse a sí mismo olvidando que no había podido creer.

Unamuno en el fondo no creía. A esa conclusión había yo llegado, aun antes de leer sus cartas, y es a la que llega también el P. González Caminero cuando, muy tajantemente, dice:

"¿Qué hay en el fondo de las prolijas disertaciones teológi-

* El P. Caminero en su *Unamuno,* Santander, 1948, p. 68, cita este mismo trozo de la carta a Clarín, mas parece suponer que se refiere a "su efímera vuelta al catolicismo" al regresar a Bilbao, en 1884. Ello es imposible, pues decía Unamuno que "lloró más de una vez y hubiera sido un infierno su vida *a no tener mujer e hijos*", y como es bien sabido, él se casó en 1891.

cas de Unamuno? Sencillamente, un descreimiento absoluto en Dios. Hablando para entendernos, debemos decir que Unamuno era un ateo..., el Dios cordial unamunesco solamente existe en la fantasía de Unamuno."

El Dios cordial unamunesco, decimos nosotros, existía no en la fantasía sino en el corazón de Unamuno; pero sólo en su corazón, no fuera. Era un *deseo* de Dios, un querer creer que no puede ser confundido con una verdadera creencia. Que él no creía es lo que revela una lectura atenta de su obra y lo que muchas veces Unamuno mismo viene a confesar, aunque esa verdad, también en él, pronto se enturbie. Eso lo vió perfectamente Pedro Corominas, que en su artículo escribía:

"Si algún día se publica nuestra correspondencia, el lector imparcial estará seguramente con esta conclusión: *Unamuno creía que creía, pero no creía...* Hacía años que había perdido la fe de su infancia..., quiso volver a poner los pies en aquella roca viva y en vano lo probó..., nunca recobró la fe... Lo que hay es que no quería que fuese dicho."

Unamuno no tardó en convencerse de que no podía alcanzar la fe que buscaba, pues en la carta a Clarín, al decir que había llegado a hundirse "hasta en las devociones más rutinarias", agrega: "Fué una fiesta en su casa, vió gozar a su madre..., pero se percató de que aquello era falso y volvió a encontrarse desorientado." Ya desde fines de 1897 se había sentido "desorientado". En la carta de 30 de octubre de ese año, al contar que le habían agitado "hasta lo hondo los eternos problemas, el de la propia salvación eterna, sobre todo", y aún afirmando todavía que la fe se alcanza "queriendo de veras creer", él parece dudar de esa afirmación, y más aún de su fe, cuando se pregunta: "¿Si yo creo o es que tan sólo quiero creer? No lo sé. Ando desorientado, pero con mayor paz interior."

Aquel año de 1897 hizo abundantes lecturas religiosas, fruto de las cuales, así como de cuanto había sentido y pensado a consecuencia de su crisis, fueron las *Meditaciones evangélicas,* que escribía en el otoño, de las que ha llegado a nosotros, que yo sepa, sólo una, *Nicodemo el Fariseo.* El 3 de enero de 1898 se refería a sus *Meditaciones* y decía que tenía ya escritos tres ensayos ("El mal del siglo", "Jesús y la Samaritana" y "Nicodemo"), y "en telar" otro que titularía *San Pablo en el areópago.* Este último es seguramente el mismo a que ya aludía en la carta de 30 de octubre de 1897, *La conversión de San Dionisio,* pues fué Dionisio de los pocos que creyeron la extraña nueva —la resurrección de los muertos— que predicaba San Pablo en el areópago (cf. *Hechos,* XVII, 31-34). Muchas veces luego se referiría Unamuno a ese pasaje evangélico en el que quizás entonces fijó su atención por vez primera. Y en cuanto a *Nicodemo,* como luego se verá, siendo un reflejo de su crisis, encerraba ya ideas fundamentales que más tarde desarrollaría en sus obras principales.

Según se desprende de una carta del señor Jiménez Ilundain *(Rev. de la Univ. de B. A.,* 7, p. 60), ya en 1897 Unamuno había publicado un artículo titulado *Pistis y no gnosis.* Este sin duda tenía tema muy parecido al del ensayo *La fe,* de 1900, donde se ensalza la fe sin dogmas y, en suma, se trata mucho de "pistis", es decir, de la fe vaga y exaltada de los primeros tiempos del cristianismo. Pero, como Unamuno mismo confesó en una carta a Clarín, de 10 de mayo de 1900, y después de conocida ésta han repetido mucho los teólogos acusadores de Unamuno, en ese ensayo, *La fe,* es grande la influencia de Harnack y otros protestantes liberales. Podemos, por tanto, deducir que, si no antes, al menos ya en 1897, y obviamente a consecuencia del renovado interés por los temas religiosos a que dió lugar su crisis, comenzó a leerlos. Ellos alimentarían ese antidogmatismo y anticlericalismo de Unamuno, ya antes en él despiertos, como puede verse en cartas y trabajos anteriores a 1897, y que no abandonaría nunca, con la sola excepción, tal vez, de *San Manuel Bueno, mártir.*

Así pues, aunque en sus hábitos y en su aspecto, lo mismo que en sus ideas, tuviera Unamuno mucho de pastor protestante antes ya de 1897, parece evidente que la crisis de ese año habrá de ser tenida en cuenta al estudiar el "protestantismo" suyo, discutible tal vez, aunque menos desde luego que su catolicismo. Lo que después de 1900 él rechazaría del protestantismo moderno, sería la tendencia a menudo más ética que escatológica de éste, ya que era indudablemente, en todo momento, la esperanza en la vida de ultratumba lo que de la religión más interesaba a Unamuno. Mas a pesar de ello, poco después de 1897, a raíz de su crisis, y probablemente por influjo de sus lecturas, hay ocasiones en que parece adoptar una actitud religiosa fundamentalmente ética, típicamente protestante. En la carta a Ilundain de 3 de enero de 1898, por ejemplo, escribía:

"Recójase usted en sí mismo, cultive el grano de íntima bondad que llevamos todos, si es posible métase, en la medida de sus fuerzas, en cualquier empresa o instituto benéfico. Procure aliviar dolores ajenos y lea usted con el corazón, una vez y otra, el libro eterno, el Evangelio... Y el amor es fe."

Parece lo más probable que aquella "hermosa noche" a que se refería Corominas, aquella noche del "llanto inconsolable" fuera del mes de marzo *. Le sorprendió la crisis "de un modo violento y repentino", decía el propio Unamuno, y ella debió ocurrir apenas acababa de aparecer su primer libro. En las últimas páginas de *Paz en la guerra,* donde Pachico, es decir, el joven Unamuno, parece trazarse un plan de vida para el futuro, se propugnaba una armonía entre la intimidad espiritual y la lucha por el bienestar público, que vino a contrariar ese tragicismo que, a partir de 1897, será característica esencial de su pensamiento. A partir de su crisis su obra cambiará de signo y lo que Unamuno hará, más bien, será levantar guerra sobre la paz, "fragor y estruendo" para ocultar el rumor de "las aguas

* Del artículo de Corominas se deduce que ocurrió antes de "mediados de 1897". En un prólogo fechado en mayo de ese año (al libro de Juan Arzadun, *Poesías,* Bilbao, 1897) se refería ya a la desesperación que busca salida en la fe de la "niñez lejana", con frases parecidas a las que emplea meses después en sus cartas al referirse a la crisis. En la carta de 30 de octubre, dice hace "siete meses" lleva un diario en que anota cuanto se le ocurre y siente: no parece demasiado aventurado suponer que lo comenzase a raíz de aquella noche, es decir, en marzo. Y el 25 de *marzo* de 1898 escribía a Ilundain lo siguiente, que creo confirma los anteriores cálculos: "...y cuando hace un año sentí como una súbita visita aquellos sobresaltos e inquietudes..." *Nota en 1959.*—Al corregir las pruebas de este libro he de agregar que la aparición reciente del *Diario* de Unamuno, de 1897, aun no publicado, no deja ya lugar a dudas en cuanto a la crisis, aunque Unamuno en dicho *Diario* trate más que de las circunstancias en que ocurrió el "estallido" de sus reflexiones y sentimientos posteriores. El señor Armando Zubizarreta, descubridor del *Diario,* confirma en un artículo ("La inserción de Unamuno en el Cristianismo: 1897", *Cuad. Hispanoamericanos,* n.º 106 (1958), págs. 7-35) que "el estallido de la crisis religiosa de 1897 debió tener lugar en los días inmediatamente anteriores al 23 de marzo".

eternas, las de debajo de todo", porque "la paz es terrible"
(*Ensayos,* II, 382). Aunque en realidad en su primera novela
había ya una angustia sofocada, combatida, que fué precisamente la que produjo el estallido de pasión, el llanto de aquella
noche primaveral de marzo de 1897.

En la carta de 30 de octubre de ese año puede observarse
que lo más agudo, lo más doloroso, había ya pasado. Algunas frases lúgubres, que más o menos fielmente repite luego
a Ilundain, parecen ya sólo eco de algo sentido o pensado antes.
Por otra parte, él mismo declara en esa carta: "Gracias a la familia... no he caído en la desesperación y en una vida interior
tan dolorosa y terrible como la del pobre Pascal." Y a Ilundain
el 25 de marzo de 1898:

"Preocupaciones de índole más mundana y necesidades de
mi familia han encalmado no poco mi estado interior. Esto es
una ventaja, porque permite que se forme mi último fondo y
que cuaje el fruto de mis últimas experiencias y amarguras pro-
tegido, como por una capa, por esas preocupaciones."

Así, pues, pasado un año del estallido de la crisis, lo que
más le interesaba era el fruto de ésta —es decir, sus escritos— y
no sufrir demasiado. En mayo de 1900 decía a Clarín igualmente que "hubiera sido un infierno su vida a no tener mujer
e hijos". Mujer e hijos debieron ayudarle mucho a calmarse,
por lo pronto; pero lo que más le ayudaría luego a adormecer
el dolor sería analizar y poetizar éste, referirse a él.

Decía aún Corominas: "La vida de Unamuno en adelante
fué una remembranza de aquella lucha. Si algún rumor quedaba en el fondo de su corazón era el eco inextinguible de

aquella infortunada voluntad de creer." Su obra al menos sería en gran parte remembranza de aquella lucha. Y no parecerá exagerado decir que la crisis tuviera tal influencia, si se recuerda que ella fué culminación de un largo período de inquietud religiosa: quince años antes él había perdido la fe; había poco después querido recobrarla y no pudo; había querido resignarse, engañarse, y no pudo tampoco; y desde 1895 sintió crecer "tendencias místicas" —como dijo en una carta a Clarín de esa fecha—, que fueron sin duda las que le llevaron a esa crisis de dos años después. Ello lo indica, además, el propio Unamuno en la carta de 30 de octubre de 1897: "Cuando vuelvo mi vista atrás y veo el camino recorrido, se me aparece claramente que cuanto hoy siento y pienso no es más que coronación... de mi vida anterior íntima, purificación de ella." En 1897 se cierra un período de la vida de Unamuno y se abre otro en el cual su obra mostraría un especial carácter religioso. Al parecer, a raíz de su crisis, vaciló entre religión y literatura, pues le impulsaban, atrayéndole hacia caminos distintos, ansia de fama y ansia de salvación: dos polos de su personalidad, del mismo afán de sobrevivir, como él mismo luego repitió. Falto de fe verdadera, habría de escoger literatura; pero ésta aparecería, después de su decisión, teñida de espíritu religioso.

Es significativo que, según decía a Arzadun en octubre de 1897, pensara hacer la siguiente transformación en una obra suya: "Duerme... el manuscrito de *El reino del hombre*... Si lo repaso será para refundirlo convirtiéndolo en *El reino de Dios*." Por esa época trabajaba en sus *Meditaciones evangélicas*. Sin embargo, en la misma carta desdeña la "condenada profesión de literatos", y dice: "No quiero que lo que puede llegar a ser mi verdadera regeneración y la curación de mis males se convierta en aventura literaria."

A Unamuno le repugnaba en 1897 convertir en literatura sus dolores y esperanzas más entrañables. La batalla mayor que en el otoño de ese año se libraba en su espíritu, era entre el deseo de utilizar los muchos pensamientos que gracias al estallido de la crisis había podido atesorar —"en el tropel de cosas que en poco tiempo han acudido a mí", según escribía en enero de 1898— y su repugnancia a hacer eso. Era una pena desaprovechar tanto y tan buen material, pero tratar de esas "cosas" era como traicionar algo íntimo, renunciar a lo que aún podía llegar a ser curación de sus males. En toda la carta da vueltas a lo mismo:

"Trabajo por dentro y hacia dentro más que nunca, pero creo de mi deber reservar lo más íntimo..., huir de exhibiciones..., esquivar toda mostración a curiosos impertinentes y no dejar que con la publicidad se evapore lo más preciado... En mi diario de estos meses tengo cantera para muchos artículos, pero eso debo reservarlo... ¡Cómo envenena el literatismo y nos lleva a tomarlo todo como experiencia y prueba...!"

No hizo lo que había creído fué su deber. No reservó nada. Su obra a partir de entonces consistiría sobre todo en mostración de intimidad, a veces ciertamente evaporada. Si en 1897 resistía aún, relativamente, al deseo de exhibir sus penas y anhelos, ello era porque conservaba todavía cierta esperanza de alcanzar la fe: el ansia de eternidad, que de un modo tan vivo había sentido poco antes, empalidecía su ansia de fama. Pero cuando se convenció que no podía creer, y que aquello de hundirse en devociones rutinarias, fingiendo una fe que no tenía, "era falso", volvió a hallarse, como decía a Clarín el 5 de mayo de 1900, "preso otra vez de la sed de gloria, del ansia de sobrevivir en la historia".

En una carta del señor Ilundain, de 1897, se transcribe el trozo de una anterior de Unamuno, hoy perdida, donde éste decía: "Ahora sólo me resta dejarme llevar de mi modo de ser. Es decir, ¿que mi característica es la paradoja, pongo por caso? Pues nada, escribiré y sostendré paradojas..." Cuando Unamuno escribió esas líneas, probablemente a fines de 1897, debía haber ya tomado una decisión en cuanto al camino a seguir; se había ya sin duda trazado un plan, que siguió fielmente. En la carta de 25 de marzo de 1898 decía al mismo Ilundain que andaba "en tratos" para publicar la primera serie de sus *Meditaciones,* entre ellas *Nicodemo,* que, como él declaró luego, no era sino una confesión. No logró su propósito, y ese ensayo no apareció sino a fines de 1899, y los otros no sé si llegaron a publicarse; pero, en todo caso, a principios de 1898 él había indudablemente renunciado a reservar "lo más íntimo". Y por ello ahora pensaba, al contrario que meses antes, que eso precisamente era su deber, pues decía en la misma carta, refiriéndose a sus propósitos de editar las *Meditaciones*: "¿Adónde iré a parar? No lo sé. Sólo sé que creo haber hallado por ahora mi camino y que creo cumplir un deber y una necesidad íntima de mi espíritu a la vez." Mas desvanecidos los escrúpulos, comenzarían los remordimientos, como aún veremos, y éstos entrarían a formar parte de su literatura y aun serían fuente de ella.

Ese año de 1898 en que se había decidido a reanudar su carrera literaria, su lucha por la conquista de la fama, debió también ser el año en que se le eclipsó para siempre la esperanza de alcanzar una verdadera gloria, una vida inacabable. Y por entonces se sentía muy triste, muy solo en Salamanca. El 23 de diciembre escribía a Ilundain:

"Siento cierta sensación extraña de soledad y de abandono. Hay momentos en que me parece estar solo y que los demás no son más que sombras, espectros que se mueven y hablan. Estoy convencido de estar pasando la verdadera crisis de mi vida..."

Crisis larga la suya y de la cual ese desaliento era la última fase, poco antes de que sobre vacío y soledad Unamuno levantara el castillo pirotécnico de sus "dudas". Ciertamente que los sucesos políticos del "98" influirían en su estado de ánimo; mas no era éste el factor decisivo. En la misma carta decía, refiriéndose a su conocido ensayo *La vida es sueño*:

"Me brotó del corazón y es la expresión fiel de mi estado de ánimo a consecuencia de las desdichas patrias... Aquí sigue todo mal, en el mismo empantanamiento y la misma postración. Es una modorra de muerte. Las últimas desdichas no nos han arrancado ningún grito de dolor sincero... La moda ahora es lo de la regeneración..."

Unamuno aquí parece haber registrado el golpe, se muestra hijo verdadero del "98". Mas inmediatamente añade esto, que me parece deja poco lugar a dudas: "Pero la verdad es que estos dramas nacionales me interesan mucho menos que los que se desarrollan en la conciencia de cada uno."

Por eso creo puede decirse que el melancólico ensayo *La vida es sueño* (en el que abandona el regeneracionismo, anunciando la posición que, tras algunas vacilaciones, sería luego típica suya, a partir de *Vida de Don Quijote y Sancho* y del ensayo *Sobre la europeización,* de 1906) es expresión del estado de ánimo en que lo escribió, noviembre de 1898, sí, pero no fué sólo debido a las desdichas patrias. La tristeza por la ruina de España y por la ruina de su fe se mezclaban en él. Poco parece que tenga que ver con lo ocurrido en Santiago de Cuba o Filipinas lo siguiente:

"¡Ah si volviese otra vez aquella hermosísima Edad Media, llena de consoladores ensueños...! A medida que se pierde la fe cristiana en la realidad eterna búscase un remedio de inmortalidad... Desgraciado pueblo, ¿quién le librará de esa historia de muerte? *."

Estas consideraciones llevan a pensar que la dolorosa "religión" de Unamuno no es una consecuencia del espíritu trágico del "98", sino más bien lo contrario: la posición dolorosa de Unamuno con respecto a España, una consecuencia de su crisis religiosa **.

En agosto de 1899 decía a Ilundain hallarse "bastante satis-

---

* *Ensayos,* I, 231-236. En las "Tres cartas inéditas de Unamuno a Ganivet", de octubre y noviembre de 1898, publicadas en *Insula* (Madrid, núm. 35, 15 nov. 1948), no se refleja una gran preocupación por los sucesos políticos de aquellos días, como ya hizo notar su editor A. Gallego Morell. Tampoco en la carta a Arzadun, de diciembre de 1898 (*Sur,* sept. 1944). No hay que olvidar, además, que por esa época Unamuno, socialista y evangélico, era convencido pacifista.

** Esto es, por otra parte, lo que indica "Azorín" refiriéndose a toda la generación del "98", cuando escribe en *Madrid*: "No se diga, como se suele, que la tristeza provenía de la consideración del desastre colonial. Nos entristecía el desastre. Pero no era, no, la causa política, sino psicológica". (*Obras completas,* Madrid, 1948, VI, 243).

fecho" de su carrera literaria, de sus éxitos periodísticos. Tres meses después se presentaba en el Ateneo de Madrid para leer una conferencia: *Nicodemo el Fariseo* *. Y el 5 de mayo de 1900 escribía a Clarín: "Del corazón le brotó su *Nicodemo,* cometió la torpeza de llevar a público confesiones íntimas..." No conociendo la historia de su crisis sería difícil saber por qué ese relato es una confesión, aunque ésta se inicia ya en las palabras que pronunció antes de leerlo. En la carta de 30 de octubre de 1897 había él escrito: "Hay una enfermedad tremenda... se digiere el estómago a sí mismo... No otra cosa es el intelectualismo... Se llega al extraño deleite de ahondar en el propio mal, de dilacerar la llaga." Y en la introducción a *Nicodemo* dijo: "He llegado a conocer una enfermedad terrible, semejante en el orden del espíritu a... un estómago, que... empieza a digerirse a sí mismo."

Y siguió hablando de esa enfermedad que es el "intelectualismo", la cual, observaba, se cura a dieta de "leche de la infancia". Dieta que, como vemos, a él no le curó. Las amargas reflexiones que él se hizo cuando pensaba "reservar lo más íntimo" en cuanto a la utilización que los intelectuales acostumbran hacer de sus sentimientos, devorándose a sí mismos, no dejaría él, pues, al utilizar los suyos, de utilizarlas también.

Rogaba luego a su auditorio que escuchase "con un estado

* Fué "leída por su autor el lunes, 13 de noviembre de 1899. El exordio y la conclusión fueron improvisados. Se publicó en *Revista nueva,* Madrid, el 25 de noviembre de 1899". (M. García Blanco, "Don Miguel de Unamuno y sus seudónimos", *Bull. of Spanish Studies,* 1947, XXIV, 131, núm. 1). Pero una primera versión al menos la tenía ya escrita, como vimos el 3 de enero de 1898. Prácticamente era obra desconocida hasta que la incluyó Julián Marías en *Obras selectas* (Madrid, 1946, pp. 879-902), por donde citamos.

de ánimo análogo por lo menos a aquél que me lo inspiró, con cierto recogimiento". Era tal vez mucho pedir. Solo él había podido sentir emoción especial, en 1897, leyendo en el Evangelio (*San Juan,* III, 2) que Nicodemo "vino a Jesús de noche". Y comenzó a leer: "Hay fariseos, es decir, idealistas creyentes en una vaga vida superior... [los cuales no quieren] dejar su religiosismo incierto para acogerse a religión..." Citemos una vez más a Corominas, que escribió, aludiendo a las cartas que en 1897 Unamuno le dirigiera: "El tema de la correspondencia era éste: cómo en un espíritu empapado de religiosidad puede producirse la polarización de una fe." Ello me parece una prueba de que las cartas a Corominas realmente existieron —tal vez un día aparezcan— y decían lo que éste indica; y es prueba de que *Nicodemo* refleja lo que a Unamuno le había ocurrido en 1897.

Siguió leyendo, y recordando no sólo aquella noche suya de inconsolable llanto, sino también sus luchas e indecisiones posteriores, decía Unamuno:

"... mas siéntense al fin movidos desde dentro, cuando las lágrimas se le suben al corazón, rebosante, y opreso... Porque no en vano fuimos niños... el hombre íntimo que al fin en ellos se despierta, no tiene fuerza bastante para sacudirse del exterior, del que los demás le han hecho. Su prestigio ahoga su alma. ¡Y qué noches de angustia las del pobre Nicodemo cuando piensa en las cadenas que tiene que romper...! Es un sacrificio superior a sus fuerzas. Mas al cabo no puede resistir más... y una noche vase de hurto a visitar a Jesús. Sin que ningún importuno se entere, a escondidas..., se avista con el Maestro."

Esa escapada nocturna debió impresionarle porque le recordaba lo que, según Corominas, él mismo hizo "a la mañana siguiente", y no en la noche, al convento, ya que no a Jesús. O al menos debió recordarle su tentativa posterior de abrazar la fe de Cristo, la fe de su niñez. Mas observemos que Nicodemo empieza por las indecisiones y acaba yendo a visitar a Jesús, mientras que en Unamuno las indecisiones, el combate entre el "prestigio" y el "alma", fueron consecuencia de aquella noche de crisis. De todos modos Unamuno debió encontrar gran semejanza entre la historia de Nicodemo y la suya propia, y eso le movió a narrarla de nuevo, ampliándola y confesándose en ella.

Después de dar cuenta del diálogo de Jesús con Nicodemo, acababa Unamuno su lectura comentando:

"Salió Nicodemo de su nocturna y recatada visita al Salvador, y con el ánimo preñado de altas ideas... volvió a zambullirse en el mundo..., volvió a vivir su alma la vida exterior, la de su costra terrena, mas conservando siempre en el oculto fondo el fervor de aquella noche."

Y eso haría también Unamuno: viviría la vida exterior y haría su obra aprovechando las "altas ideas" nacidas del "fervor de aquella noche", la cual sería como el "oculto fondo" de todo su pensamiento religioso.

Después de *Nicodemo* escribiría un drama con tema parecido. En mayo de 1900 comunicaba a Clarín: "En mi drama (que es una confesión, y que si usted quiere juzgarlo escribiré a Galdós, que tiene el manuscrito, que se lo remita), en mi drama me he confesado, más aún que en *Nicodemo*..." ¿Qué drama es ése? ¿Qué confesión encerraba? Nuevas cartas de Unamuno, publicadas en 1948, permiten contestar a estas preguntas que debieron hacerse desde 1941 los lectores del *Epistolario a Clarín*. En la de 20 de noviembre de 1898, a Ganivet, se dice el título del drama y se cuenta el argumento. Y gracias a éste creo se elimina cualquier duda que pudiera aún existir en cuanto a lo que constituían las "confesiones íntimas" de *Nicodemo*. Lo que en ambas obras, drama y relato, es confesión, es evidentemente lo que tienen de común, y ello es sólo la decisión de un hombre —fariseo antiguo o revolucionario moderno— de huir de lo banal; una escapada, determinada por la angustia, del mundo de las preocupaciones superficiales a lo íntimo, a la búsqueda de la fe, de la salvación. Decía a Ganivet:

"Ahora estoy metido de hoz y coz en un drama, que se llamará *Gloria o paz*, o algo parecido. Es la lucha en una conciencia entre la atracción de la gloria, de vivir en la historia... y el encanto de la paz, del sosiego de vivir en la eternidad. Es un hombre que quiere creer y no puede... Es un tribuno popular..., cuando más esperan de él quema las naves, renuncia a su puesto..., su mujer... le abandona; le abandonan los amigos y se refugia en casa de uno, el único fiel, a buscar paz y fe. El día de la revolución las turbas descubren su retiro, van allá, le motejan de traidor, quiere contenerlas y cae mortalmente herido."

A pesar de que el tribuno no tuviera hijos y que su mujer fuera ambiciosa y desleal, todo lo cual no era el caso de Unamuno, y a pesar del final de drama romántico, lo autobiográfico era en esa obra un factor importantísimo. En octubre de 1897 había escrito a Arzadun que se sentía "más socialista que antes y en la misma manera en que antes", aún después de su crisis, pues el socialismo "sólo peca en aquello de que se inhibe", es decir, "olvida que tras el problema de la vida viene el de la muerte". Y precisamente eso fué lo que recordó el revolucionario del drama, el tribuno popular. Poca duda puede caber, en todo caso, de que dicha obra sea una "confesión", como él escribía a Clarín, cuando, aparte de lo que se advierte con el solo argumento, ya decía a Ganivet, en la misma carta de 20 de noviembre de 1898: "Temo que me resulte en exceso lírico... Pero le aseguro que hay en él [drama] gritos, gemidos de dolor realmente sentidos, y alguna escena que, pareciendo exagerada, es rigurosamente exacta." Y a Ilundain, el 23 de diciembre de 1898: "Fruto de las últimas vicisitudes por que ha pasado mi espíritu ha sido un drama, al que estoy dando la última mano..." No puede dudarse que sea el mismo, ya que cuenta a Ilundain también el argumento, casi con las mismas palabras que lo había hecho a Ganivet un mes antes; y ofreciendo incluso esta vez un trozo como muestra, transcribe las palabras del tribuno moribundo en brazos de su mujer (arrepentida ya sin duda de su frivolidad anterior), de las cuales destacamos éstas: "Reza, reza, a ver si cuajando nuestras oraciones crean una gloria de sustancia, celestial y eterna, de las almas, no terrenal y pasajera, no de los nombres." Y la mujer exclama: "¡Angel! ¡Angel!..., hijo mío!" *.

Fijémonos en eso de que las oraciones pudieran *crear* una gloria, de lo que aún nos ocuparemos. Ello es quizás eco de algo que, brotado del corazón, a Unamuno le había pasado por

---

* Se encuentran noticias de ese drama y otras obras de 1899 en las cartas de Unamuno (de 24 de mayo y 16 agosto 1899, 26 enero y 21 noviembre 1900) a Ilundain en *Rev. de la Univ. de Buenos Aires* (núm. 8, octubre-diciembre 1948, pp. 311-357). En enero de 1899 escribía Ilundain que el drama—llamado ahora *La muerte es paz*—no le gustó, y señalaba influencias en él de Ibsen y Echegaray.

la cabeza en los días en que, año y medio antes, se sumía en las prácticas rutinarias de la infancia, buscando fe.

LA FAMA, "SOMBRA DE LA INMORTALIDAD"

Al contrario que el tribuno de su obra, Unamuno había escogido el camino de la fama; pero ello no sin dolor, sabiendo que así escogía por no haber podido creer en la existencia de otra vida. En la carta a Clarín de mayo de 1900, en que alude a su drama, declaraba: "¡Ah, qué triste es después de una niñez y juventud de fe sencilla haberla perdido en la vida de ultratumba, y buscar en nombre, fama y vanagloria un miserable remedo de ella!" Y en *Amor y pedagogía,* ese don Fulgencio, que a menudo se expresa como Unamuno mismo, decía, desnudando su alma:

"El erostratismo es la enfermedad del siglo, la que padezco..., quemamos nuestra dicha para legar nuestro nombre, un vano sonido, a la posteridad... como no creemos en la inmortalidad del alma, soñamos en dejar un nombre..., aquí me tienes tragándome mis penas, procurando llamar la atención..." *.

Cosa muy parecida escribía Unamuno en 1901 cuando aludía a "la pelea por la sombra de la inmortalidad, ya que perdimos la fe en su bulto" **. Y tanto le obsedía el tema por esa

* *Amor y pedagogía,* Barcelona, 1902, pp. 172-173. La primera redacción de esta novela estaba ya terminada a fines de 1900, según dice el propio Unamuno en carta a Arzadun de 12 de diciembre de ese año (cf. *Sur,* octubre 1944, p. 56).
** *Ensayos,* I, 313. Y las mismas palabras aparecen en el prólogo, fechado también en julio de 1901, al libro de Manuel Ugarte, *Paisajes parisienses,* París, 1902.

época, que pensaba incluso escribir un ensayo que titularía *Eróstrato o la gloria* *. La diferencia entre ese trabajo y *Nicodemo o Gloria o paz,* creo hubiera sido que mientras éstos venían a ser eco de su desesperación y de su anhelo en la primavera de 1897, en cambio *Eróstrato* vendría a expresar, más o menos, el estado de ánimo en que había quedado después de su decisión, al salir de la crisis, entregado a la búsqueda de la fama, pero convencido ya de que no creía ni podría nunca creer. Pero la importancia de todo esto consiste sólo en que muestra cuál fué el origen de una obsesión que se elevó a obra verdaderamente artística muy poco después en *Vida de Don Quijote y Sancho,* la historia de ese gran buscador de la gloria que fué Don Quijote, su Don Quijote. Y se comprenderá ahora por qué Unamuno se detenía siempre tanto, y con tanta pasión comentaba el capítulo referente al encuentro de Don Quijote con las imágenes, cuando el caballero parece dudar en cuanto a lo acertado del camino que escogió, de lucha por lo humano y no "a lo divino", pasaje que ya comentaba en 1898, en *La vida es sueño.*

Parece, pues, evidente, y nada extraño, desde luego, que en los trabajos de Unamuno, conocidos o no, de los años 1897 a 1900 hay un eco clarísimo de lo que la crisis fué en su momento álgido, tanto como de los anhelos, angustias y tristezas que siguieron inmediatamente después. Esos trabajos son base de la obra posterior, más importante. En la carta de 24 de mayo de 1899, a Ilundain, se refiere Unamuno a una obra en preparación que seguramente fué el germen de *Del sentimiento...,* pues decía: "Ahora estoy metido en una obra de largo aliento, en que acaso emplee años. Son unos diálogos filosóficos de plan

* "Unamuno en sus cartas", *Ensayos,* II. 42.

vastísimo... Lo más característico de ellos es que arranco de la sociología y de la ética para elevarme al problema de la incognoscible finalidad del Universo, y de él al concepto y sentimiento de la Divinidad. Acaba con la doctrina de la feliz incertidumbre, que nos permite vivir." *(Rev. de la Univ. de B. A., octubre-diciembre, 1948, pp. 325-326).* Y cosa parecida repite en la carta al mismo de 26 de enero de 1900: "en mis diálogos... acaso me detenga años... hablando de la doctrina de la incertidumbre" (p. 339). Claramente se ve, pues, que Unamuno comenzaba a levantar "la doctrina" de la duda cuando ya no tenía duda, después de convencerse que no podía creer. Y en cuanto a las novelas, no sería difícil probar que lo esencial de *Niebla* se deriva de *Amor y pedagogía*: la rebeldía de Augusto Pérez contra su creador es la de don Fulgencio, que haciendo en el teatro del mundo el papel que le ha sido asignado, introduce de vez en cuando su "morcilla", su palabra propia, su protesta contra el director de escena (cf. *Amor...*, pp. 69-71). El interés de dichos trabajos reside sobre todo en que indican de qué modo y por qué causa fundamental se formó el pensamiento de Unamuno. Ellos se basan en gran parte en la crisis, y la obra posterior de Unamuno se basa en gran parte en ellos. Mas aun prescindiendo de ese punto de enlace, la relación entre sus libros principales de ensayo y la experiencia de 1897 parece indudable. Baste recordar que esa crisis no fué, en síntesis, sino una muy sincera desesperación de la que brotó anhelo vivísimo de fe. Claramente lo dice el propio Unamuno, en la carta de 30 de octubre de 1897, cuando resume así lo que le había sucedido: "Me he sentido al borde de la Nada inacabable y he acabado por sentir que hay más medios de relacionarse con la realidad que la razón, que hay gracia y que hay fe, fe que al cabo se logra queriendo de veras creer." Pues bien, recordemos que elevarse a la fe luchando por ella, más allá de la razón, para salvarse de la Nada, es lo que hacía el Caballero de la Fe, que "era en el fondo un desesperado". Eso es lo que Unamuno predicaba y repetía, lo que viene a decir en *Vida...*, y también en *Del sentimiento trágico de la vida,* donde no hace sino explicar y desarrollar, documentar, lo mismo que antes, más inspiradamente, había ejemplificado en Don Quijote.

UNAMUNO Y KIERKEGAARD

Pero en la creación de las obras posteriores a 1900 intervinieron mucho sus lecturas: Harnack, W. James y Kierkegaard (y Kant, Hegel, Nietzsche, Spinoza, Schopenhauer, Carlyle, Leopardi, Sénancour, Ibsen, místicos, poetas ingleses...), especialmente. Entre todos esos nombres debe ser destacado el de Kierkegaard, de quien se pueden encontrar reminiscencias evidentes ya en los ensayos de Unamuno de los años 1903 y 1904, en los cuales a veces incluso le cita, aunque tal vez menos de lo que debiera; pero poco después, en *Vida...*, hay algo más. Dicha obra no sólo coincide en esencia con lo fundamental de toda la obra de Kierkegaard —necesidad de alcanzar íntima fe por el camino del sufrimiento y el anhelo—, sino que tal vez éste sugirió a Unamuno la idea de escribir ese libro, pues él ya, sesenta años antes, y tal vez recordando a Don Quijote, había imaginado un "Caballero de la Fe" que se eleva a la esperanza partiendo del dolor y cree el absurdo —y sabido es que para Kierkegaard *el absurdo* era la fe cristiana— tras haberse hundido en "la infinita resignación" *. Eso por no tratar aquí del influjo

---

* "Love for that princess became for him the expression for an eternal love, assumed a religious character... At the moment when the

de la obra principal del teólogo danés (sus *Notas finales...*) en *Del sentimiento...*, donde tanto se cita. Cualquiera que lea ambas obras advertirá que la influencia es evidente. A ello se ha aludido muchas veces, sobre todo en los últimos años, aunque muy pocas veces se hayan hecho indicaciones precisas. Quienes, tal vez, han tratado hasta ahora mejor del asunto han sido Pierre Mesnard et Robert Ricard, "Aspects nouveaux d' Unamuno", *La vie intellectuelle,* Paris, mars 1946, pp. 112-138. Señalan puntos de contacto entre ambos pensadores destacando lo que, según ellos, Unamuno "emprunte à Kierkegaard", y dicen muy acertadamente (p. 120): "La rencontre de Kierkegaard représentait donc pour lui non seulement la résonnance de son inquiétude et de ses aspirations intérieures dans un instrument magnifique, mais l'intégration, désormais possible de toutes ses connaissances antérieures". Pero ellos se refieren sobre todo a lo que Unamuno sabía de poesía romántica, postkantismo, etc., y no a sus anteriores experiencias religiosas. Por eso tienen mucha razón al aludir a "l'intensité" de una influencia en Unamuno "qui n'avait certainement pas été assez dégagée par les études de nos prédécesseurs"; mas exageran cuando se refieren al "existentialisme emprunté à Kierkegaard". La rela-

knight made the act of resignation, he was convinced, humanly speaking, of the impossibility... the only thing that can save him is the absurd, and this he grasps by faith. So he recognizes the impossibility, and that very instant he believes the absurd" (*Fear and Trembling,* trans. by W. Lowrie, Princeton, 1941, pp. 61-67). Ese "Caballero de la Fe" es el mismo romántico Quijote de Unamuno, el cual nos dice en *Vida...*: "A fuerza de ese supremo trabajo de congoja conquistarás la verdad... Aunque tu cabeza diga que se te ha de derretir la conciencia un día, tu corazón, despertado y alumbrado por la congoja infinita, te enseñará que hay un mundo en que la razón no es guía" (*Ensayos,* II, 293).

ción de Unamuno con Kierkegaard merece ser estudiada con algún detenimiento. Y sin duda fué grande, mas para valorarla con justeza es indispensable poner previamente en claro, hasta donde sea posible, lo que Unamuno pensaba y cuáles eran sus experiencias religiosas antes de haberle leído.

Así, pues, si anteriormente afirmamos que lo fundamental del pensamiento religioso de Unamuno tiene como base una experiencia íntima —cosa no tan obvia, por otra parte, ya que muchas veces parece éste sólo juego o mecánica repetición— ello en modo alguno significa que neguemos o queramos disminuir la importancia de ese influjo de Kierkegaard y otros. Al contrario, precisamente partiendo del hecho de que el pensamiento de Unamuno tiene semejanza grande con el de Kierkegaard, nos pareció urgente saber con certeza si él había vivido esa angustia de que habla, si había alguna vez sentido ese profundo anhelo de Dios que parece latir en sus mejores páginas. Un pensamiento existencial, entendido éste al modo kierkegaardiano (es decir, brotado del corazón y no sólo elaborado por la mente), si no fuera más que adoptado, recibido desde fuera, sería una farsa. Pero no es ése el caso de Unamuno. El había vivido lo que es raíz de su pensamiento, y éste se hallaba en gran parte formado antes de que leyera a Kierkegaard, en 1900, o poco después. En carta a Clarín de 3 de abril de 1900 (*Epistolario...*, página 92) dice Unamuno: "Voy a chapuzarme en el teólogo y pensador Kierkegaard fuente capital de Ibsen... según he leído en el libro de Brandes sobre Ibsen que es donde empecé a aprender danés". En ese libro fué donde se informó que existía el tal teólogo y pensador, pues escribía en 1907, en el ensayo *Ibsen y Kierkegaard*: "Fué el crítico de Ibsen, Brandes, quien me llevó a conocer a Kierkegaard..." (*Ensayos,* II, 409). El libro de Brandes apareció en Copenhague en 1898, pero él debió haberlo leído a fines de 1899 o primeros días de 1900, pues el 26 de enero de ese año de 1900 escribía a Ilundain: "Para perfeccionarme en el dano-noruego o norso danés pedí la obra de Brandes acerca de Ibsen. Me ha levantado el corazón. ¡Qué hombre!..." (*Rev. de la Univ. de B. Aires,* oct.-dic, página 346). Lo que en esa obra a que Unamuno alude dice Brandes sobre Kierkegaard, es muy poco, así que hasta que se "chapuzara" en él, bien entrado el año de 1900, lo más pronto, no pudo sufrir su influencia. Kierkegaard supondría para él como una garantía, un punto de apoyo; y de él tomaría sólo la parte que le conviniera, entendiéndola y transformándola a su modo.

En una carta a Ilundain de 16 de agosto de 1899 (*Rev. de la Univ. de B. A.,* oct.-dic. 1948, p. 333), decía que en los ensayos de sus *Meditaciones,* el "*Nicodemo* ante todo" había puesto: "No mi cerebro sólo, sino mi corazón. En ellos he pensado integralmente, con alma y cuerpo y sangre y meollo, no sólo con el cerebro". Unamuno entonces no había leído a Kierkegaard. Y tampoco cuando poco después, en las palabras de introducción a *Nicodemo* decía lo siguiente, donde aparecen ya ideas que luego serán centrales en su pensamiento: "Cuando la razón me dice que no hay finalidad trascendente, la fe me contesta que debe haberla, y como debe haberla, la habrá. Porque no consiste tanto la fe, señores, en creer lo que no vimos, cuanto en crear lo que no vemos. Sólo la fe crea".

Eso de que la fe diga sí cuando la razón que no, aparte su propia experiencia, si ha de recordar a alguien es a Kant. Ya en la carta de 3 de enero de 1898, a Ilundain, se refería Unamuno al "postulado de la razón práctica que surge poderoso de las ruinas acumuladas por la razón pura". Y en cuanto al afirmar (y no sólo desear, como en el drama) que la fe consiste en "crear lo que no vemos", cosa que repetiría muy poco después al comenzar el ensayo *La fe*, y luego muchas otras veces, es humorada trágica, algo que probablemente pensó una vez, cuando sus crisis, pero que debió ayudarle a expresar su lectura de Harnack. Aunque ciertamente no es lo mismo decir que los dogmas no son fruto de revelación, sino que fueron creados por los hombres partiendo de una fe previa y difusa, a decir que "la fe crea", queriendo decir que crea a Dios. En la carta de 26 de enero de 1900, refiriéndose a sus *Diálogos filosóficos*, escribe: "¿Podemos hacerla verdad?... ¿Puedo hacer verdadero lo irreal? ¿La humanidad puede crear a Dios, sacándole de sus entrañas? Esto sí que es abismático... Todos estos problemas confinantes con el misterio agito en mis diálogos". Unamuno parece satisfecho de la rareza que ha inventado. Aunque, en último término, con eso de que la fe *crea* quiere decir que inventa, él parece pensar en serio en la posibilidad de que *cree*, y en ese sentido debemos entender su afirmación; al menos él juega con el doble sentido de la expresión: *crea* en la mente y *crea* en la realidad.

Ya en 1899 aparece, según vemos, formando el Unamuno cuya pasión se cuaja en fórmulas y paradojas. Ya en su preámbulo a *Nicodemo* aparece la confusión, luego siempre repetida, entre fe y anhelo de fe. Unamuno mismo dijo en el ensayo *¿Qué es verdad?*, de 1906, y no sólo entonces, que "creer en Dios es querer que Dios exista"; y en el soneto LXII, "Ateísmo", de su *Rosario de sonetos líricos*, advierte que "tomamos como fe a la esperanza". Mas él con frecuencia tomaba como *fe*—para oponerla a la *razón*, de donde saldría la *duda*—lo que no es fe y ni siquiera esperanza. Y cuando, confesando la verdad, deshace el enredo, inmediatamente lo hace otra vez, pues vuelve a llamar "Dios" y "fe" a lo que no lo son en rigor.

Tales confusiones, conscientes, que tanto han confundido a los críticos, y que ahora empiezan a disiparse, se encuentran a lo largo de toda la obra de Unamuno, y especialmente en los "Salmos" de sus *Poesías* y en *Del sentimiento...*, cap. IX. Pero no olvidemos que si hacía esta confusión, ello se debía sobre todo a que una vez al menos él se había en verdad confundido, por pasión: en 1897, cuando creyó haber alcanzado la fe porque mucho la necesitaba. Mas luego, cuando comenzó a introducir en su literatura ese engaño, él ya no creía, ya no se engañaba. A lo más, quería engañarse. En 1906 muy explícitamente lo declara, al escribir en un ensayo: "Yo necesito la inmortalidad de mi alma... Y como la necesito, mi pasión me lleva a afirmarla, y a afirmarla arbitrariamente, y cuando intento hacer creer a los demás en ella, hacerme creer a mí mismo violento la lógica y me sirvo de argumentos que llaman ingeniosos y paradójicos los pobres hombres sin pasión que se resignan a disolverse un día del todo*.

Aunque la confesión valga, sólo la mitad de eso que dice es verdad. Nadie, que yo sepa, le ha criticado porque afirmara la inmortalidad y levantase, por pasión, en favor de ella, argumentos contrarios a la lógica. Unamuno no hacía eso. El sólo repetía que anhelaba esa inmortalidad, y que no podía creer en ella, de donde brotaba su desesperación, y de la desesperación otra vez el anhelo. Eso es lo que constituye el fondo de toda su obra y eso era en él lo verdaderamente sentido, unas veces más que otras, y mucho una vez, en 1897. Lo que se le critica, y más se le criticará a medida que se vea en ello más claro, es que partiendo de ese grito desesperado—pues un grito desesperado es lo más hondo y mejor de su pensamiento—se

* *Ensayos*, I, 903-904.

entregara luego a juegos y equilibrios a menudo alejados ya de su pasión, y tanto más alejados cuanto más los repetía; y que se perdiese en divagaciones, con frecuencia confusas, que solían tener como punto de partida alguna lectura ocasional; y que se lanzara a hacer afirmaciones en las que en ningún modo creía.

Distingue siempre Unamuno entre fe "viva", es decir, vivo anhelo de fe, y la fe pasiva del "carbonero", o esa otra, estéril, derivada solamente de la razón, queriendo indicar que la suya es superior, que vale más su anhelo que la fe muerta de otros. De ello me parece no cabe duda. Pero él casi nunca tenía en cuenta que pudiera haber una fe que no fuese la implícita, y tampoco la de los teólogos racionalistas, y que fuese algo más que anhelo, es decir, verdadera fe viva: alta esperanza de·algo que se desea apasionadamente, sí, pero en cuya existencia real en verdad se cree. Fe que supone la existencia de Dios fuera y por encima de nosotros, y no sólo dentro de nuestro corazón. Y en la realidad de esa gloria, de ese Dios que anhelaba, era en lo que, en verdad, Unamuno no había podido creer, y no creía. Si alguna vez se preguntaba si Dios existe realmente "fuera de nuestro anhelo", eludía la respuesta o se envolvía en nuevas confusiones, o contestaba que ello era algo insoluble "y vale más que así lo sea" *. Y es precisamente porque no podía creer en Él era por lo que aseguraba, jugando con las palabras, y con algo más que las palabras, que lo *creaba*. Con ello en realidad venía a decir, más o menos embozadamente, que ese Dios que la fe "crea" y en el cual algunos se imaginan creer, es sólo una ilusión, un fantasma inventado por nuestro deseo. Quizás la primera vez que él se dijo para sí eso de que "la fe crea", en 1897, muy posiblemente, ello fué como una afirmación quijo-

---

* *Ibid.*, II, 877.

tesca que le nacía del alma y que se sostuvo en vilo, por pasión, un instante; pero luego, convertida en literatura, repetida una y otra vez, con más o menos fortuna, suena mucho a arbitrariedad y a truco.

Kierkegaard no llegó a tanto. No negaba la existencia de aquello en que quería creer. Si decía que la verdad cristiana es "subjetiva", sólo quería indicar que el hombre precisa una apropiación íntima de ella, es decir, algo más que conformarse con admitirla fácil e indiferentemente. Planteado de un modo "objetivo" el problema de la inmortalidad, decía, no hay para él respuesta posible. La inmortalidad no puede ser probada sistemáticamente, pues de ese modo "la cuestión carece de sentido". No hay prueba externa posible. Así que "instead of seeking outward proofs, one had better seek to become a little subjective. Immortality is the most passionate interest of subjectivity; precisely in the interest lies the proof", según se lee en la traducción americana de la obra principal de Kierkegaard*. Sólo mediante la gracia es posible dar "el salto" que nos eleva a la fe, que nos permite creer el absurdo y "llegar a ser cristianos". Pero base necesaria para el salto son el anhelo y el sufrimiento, la conciencia del pecado. Sólo podemos, pues, acercarnos a Dios por un camino interior, subjetivo. Mas en la introducción de su obra ya nos advierte Kierkegaard (pp. 18-19), "para evitar confusión", que "our treatment of the problem does not raise the question of the truth of Christianity. It merely deals with the question of the individual's relationship to Christianity". El subjetivismo de Unamuno no es, por tanto, el mismo que el de Kierkegaard. Unamuno planteaba su "lu-

---

* *Kierkegaard's Concluding Unscientific Postscript,* tr. by D. F. Swenson and W. Lowrie, Princeton, 1941, p. 155.

cha" sobre la base de una negación previa; Kierkegaard, en cambio, luchaba por llegar a creer íntimamente, verdaderamente, algo cuya verdad no discutía. El no quería perder la tabla de salvación a la que estaba aún en cierto modo agarrado, mientras que Unamuno la había visto alejarse hacía tiempo y manoteaba sobre el vacío, cuidando el gesto. Unamuno, en suma, había dado un paso más en el camino de la pérdida de la fe. Que él emplee luego el lenguaje kierkegaardiano, adaptado a su manera, es sólo un motivo más de confusión, aunque no mayor que, antes ya de leerle, había sido afirmar que "la fe crea" cuando ya no tenía fe y por tanto ni creía ni creaba nada. El subjetivismo de Kierkegaard de todos modos sirvió a Unamuno para acentuar el suyo, como le sirvió el concepto pragmático de la verdad de W. James, según el cual verdad es aquella creencia que hace vivir; o el inmanentismo modernista, en boga a principios de siglo; o, entendido también a su manera, el antidogmatismo de Harnack. En 1885, en el prefacio de su *Dogmengeschichte,* decía Harnack era su propósito "mostrar el proceso que condujo a los dogmas eclesiásticos". Pero mostrado su origen, los rechazaba. La obra debió impresionar a Unamuno sobre todo en lo que tenía de negativo. Ese reducir la religión a íntimo sentimiento de Dios vendría a apoyar su subjetivismo. Menos, o sólo pasajeramente, debió interesarle la parte que podríamos llamar constructiva, como cuando terminaba invitando a sentir lo esencial de los Evangelios "para así llegar a ser cada vez más puros y fuertes en espíritu y más amantes y fraternos en la acción". Harnack se proponía buscar "la esencia del cristianismo". Según él, Lutero, que al principio sólo aceptaba el Evangelio, luego aceptó "los viejos dogmas", y fué incapaz de distinguir entre él y la doctrina, creyendo ésta necesaria para la salvación. Pero en el Evangelio no se trata de ángeles ni diablos "but of God and the soul, the soul and its God" (*What is Christianity*, New York, 1904, p. 58. [Trad. de *Das Wesen des Christentums*, Berlin, 1900]). Es sólo fe y amor lo que Dios pide de nosotros. Su reino es "a spiritual force, a power which sinks into a man within, and can be understood only from within (p. 63). De ahí al inmanentismo no hay más que un paso, y no es extraño que Loisy, el más destacado representante del modernismo, partiera de Harnack en *L'Évangile et l'Église* (Paris, 1902), la obra que produjo su ruptura con Roma. El modernismo fué un infructuoso intento de conciliación entre la crítica histórica y la fe tradicional, y así surgió la teoría de la "evolución" de los dogmas. Los modernistas no tenían una doctrina única y coherente, pero sí la hay en la encíclica *Pascendi*, de 1907, que los condena. Esta, que Loisy y otros afirman va dirigida especialmente contra él, diríase escrita pensando también en Unamuno, en el que seguramente no pensaba Pío X. En toda la encíclica se les acusa sobre todo de inmanentísimo, condenando a los que dicen que "lo divino no tiene realidad en sí mismo, independientemente de la persona que en ello cree". En sus *Mémoires* (París, 1931, p. 550) Loisy declara que, al principio al menos, no le importaban tanto sus conclusiones como "le droit imprescriptible de la recherche scientifique". Me parece que eso, en cambio, poco importaría a Unamuno, y en ése y otros puntos se aparta de los modernistas, a los que leyó; y también en otros fundamentales se aparta de Harnack —el cap. IV, "La esencia del catolicismo", en *Del sentimiento...* parece una réplica tardía a *Das Wesen...*— y demás protestantes liberales; pero unos y otros le ayudarían a desarrollar y justificar su propia "religión", su propio subjetivismo religioso. Todo ello contribuyó a la formación del pensamiento de

Unamuno, pero juntamente con el recuerdo de su experiencia y *después* de ella.

En resumen: la crisis de 1897 resulta ser, aparte de un motivo directo de inspiración en las obras anteriores a 1900, una como fuente secreta de todo su pensamiento posterior, en cuya *formulación* intervinieron mucho sus lecturas, especialmente de Kierkegaard.

Pero hay algo más en cuanto a la influencia de esa crisis. Después de ella Unamuno sentiría que se agudizaba, con el remordimiento por haber utilizado en la literatura sus inquietudes, una antigua preocupación suya: la idea de que la personalidad externa lo que uno es, tal como aparece visto desde fuera, acaba por ahogar lo más entrañable y verdadero del ser. Muchas veces repite Unamuno lo mismo, sobre todo después de 1897. En la carta a Ilundain de 3 de enero de 1898, por ejemplo, se lee: "La perdición de todo el que se muestra al público es que en torno a su sujeto íntimo... nos forma el mundo otro sujeto, depositándonos capas de acarreo, un sujeto constituído de fuera adentro, un caparazón que acaba por enquistar el íntimo". Y lo mismo se lee en el cuento *Una visita al viejo poeta,* escrito al parecer en 1899 * donde aparece un poeta que ha renunciado a la gloria literaria; un escritor que prefirió recrearse en la intimidad de su alma, buscando a Dios, a falsearse, a traicionarse. Diríamos que Unamuno se imagina a sí mismo en la situación en que se habría encontrado de haber hecho, a

---

* Fué incluído en la colección *El espejo de la muerte* (Madrid, 1913). Mas en la carta de 16 de agosto, a Ilundain, declara Unamuno: "Estoy trabajando en dos artículos, uno para *El Imparcial,* y otro para *La ilustración española y americana.* En uno de ellos, que es el relato de una supuesta visita al viejo poeta encerrado en su ciudad nativa, una ciudad dormida, quiero poner alma y no sólo pensamiento".

raíz de su crisis, lo que no hizo: haberse recluído en el convento, o al menos en su casa, ajeno a la ambición del literato. El poeta vive en una como "jaula", en un "bosquecillo enjaulado". Si Unamuno estuvo realmente en 1897 tres días en un convento, podría afirmarse que recordaba en el cuento ese episodio y hasta aquel lugar. Ninguna indicación clara he encontrado en los escritos de Unamuno que confirme lo que el señor Corominas dijo de la permanencia por tres días en el convento. Ello no quiere decir, naturalmente, que no sea cierto. Debe serlo, pues vimos todo lo demás que afirmaba Corominas ha quedado comprobado. Y éste afirma incluso que Unamuno más tarde le mostró el convento. Pero aun siéndolo, no sabríamos si Unamuno pensó en verdad renunciar a "todo", incluso a su familia, y permanecer allí, o entró con la intención de salir al poco tiempo. En la carta a Ilundain de 25 de marzo de 1898, cuenta que siendo muy joven creyó una vez que el cielo mandaba "me hiciese sacerdote", y que luego, cuando su crisis, "resurgió con nueva fuerza en mi alma el recuerdo de esa extraña experiencia de mi juventud". Por otra parte, a principios de siglo escribía: "He descubierto aquí uno [un cuadro flamenco], precioso, en una celda del convento de dominicos" ("Unamuno en sus cartas", *Ensayos,* II, 47). Mas debe referirse a una visita posterior a dicho convento en el que, al parecer, tenía amigos. Vive el poeta en una de las "desiertas callejuelas que a la Colegiata ciñen", y allí va a visitarle un joven literato, al cual, hablando melancólicamente en un "pequeño jardincillo emparedado", le dice el viejo:

"¡Si oyese usted cómo resuena entre estas viejas tapias el son pausado de sus campanas!... Aquí me baño el alma en mis recuerdos infantiles... ¡Mi nombre! ¿Para qué sacrificar mi alma a mi nombre?... Lo que quiero es asentar en el silencio de la eternidad mi alma."

He aquí otra vez el tema, al que tantos toques dió después de su crisis, de la oposición entre el prestigio y el alma, el tema de su drama de 1898. Mas el poeta agrega esto otro, que viene a ser lo mismo que decía Unamuno a Ilundain:

"¿Ha pensado usted alguna vez, joven, en la tremenda batalla entre nuestro íntimo ser... y ese otro advenedizo y sobrepuesto que no es más que la idea que de nosotros los demás se forman, idea que se impone y al fin nos ahoga?... He renunciado a aquel yo ficticio y abstracto que me sumía en la soledad de mi propio vacío... he vuelto a mí mismo."

Pero Unamuno mismo no se había retirado, no había renunciado al yo "ficticio y abstracto". El "caparazón" que en él se había ido formando, después de su crisis, era un tejido de paradojas, gritos y gestos: todo lo que iba constituyendo el Unamuno legendario, cuya leyenda a él mismo le arrastraba. Y hay momentos en que sospecha que se ha quedado hueco, y entonces cae, profundamente angustiado, hasta lo hondo de sí. Esos instantes de renovada congoja, aunque formen también parte de su literatura, vivifican sus escritos, salvándolos de sequedad. En *Vida*..., por ejemplo, interrumpe el comentario precisamente del "abismático pasaje" relativo al encuentro de Don Quijote con las imágenes, y nos dice:

"Te has cobrado asco a ti mismo; no puedes volver atrás... escribo estas líneas bajo un apretón de desaliento... he hablado esta tarde en público, y aun se me revuelven en el oído tristemente los aplausos. Y oigo también los reproches, y me digo: "¡Tienen razón! Tienen razón: fué un número de feria; tienen razón: me estoy convirtiendo en un cómico, en un histrión, en un profesional de la palabra. Y ya hasta mi sinceridad, esta sinceridad de que he alardeado tanto, se me va convirtiendo en tópico de retórica" *.

El temor de que el Unamuno de la leyenda, el de la "novela", hubiese ahogado al íntimo y verdadero, amargó toda su vida, especialmente los años de su destierro, de 1924 a 1930. Esa obsesión le dictó *Cómo se hace una novela,* y ella viene a ser el fondo de las varias obras de teatro que por entonces escribió, y también de las novelitas que redactó al regresar a España, incluso *San Manuel Bueno, mártir.*

Cierto que el "misterio de la personalidad", ese conflicto entre la personalidad íntima y la externa, ya contribuyó, muy posiblemente, a la concepción de la idea de la "intrahistoria" de *En torno al casticismo,* y debió ayudarle también a ahondar en el tema central de *Paz en la guerra*; y en todo caso, siendo idea que él había ya esbozado antes de 1897, no podemos decir que se deba sólo a su crisis. Mas es natural que a partir de esa fecha, cuando su obra comenzó a ser expresión de recónditos sentimientos, confesión a voces, aumentara esa preocupación y se desarrollara ese como remordimiento de haber hablado y haber escrito

---

* *Ensayos,* II, 291. Es quizás curioso hacer notar que parecido descontento de sí mismo, y por causa análoga, sentía Kierkegaard en julio de 1849, cuando anotaba en su diario: "Till now I am a poet, absolutely nothing more, and it is a desperate struggle to will to go out beyond my limits. The work *Training in Christianity* is very important to me personally—does it follow from this that I must at once make it public? Perhaps I am of the few who need such strong measures—and instead of profiting by it and beginning really seriously to be a Christian, I first of all make it public. Fantastic!" (*The Journals of Soren Kierkegaard.* A selection ed. and tr. by Alexander Dru, London, New York, Oxford University Press, 1938, pp. 318-319).

que aquejó siempre al que tanto habló y escribió, y ese temor de haberse falseado, de haber matado su intimidad, que se refleja en sus últimos escritos.

Esta sería, pues, otra influencia, aunque indirecta, de la crisis de 1897 en su obra, que habría que sumar a la que ya hemos mostrado, más concreta, en las obras del período 1897-1900. Y ello aparte del influjo decisivo que esa experiencia debió tener en la formación de sus ideas principales sobre temas religiosos, las cuales me parece se aclaran bastante gracias al conocimiento de esa crisis.

II

LOS ULTIMOS AÑOS

EL MISTERIO DE LA PERSONALIDAD EN UNAMU-
NO. COMO SE HACE UNA NOVELA

UN "YO" PROFUNDO Y OTRO "YO" SUPERFICIAL

No se ha explicado todavía por qué a Unamuno le preocupó tanto lo que él llamó problema o "misterio de la personalidad". Se ha indicado tan sólo, repitiendo más o menos lo que el propio Unamuno declaró, que esa obsesión se refleja en ciertas obras que escribió por los años en que estuvo desterrado. Pero no se ha dicho —ni dijo él tampoco realmente— en qué consistía el tal problema.

Aclarar un poco ese "misterio", que veremos se relaciona muy estrechamente con el de su fe, me parece podría contribuir bastante a comprender la personalidad de Unamuno, así como a entender mejor el significado de muchas de sus obras, especialmente las últimas.

El problema de la personalidad lo provocaba el contraste entre lo íntimo y lo externo de la persona, de su persona. El 14 de diciembre de 1932, se estrenaba en Madrid *El otro;* y ese mismo día Unamuno comentaba: "*El otro* me ha brotado de la obsesión, mejor que preocupación, por el misterio—no problema—de la personalidad; del sentimiento congojoso de nuestra identidad y continuidad individual y personal" (*Indice Literario,* Madrid,

1933, I, p. 26). De un modo casi análogo explicaba Unamuno, por la misma fecha, en el prólogo a *San Manuel Bueno, mártir, y tres historias más* (Madrid, 1933), lo que para él era el problema de la personalidad. Pero, como luego veremos, esa explicación es poco clara y no completamente sincera.

El 24 de febrero de 1930, días después de su regreso a España, tras seis años de destierro, se estrenaba en Salamanca *Sombras de sueño*; y al día siguiente comentaba E. Díez Canedo, en "El Sol", de Madrid: "Hay, pues, en el centro de este drama de Unamuno, otro conflicto de personalidad: la lucha del *hombre* con el *personaje* en que éste acaba por matar a aquél." Canedo vió mejor que muchos en qué consistía el problema, aunque no nos dice que éste fuera el personal problema de Unamuno, que es lo importante. Pedro Salinas acertó también al escribir, en 1934, que en *El hermano Juan* la mente de ese personaje "está obsesionada con el problema tan unamuniano del ser o del representante" (*Literatura española del siglo XX,* Séneca, México, 1941, p. 144).

De *Cómo se hace una novela* tampoco se ha dicho mucho; aunque en esta obra se encuentre la verdadera clave del "problema de la personalidad" de Unamuno. En 1937 se refería Guillermo de Torre a "las páginas extrañas y conturbadas de esta obra, donde asistimos a las angustias y congojas de su personalidad..." (*Unamuno o el rescate de la paradoja,* "Sur", Buenos Aires, núm. 28, p. 61). Y Marías, en su excelente obra *Miguel de Unamuno* (Madrid, 1943, p. 67), dice: En ese libro, "genial y frustrado, clave de su obra entera". Y ello es muy cierto, pero Marías se olvida de decir por qué. Fué para él "obsesión atormentadora", como dijo en 1904 *, la de no ser el Unamuno que

---

* Cf. *Ensayos,* Aguilar, Madrid, 1945, I, pág. 515.

se expresaba, el verdadero Unamuno. Hay, escribía en 1906, "un
yo profundo, radical, permanente..., y otro yo superficial, pega-
dizo y pasajero *; lo cual había dicho ya antes, y aún repetiría. Y hasta poco antes de su muerte recordó también muchas
veces cierta "ocurrencia", que había leído y en la que se fijó precisamente por la relación que tiene con lo que tanto le preocu-
paba: lo que "el humorista norteamericano Wendell Holmes
habla en una de sus obras de los tres Juanes: de Juan tal cual
él se cree ser, de Juan tal cual le creen los demás y de Juan tal
cual es en realidad". Unamuno escribió eso en el ensayo, de
1902, *El individualismo español* (*Ensayos,* I, p. 434). Otra vez
alude, en 1906, a "la ingeniosísima ocurrencia del humorista
yanqui", y entonces comenta: "Los diversos conceptos que de
cada uno de nosotros se forjan los prójimos que nos tratan vienen
a caer sobre nuestro espíritu y acaban por envolverlo en una especie de caparazón... Antes de hacer o decir algo reflexiona si es
lo que de él esperaban los demás, y para seguir siendo como los
demás le creen se hace traición a sí mismo: es insincero" (Ibidem, pp. 836-837).
  Más ampliamente comenta la "ingeniosísima teoría de Oliver
Wendell Holmes—en su *The autocrat of the breakfast table,
III*—sobre los tres Juanes y los tres Tomases", en el prólogo a
sus *Tres novelas ejemplares y un prólogo* (Madrid, 1920). Y aún
nombró a Wendell Holmes otras varias veces, entre ellas en un
artículo de 1934, donde cuenta que años antes, en el manicomio
de Barcelona, un loco le preguntó si él era "el auténtico", por lo
cual, nos dice Unamuno, tardó mucho en dormirse esa noche
"pensando si el pobre enajenado tendría razón, si sería yo el auténtico y no el que viene pintado en los papeles", como el loco

---

* *Ibidem,* pág. 847.

le dijo. (Cf. *Repertorio Americano,* Costa Rica, 16 de junio de 1934.)

Debió pensar Unamuno, desde muy joven, que había un abismo entre lo que él era en verdad, por dentro, y el Unamuno que veían los demás. En una carta a Clarín, de 1896, decía que una de las cosas que más le inquietaban era que los hombres no pudieran comunicarse sino externamente, por sus "atmósferas", no por "nuestro vivo ser".

EL FONDO DE LA CUESTIÓN

Pero a partir de 1897 esa preocupación hubo de agravarse, y aún llegaría a cambiar de aspecto. Era silencio de muerte y no paz lo que hallaba ahora en el fondo de su alma, cuando caía a sí; y de ese silencio trataba de librarse clamando. No era, pues, ya tan sólo que le pareciese imposible comunicar lo íntimo de su alma, es que ahora escondía, incluso a sí mismo, su ser verdadero.

El contraste entre el Unamuno íntimo y el externo resultaba por tanto, después de 1898, más grande que antes, y acabaría por convertirse en verdadero problema. Surgía el "problema de la personalidad" al recordar, con el soplo de la muerte que de vez en cuando a él llegaba, lo que en muchas ocasiones parecía olvidado, y es que el Unamuno de la "leyenda", el de la lucha, el de "la novela que de mí... hemos hecho conjuntamente los otros y yo", como él mismo dijo en 1925, en el fondo no creía. Aunque él rara vez confesase esto último, y, a pesar de las muchas ambigüedades, éste era el fondo de la cuestión. A lo más que llegó, hacia 1905, fué a creer en Dios —de Cristo nada dice, y, por otra parte, se declara anticatólico—, y ello no debió durarle sino hasta 1906. Todo esto puede verse en las cartas a Ilundain de ese período a que me refiero—1901 a 1907—, cartas que, complementando sus ensayos de esta época, son el documento mejor que poseemos para juzgar de su intimidad de entonces, y que fueron publicadas por Hernán Benítez *(El drama religioso de Unamuno y cartas a J. Ilundain,* Universidad de Buenos Aires, 1949). Es contento de sí mismo e influjo de sus lecturas de teólogos protestantes lo que sobre todo se revela en ellas.

En diciembre de 1901 se refiere a sus simpatías por "el panteísmo alemán", el cual "busca a Dios dentro del hombre, un Dios inmanente, no trascendente" (op. cit., p. 349). Pero en mayo de 1902, reconociendo quizás que ese Dios inmanente es poca cosa —aunque no de otro habla él luego en *Del sentimiento...* y en otras partes—, afirmaba: "Cada día toma mi fe un carácter más concreto y más histórico, y me aparto más de vaguedades. Estoy restableciendo a Dios en mi conciencia, al Dios personal y evangélico" (p. 357). Caminaba, pues, hacia la fe en un "Dios personal", un Dios con existencia objetiva, suponemos, aunque aún andaba restableciéndolo en su conciencia. Caminaba hacia la fe, pero más quizás a través de sus lecturas que por una vía verdaderamente cordial. Y no olvidemos que ante Ilundain él presumía de creyente.

En abril de 1904 escribía al mismo: "... parece que he llegado, coincidiendo con una perfecta salud corpórea, a un período de plenitud, de reposo y de serenidad. Reposo interior, que es la mejor base del combate exterior... Por supuesto, sigo creyendo que lo capital es el problema religioso" (p. 392). A ese reposo, a una paz que no fuera la trágica del abismo, es a lo que él aspiraba, considerándola como *la mejor base del combate exterior,* literario. Y ¿era la fe lo que le daba esa serenidad? Era más bien, creo yo, el adormecimiento de su negación, el cual a su vez conseguía hablando de sus luchas. Meses antes había él mismo escrito: "Tengo fuertes motivos para creer que mi constante preocupación por las *ultratumberías,* por el problema de la muerte y del más allá y por lo religioso es lo que serena y alegra mi vida" (p. 387).

Le había preguntado su amigo—escéptico en cuanto a la fe de Unamuno—qué quería decir con la palabra "Dios", que tanto empleaba en sus comentarios a la *Vida de Don Quijote*... Amoscado, el 9 de mayo de 1905, respondía lo siguiente, que es una de las afirmaciones más concretas que pueden hallar los que creen que Unamuno escondía en el fondo de su alma una verdadera fe: "... por Dios entiendo... un Ser personal, consciente, infinito, eterno... Usted podrá sorprenderse de que yo crea en Dios..., pero no debe preguntarse qué se quiere decir con eso" (p. 399). La pregunta, sin embargo, no era inoportuna, ya que a menudo Unamuno entiende por Dios algo muchísimo menos definido de lo que aquí declara. Y en cuanto a que él creyera en ese Dios, puede ser, aunque aquí él no lo afirma tampoco muy claramente, y aunque la ocasión en que escribiera lo citado le quite no poco de valor a la afirmación, si la hubiera. Más bien parece enojado por la desconfianza de su amigo, que él sabía, en el fondo, no era infundada.

Pero, sea como fuere, el enojo pasó y volvió la alegría. En diciembre de ese año escribía al mismo: "He vuelto de mi pueblo satisfechísimo; mucho de mis paisanos, pero más de mí mismo. Esto marcha, amigo Ilundain" (p. 404). Se refiere ahí a sus éxitos literarios. Salta de contento, y, significativamente, se lee, líneas después, en la misma carta: "Cada día me siento más cristiano, más creyente en la otra vida." Pero esa fe ascendente —si así puede llamarse lo que más parece un no querer enturbiar su alegría—se derrumbó de pronto, y no porque sus éxitos decreciesen. Súbitamente cesó la infantil alegría y ese reposar en la fe que decía tener o ir conquistando. El 4 de enero de 1907 escribió: "Mi fama literaria en auge... ¡y más triste que nunca! Esto que llamamos la dicha es la sombra de la angustia, ¡cosa terrible!... Hago versos. Es casi lo único que hago desde dentro."

Caídas como ésta no eran raras en él. Pero desde entonces, hasta donde revelan las cartas que hasta ahora de él conocemos, y las poesías, que es donde más sinceramente habló, no volvió Unamuno a conocer esa calma de que había gozado hacia 1905. En su libro *Poesías* (Bilbao, 1907) se pueden leer versos que sin duda son eco de ese hundimiento a que nos referimos, y también de su deseo de creer, aunque lo que domina en sus *Salmos,* los cuales, según él mismo, mejor que otras obras suyas expresan su religión, es la negación, si bien una negación encubierta. Y no otra cosa se ve en su *Rosario de sonetos líricos,* de años después, que escribió también en días de tristeza. Y lo mismo en *Del sentimiento trágico,* que—recordando mucho a Kierkegaard— redactó en 1911 sobre la base de lo que tenía escrito para un *Tratado del amor de Dios,* que no llegó a redactar. Ese tratado, a su vez, lo había proyectado sobre la base de unos apuntes que ya tenía en 1899 para unos *Diálogos filosóficos,* los cuales culminaban en "la doctrina de la feliz incertidumbre que nos permite vivir", según había dicho a Ilundain.

Hablaba Unamuno de dudas y pasiones que no sentía, o sentía sólo a medias, o no sentía como decía. Por ello debía experimentar a menudo disgusto de sí mismo y de su obra. Y ello, creo, explica que en noviembre de 1913 escribiera aún a Ilundain, con quien ya no se carteaba tan frecuentemente como antes: "Aparte de ese poema sobre el Cristo velazqueño, que es una cristología poética" —y reparen en eso de "cristología poética" los que se agarran a ese *Cristo* queriendo probar la fe de Unamuno—, me ocupo en preparar los materiales para una *Ló-*

gica, pero una lógica estricta, un libro de pura metafísica, sin sentimentalidades ni misticismos, rigurosamente racional." No llegó a escribirlo, pero el propósito basta. Con razón se asombra Hernán Benítez —que es de los que creen en la fe última de Unamuno— de tal proyecto; y en una nota muy justamente comenta: "¡Cosa curiosa, el sentimentalista trágico se nos sale ahora con una lógica estricta, pura metafísica, sin sentimentalidades ni misticismos! Pero ¿en qué quedamos? Toda su vida ¿no había detestado de la lógica y panegirizado el cordialismo?" (página 443). Pero es que mucho de ese cordialismo, decimos nosotros, mucho de esa lucha y esa duda, no era en él sino literatura, especulación, repetición; de la que él mismo ya se aburría. Muchas páginas de *Del sentimiento trágico* son terriblemente desmayadas, escritas sin gana.

Por la ambigüedad del pensamiento de Unamuno surge a menudo para el lector el problema de saber cuál era en verdad su fe. Y por esa misma ambigüedad en él brotaba también, a veces, el rasgarse el velo de leyenda en que se envolvía —leyenda de su fe o de su lucha o de su duda—, una angustiada pregunta en cuanto a su ser verdadero.

EL UNAMUNO DE LA LUCHA Y EL DE LA CALMA

Del Unamuno de la lucha y la inquietud religiosa, lo cual a menudo no fué en él sino cobertura, "literatura", al íntimo, al de la calma, "terrible calma" verdadera, se producían a veces caídas, hundimientos. Muchas veces aludiría Unamuno a "la angustia que nos visita cuando menos la esperamos"; "a ese síntoma de la conciencia que de la propia nada radical se tiene" (*Ensayos,* I, página 237). Y es que "el miedo nos tapa la verdad, y el miedo mismo, cuando se adensa en congoja, nos la revela", como decía en *Vida de Don Quijote* (Ibidem, II, p. 143). Ante un hermoso panorama muchas veces Unamuno experimentaría emoción parecida a la que expresan estas palabras: "He sentido la inmovilidad en medio de las mudanzas, la eternidad debajo del tiempo, he tocado el fondo del mar de la vida..." (*El silencio de la sima, Andanzas y visiones españolas,* Austral, Buenos Aires, 1941, p. 26). La obra última de Unamuno sobre todo se basaba en estas "caídas", como vamos a ver. Sentía de pronto angustia y ésta llegaba mezclada con un vago arrepentimiento, con la sospecha de haber sido un farsante. Ese temor de ser farsante, al que Unamuno frecuentemente alude, sobre todo después de 1925, y especialmente en *Cómo se hace una novela,* debió preocuparle desde su juventud.

Ya en *Paz en la guerra* (Madrid, 1897, pp. 288-289) decía refiriéndose a Pachico: "¿Qué eran aquellas pretendidas angustias de la crisis última, cuando se calmaban, como por ensalmo, al ponerse él a comer, por ejemplo? Mera sugestión, ilusión pura, comedia de la duda... Llegó a darse cuenta de que tales combates le habían sido ajenos, mero espectáculo representado en su conciencia por fuerzas a él extrañas; llegó a comprender que jamás había sentido aquellas angustias de la duda, de que hablan algunos desocupados."

Y en un emocionante pasaje de *Vida de Don Quijote* habla del "triste dejo del triunfo", cuando desalentado, al llegar a su casa tras haber sido aplaudido, sospecha ser un farsante: "Escribo estas líneas bajo un apretón de desaliento..., tienen razón: me estoy convirtiendo en un cómico, en un histrión." Y confiesa también entonces: "Te has cobrado asco a ti mismo" (*Ensayos,* II, p. 291). Y más de una vez diría algo parecido a lo siguiente: "Un actor... propende a hacer comedia de la vida...;

a los que ejercemos alguna función pública nos pasa lo mismo"
(Ibidem, p. 602).

F. Madrid, en su libro *Genio e ingenio de don Miguel de
Unamuno* (Buenos Aires, 1943, p. 137), cuenta la siguiente anécdota: Alguien en una tertulia dice de pronto a Unamuno:
"Usted hubiera sido un gran cómico." Y cuando todos creen que
don Miguel va a enfadarse, responde: "¿Yo? ¡Si no he sido
otra cosa!" Mas fué sobre todo en sus últimos años cuando más
gravemente sintió Unamuno que, bajo el hombre externo, el
de la palabra apasionada y los escritos sobre lucha y desesperación, se hallaba el del silencio.

Una caída, pues, a la soledad desde la gesticulación, al recordar que lo que él llamó "mi novela" o "mi leyenda" —esto es,
su vida tal como se desarrolló externamente, tal como la veían
los otros, tal como quedaría en la historia— acabaría para él cuando él muriese, y que de nada, por tanto, le habría servido; una
súbita presencia, en suma, de la muerte, escondida bajo la literatura del Unamuno legendario, que tanto hablaba de ella; un
cierto rubor, también, de sí mismo; asco del literato que ahoga-
ba al hombre, y al que había sacrificado muchas veces lo más
entrañable de su ser; un disgusto de sí y un decirse que moriría
el farsante: eso constituía el verdadero problema de la personalidad, del cual brotó *Cómo se hace una novela,* y al que se debe
también *San Manuel Bueno, mártir,* obra en la que él se propuso
ser sincero.

Otras obras de la misma época o poco después, especialmente
obras teatrales, son también como un eco más o menos directo
de ese diálogo de Unamuno con "el otro", el escondido, el interior; pero sólo un eco. Mucho tienen de confuso juego literario,
aunque el fondo de todas ellas sea el problema de la personalidad,
como él nos dijo; mas un problema planteado, conscientemente

o no, de un modo muy oscuro; un problema ya *sabido,* utilizado más que vivido, deformado y transfigurado.

Y es que el drama real de Unamuno se convertía en él en nueva novelería o farsa, en recuerdo y literatura de mayor o menor calidad. Fué la tragedia mayor de Unamuno, que de tanto gritar sus inquietudes éstas pronto se transformaban en eco, o aparecían como reflejo; y así le sucedió incluso con esa muy honda inquietud que le produjo, a veces, considerar precisamente que su drama había llegado a ser ya sólo reflejo o eco, farsa. La tragedia en él se renovaba para convertirse pronto nuevamente en comedia.

Esas alternativas de verdad y mentira; ese fondo de dolor y mucho de pirotecnia, juego y repetición; literatura en seco en la que hallaba, sin embargo, a veces, otra vez la fuente de su pesar; toda esa mezcla oscura, romántica, de egotismo y exhibicionismo, pero también de verdadera soledad y verdadera ansia de Dios, es lo que formaba la compleja personalidad de Unamuno.

Es preciso ver claro en cuanto a su pensamiento religioso —piedra angular de toda su obra y toda su personalidad—, y ello no se consigue ni repitiendo simplemente gracias y paradojas de Unamuno, es decir, unamunizando, ni condenándole por hereje con furia inquisitorial, ni tampoco queriéndole canonizar con beatería, y tratando de ocultar sus muchas fallas y debilidades.

En el prólogo a *San Manuel Bueno, mártir y tres historias más* (Calpe, Madrid, 1933), escrito dos años después que la primera de esas historias, nos dice Unamuno (p. 27) que lo que ellas tienen en común es que "a Don Manuel Bueno..., como a Don Sandalio..., lo que les atosigaba era el pavoroso problema de la personalidad: si uno es lo que es y seguirá siendo lo que es." Nunca fué muy explícito al indicar lo que el tal problema representaba en verdad para él. Acaso no lo sabía, o lo olvidaba, o más bien se dejaba llevar, al explicarlo, por su tendencia a jugar con las palabras y con sus propias emociones, ocultando y ocultándose la verdad desnuda.

Lo que constituye el problema, nos dice él ahí, es la inquietud de saber *si uno es lo que es*, y también la de saber si uno *seguirá siendo lo que es*. Mas de estas preguntas la segunda me parece en él completamente retórica, ya que se había respondido a ella hacía mucho tiempo, y también, y sobre todo, en el libro donde escribe esas palabras, sin dejar lugar a dudas. Con eso de querer saber *si uno es lo que es* quería en realidad decir, obviamente, si uno es lo que parece. Pero responder que no, que uno, es decir, Unamuno, no era lo que parecía, era precisamente lo que provocaba esas caídas al fondo de sí, esos hondos conflictos consigo mismo que luego, cuajados ya en literatura, evocados vagamente, eran lo que llamaba "problema de la personalidad."

Al referirse, como él hace muchas veces, a un contraste entre lo íntimo y lo externo de la persona —lo cual no era sino aludir al problema de la personalidad, aunque no le diera ese nombre— incurre también con frecuencia Unamuno en esas confusiones e involucraciones que oscurecen tanto su obra. Unas veces indica, más o menos claramente, que el último fondo, lo íntimo y escondido en sí no era sino el vacío, la seguridad de la muerte, la nada; y otras, en cambio, parece sugerir que en el fondo de sí encierra no sólo esperanza, sino fe ingenua o cosa parecida, algo en todo caso distinto a lo anterior, como cuando alude al "sacrificio" que solemos hacer de la personalidad íntima al hombre externo, haciendo sospechar así que el sacrificado era en él el hombre religioso.

Al decir eso último repite, ya mecánicamente, algo que había empezado a decir en 1897, a raíz de su crisis, y que enton-

ces era cierto y bien justificado: se refería a que le había faltado valor para llevar a cabo sus propósitos de renuncia a la gloria
literaria y reclusión en busca de fe *. Pero luego él mismo parece
ya no saber a qué se refiere: repite simplemente, como hizo con
muchas frases durante cuarenta años de su vida.

Mas cuando se llega a ver claro, en cuanto a la fe de Unamuno, no es difícil distinguir lo que era en él divagación, paradoja, juego o simple repetición, de lo que es confesión verdadera,
aunque aún ésta aparezca casi siempre envuelta en nieblas que es
preciso disipar. El esfuerzo, sin embargo, vale la pena si queremos entenderle. No se ha advertido todavía, me parece, todo
el alcance de esa "confesión cínica..., confesión a lo Juan Jacobo", como él nos dice, que encierra *Cómo se hace una novela,*
y tampoco la que hay en *San Manuel Bueno, mártir.*

Pero la causa de que el problema llegara a ser obsesión y
"misterio", esto es, problema insoluble, es que Unamuno a poco
de surgir el problema se repetía siempre, queriendo justificarse,
perdonarse, que el fondo del alma es insondable, y que nadie
puede alcanzar, por tanto, el verdadero ser íntimo. No es posible, se decía, en resumidas cuentas, desprenderse de la cobertura
o "novela", de la farsa, pues ésta, cualquier novela, cualquier
representación, es fatal, y cada uno hace su papel.

Y así acababa tranquilizándose, de un modo más o menos
duradero, repitiendo que el papel que él hacía nació de su ser
íntimo y era su verdadera vida; y de ahí eso que tanto dijo,
sobre todo en sus últimos años, aunque no fuera siempre apli-

* Ya en mayo de 1897, a raíz de su crisis, escribía en el prólogo
al libro de su amigo Juan Arzadun, *Poesías* (Bilbao, 1897), que no podía ver en él sólo "el escritor, ente de razón o ficticio fantasma, *al
que sacrificamos no pocas veces la propia personalidad íntima...; porque es de saber que hay en nosotros dos hombres..."*

cado a sí mismo, de que la leyenda es la verdadera historia; y de ahí que en su *Ultima lección,* dada en Salamanca en 1934, rectificara su vieja idea de la historia y la intrahistoria, "el mal sentido que entonces daba, erradamente, a lo histórico. Lo que llamé la intrahistoria es la historia misma, su entraña."

Se decía así Unamuno que estaba bien lo que había hecho, que estaba bien su novela; así evitaba tomar una decisión, ser completamente sincero consigo, lo cual habría equivalido a caer en desesperación completa, cosa que él, profesional buscador de la angustia, apasionado lector de Kierkegaard, evitaba, sin embargo, siempre que podía, como cualquier otro.

Veamos ahora si es cierto que el verdadero problema de la personalidad era en él lo que hemos dicho, y para ello fijémonos con alguna atención en su vida y obra en los años del destierro.

UNAMUNO EN EL DESTIERRO

Sentir su propia voz como eco, sentir rondar la muerte, dudar de sí mismo, todo cuanto le atormentaría en las noches de París y Hendaya, al quedar a solas en su habitación, era en él viejo problema que se había ido agravando, y que mucho se agudizaría al sentirse en tierra extraña. Poco más de un año antes de partir para Canarias firmaba la poesía *¡Calla!,* el 31 de diciembre de 1922, donde había escrito:

> *... la letra mató al cantor...*
> *Si la palabra viva*
> *repites otra vez, es sólo un eco...*
> *¿Por qué escribir? ¿Por qué enterrar en letra*
> *voces que ya no son?...*

¿Oyes? Es el silencio que se queda...
¡Calla! *.

En septiembre de 1923 se establecía en España la dictadura militar de Primo de Rivera. Y "el 21 de febrero de 1924 me arrancaban... de mi hogar de Salamanca para enviarme confinado a Fuerteventura". Así dice en *De Fuerteventura a París. Diario íntimo de confinamiento y destierro vertido en sonetos* (París, 1925, p. 31). Sabido es que el motivo de la deportación fué una carta que, en diciembre de 1923, apareció en la revista *Nosotros*, de Buenos Aires.

En la "despedida" de su libro *Teresa* (Madrid, 1923, páginas 224-226) ya decía: "Estoy escribiendo en unos días... de mediados de septiembre de este año de 1923, el de las Responsabilidades..., en que me ha hecho sonrojarme cierto manifiesto... de los héroes casineros..." En una carta de noviembre del mismo año 1923 escribía: "Camino a los sesenta, pero cuanto más viejo, me siento más liberal. No me pasa lo que a otros." (Cf. *Sur*, Buenos Aires, julio, 1944.) Y días antes de ser desterrado, en otra carta (ibidem) se mostraba muy satisfecho porque se traducían sus libros y porque en Bilbao acababan de hacerle una gran acogida, a la cual no sería tal vez ajena su actitud política: "Ultimamente he ganado mucho, muchísimo, en la estimación de mis compatriotas."

Sin pretender negar lo que hubiera de valiente y noble en su rebeldía contra la dictadura primorriverista, es preciso decir que parece muy probable que la consideración de su prestigio, el deseo de mantener éste y aumentarlo, fuese factor decisivo en esa rebeldía, aunque el paso decisivo lo diera el dictador al desterrar-

* Revista "España", Madrid, 6 de enero de 1923.

le. Unamuno aceptó el reto y comenzó a hacer, como él luego diría, "el papel de proscrito"; y a atacar en prosa y verso —versos a menudo muy prosaicos, aunque esto sea más justificable que en otras ocasiones—, a insultar a sus perseguidores. Pero lo que aquí más nos interesa es que a esas quejas y protestas añadiera otras, en prosa y verso también, más íntimas, y de éstas exclusivamente nos ocuparemos, prescindiendo de todo cuanto en los libros del destierro hay de alusiones —y más que alusiones— a la situación política en la España de entonces. El 10 de marzo llegó a la isla, de la cual se evadió a los cuatro meses. Unamuno hacía el papel de Don Quijote, y bien se daba cuenta de ello. Sentía orgullo de saberse único, indomable. El 5 de mayo escribía:

"Tu evangelio, mi señor Don Quijote, al pecho de tu pueblo cual venablo lancé..." *.

Mas el 24 del mismo mes confesaba: "Siento de la misión la pesadumbre..." **. Y en otro soneto de la misma fecha preguntaba: "¿Y no estaré luchando, sombra adusta, contra pálida sombra de molino...?" ***.

De vez en cuando la "sombra adusta" le hacía percibir lo que en su actitud había de falso; o, al contrario, advertir falsedad en su gesto le hacía percibir el negro hoyo, la adusta sombra. El mismo día 24 de mayo, en que sentía decaer su quijotismo, debilitada su voluntad de lucha, suplicaba a las olas, "en cuya vista mi morriña anego", que no le descubrieran el fondo de dolor que él escondía ****.

---

   * *De Fuerteventura a París*, págs. 40-41.
  ** *Ibidem*, pág. 52.
 *** *Ibidem*, pág. 54.
**** *Ibidem*, pág. 53.

"*Lavad meciendo mi pasión, os ruego,*
mas sin abrirme el misterioso arcano..."

Y días después pedía también a las "palabras palpitantes"
que le ayudaran a adormecer su dolor: "Acalladme las voces del
estrago; sed para mí lo que ya fuisteis antes y ayudarme a tra-
gar este mal trago" *. Las palabras debían cantar leyendas, ser
palabras encubridoras: ante el verdadero dolor Unamuno re-
trocedía.

Se estaba en él gestando una crisis. Sentía, escribió el 4 de junio, "horas de aflojamiento, en que el vacío me hincha la mente..., los recuerdos en lenta caravana cruzan por mi memoria, y de
ella mana, contra mi terco empeño, triste hastío **. No era,
pues, sólo hastío de la isla. Sentía fatiga de su historia; hastío
de sí mismo, del Unamuno que representaba el papel de Unamuno.

La estancia en Fuerteventura le ayudaría a ver claro. A poco
de llegado a la isla, en el mes de abril, decía en un artículo ***:
"Aquí, en este fecundo aislamiento, se siente mejor toda la tragedia de la oquedad, todo el trágico destino de un pueblo que
viene alimentándose de sonoras vaciedades." Pero la "tragedia
de la oquedad" no era sólo tragedia de España, era también su
propia tragedia, que él hubo de sentir agravada en esas largas
horas que allí pasó contemplando el mar, tragedia de la que trataría de escapar buscando consuelo en la misma grandeza de ese
mar, es decir, en la exaltación que le producía el contemplar su
belleza.

Casi todos los poemas de Fuerteventura, que no son políti-

* *Ibidem,* pág. 66.
** *Ibidem,* pág. 77.
*** Reproducido en *Repertorio Americano,* 16 de junio de 1924.

cos, se refieren al mar; y en casi todos ellos puede descubrirse un acusado sabor panteísta. Dice en el XXXIV: "... y el alma siente que la noche y la mar la enredan en su lazo. Y se baña en la oscura lejanía, de su germen eterno, de su origen..." Y días después, el 7 de junio: "... baña tu azul mi oscuro pensamiento. Y cuando me lo llenas ya no dudo... Da su canto aliento al alma que en sus olas se desnuda... Los siglos son en ti una misma hora..." Mas ese olvido de sí, que alcanzaba gracias a la contemplación del mar, no era, claro es, verdadero consuelo ni olvido durable. El 27 de junio escribía:

> Pleamar, bajamar; alza su pecho
> y lo abate el Océano cada día.
> Hay horas encumbradas de osadía
> y horas en que la fe rueda a su lecho.
> Horas que al corazón le viene estrecho
> todo el cielo de luz, y horas que espía,
> lívido y quieto, la mirada fría
> de la Muerte que cree ver en acecho...
> Ya sale con el sol por la alborada,
> ya se pone en la noche tenebrosa
> sin luna y sin estrellas de la Nada.

¿CATÓLICO? ¿PROTESTANTE? ¿ATEO?

Pero la fe de las "horas encumbradas", a que aquí se refiere, evidentemente no era la fe cristiana. Ello bien se advierte en el soneto LXXIII que escribió luego en París, donde la añora. Lo que verdaderamente en él recuerda es la mar que embalsamó su esperanza. Mas el lector no advertido diría que Unamuno en

Fuerteventura había alcanzado el último peldaño de la escala mística. En él nos dice:

> *¡Oh mar salada, celestial dulzura*
> *que embalsamaste mi esperanza!...*
> *Espero aún, ya que mi fe perdura*
> *fraguada allí sobre su roca, roca...*
> *donde la mar y el cielo se hacen uno*
> *sobre mi frente Dios pasó la mano;*
> *con tal recuerdo mi esperanza cuno,*
> *sostiéneme en este camino vano*
> *y alimenta a mi espíritu en su ayuno.*

"Mi fe perdura..." Es éste uno de los muchos casos en que Unamuno induce a confusión en lo que se refiere a su fe. Esa fe allí fraguada no fué lo que ahora parece. Y de haber él conocido en la misma isla una experiencia religiosa, a la que pudiera referirse, distinta a esa panteísta de que nos hablan los sonetos, no habría dejado de anotarlo en ese libro cuyas poesías constituyen "un diario íntimo de la vida íntima de mi destierro".

No, no fué cristiana la experiencia religiosa a que se refiere; pero él nos hace creer que sí lo fué. Nada más cristiano, cuando Dios se aleja, que esperar con humildad el retorno de la gracia. Y para reforzar la impresión que pudiera producir dicho soneto, al pie de él comenta Unamuno: "Lo que más echo de menos aquí, en París, es la visión de la mar. De la mar que me ha enseñado otra cara de Dios..., de la mar que ha dado nuevas raíces a mi cristiandad."

Esa cara de Dios que allí descubrió, Dios inmanente al mundo, en cuya alma su alma "perece", es sólo una de tantas trágicas escapatorias, como él diría, de los que han perdido la fe en un verdadero Dios, que pudiera salvarnos; un Dios cristiano, que se manifiesta en lo creado, sí, pero que ha de existir aún por encima de nosotros, fuera de la tierra y de sus aguas. Esa fe panteísta que él en París añora, lejos de haber dado nuevas raíces a su cristiandad, es sólo un indicio más de que Unamuno había perdido completamente, hacía mucho, su fe cristiana.

Sin embargo, por los mismos días en que escribió dicho soneto repetía en la introducción a *La agonía del cristianismo* que en la isla pudo enriquecer su "íntima experiencia religiosa y hasta mística". Más prudentemente, semanas después, el 8 de enero de 1925, en la carta que sirve de prólogo a *De Fuerteventura a París,* decía tan sólo que algunos de los sonetos incluídos en ese libro "son hijos de una experiencia religiosa —alguien diría que mística"—. Pero dos años y pico más tarde, en el prólogo al *Romancero del destierro,* vuelve a aludir a ciertos sonetos que escribió en Fuerteventura "que se podrían llamar religiosos, y aún místicos". Así se escribe la historia, y así se forma la leyenda. Y así no es raro que algún crítico llegue a decir que es nuestro poeta "uno de los casos de más honda fe de toda la Cristiandad". (H. R. Romero Flores: *Unamuno...*, Madrid, 1941, p. 38.) Remacha su afirmación el mismo crítico fervoroso asegurando que "nada de lo humano ni de lo divino que hay en Cristo le inspira la más mínima sombra de duda". Y el señor A. Esclasans (*Miguel de Unamuno,* Buenos Aires, 1947) nos viene a decir cosas muy parecidas. Pero no son sólo ellos: afirma cosa similar, aunque no tan pintorescamente, Julián Marías *(op., cit.,* pp. 157-163) cuando dice que, por debajo de la duda de Unamuno, hay "una creencia más honda en la que está y de la cual vive, que le permite vacar a sus ejercicios dialécticos"; que no hay que tomar en serio su "verbal irreverencia de muchos dogmas cristianos", pues "vive de hecho en el ámbito espiritual del catolicismo"; y, en suma, que Unamuno tenía "una peculiar *confianza* en Dios; y ésta es la forma que en él toma la *fe*".

Quizás siguiendo a Marías, afirma igualmente Alain Guy (*Miguel de Unamuno, pèlerin de l'absolu* ("Cuadernos de la cátedra de Miguel de Unamuno", I, Salamanca, 1948, pp. 75-102) que su creencia "se fonde sur la confiance" (p. 82); y aún va más allá agregando que su fe tenía la simplicidad "de celle d'un enfant" (p. 87). Y el señor B. G. Candamo, en la Introducción a los *Ensayos,* de Unamuno, habla de "emocionada fe", de una duda "de continuo vencida", y, en fin, de que "a Unamuno le sosegó la esperanza".

Por su parte, Hernán Benítez, que se refiere, no sin razones, a la "mente protestante" y al "corazón católico" de nuestro agonista, en su obra *El drama religioso de Unamuno,* nos dice: "Al pronto se daba cuenta de que estaba portándose tan cristiano como un benedictino de Silos. Entonces soltaba una herejía contra Jesucristo y echaba una andanada contra el clero patrio, sólo para despistar" (p. 39). Pero a esto puede objetarse lo mismo que se podía objetar a eso de J. Marías de que él vivía "en el ámbito espiritual del catolicismo." ¿Qué es portarse como cristiano? ¿Ser morigerado y, relativamente, buena persona? Entonces Unamuno era cristiano, sin duda alguna. ¿Qué es vivir en el ámbito espiritual del catolicismo? ¿Acaso vivir en un país católico, haber tenido fe siendo niño y tener una madre piadosa? Entonces, sin duda alguna, Unamuno era católico. Mas si ser cristiano consiste en tener fe en Cristo, y, sobre todo, si consiste en tener fe en el Cristo que resucitó, el Hijo de Dios; y ser católico consiste, además de poseer esa fe, en aceptar cuanto la Iglesia romana manda que se crea, entonces, me parece que Unamuno ni era católico ni cristiano...

"Ni aún en sus épocas de máximo descreimiento y correteo

anticlerical (1914-1925) la fe católica, mamada en la infancia, cedió del todo e irrevocablemente. Pese al sinnúmero de luteranadas desparramadas en todos sus escritos, en el caracú de los huesos del alma (si se me permite acriollar su frase predilecta) seguía católico, vizcaínamente católico", nos dice también Hernán Benítez (pp. 135-136).

Que Unamuno fuese temperamentalmente más afín al catolicismo que al protestantismo, que esto se debiera a su educación, y ello pese a la mucha influencia que hay en sus escritos de los teólogos protestantes, es cosa que se puede muy bien admitir, siempre que al referirnos al "catolicismo" de Unamuno no queramos indicar que él realmente fué católico, sino que era más español que anglosajón; y, además, que puesto a escoger, habría preferido alcanzar aquello que el catolicismo ofrece que lo que ofrecen ciertas desvaídas sectas de caritativos protestantes (como un niño, frente a un escaparate, señala con el dedo, a través del cristal, el pastel de más color, el más esplendoroso, entre varios pasteles que ni remotamente piensa obtener). Por otra parte, parece indudable que esa religión de la angustia y desesperación que, más o menos sincera, era la de Unamuno, es de carácter más protestante que católico. Así lo afirma también el católico José L. Aranguren (*Sobre el talante religioso de Miguel de Unamuno,* "Arbor", Madrid, dic., 1948, XI, pp. 485-503) cuando dice: "Nosotros sabemos que no puede haber *desesperación católica,* porque el hombre católico es lo contrario del *hombre desesperado*; es, en cuanto tal, inasequible a la desesperación." Y agrega: "Lo que Unamuno llamaba así (desesperación católica) no es más que, o bien la laización de la desesperación protestante, según la línea de fe decreciente Lutero-Pascal-Kierkegaard-Unamuno-Heidegger, o bien la recaída en la desesperación pagana." Y esto, creo yo, es muy cierto. Como también que Unamuno, en quien Aranguren ve "la posibilidad, por la gracia de Dios nunca realizada, fuera de este hombre, de un *luteranismo español*", no rechazó en verdad nunca el esencial protestantismo, sino ciertas formas modernas de él. (En el capítulo "La esencia del catolicismo", en *Del sentimiento...*, rechaza por insuficientes las soluciones de Harnack —autor de *La esencia del cristianismo*— y de otros protestantes liberales, por los cuales él mucho se había antes dejado influir, en el período 1897-1907 sobre todo.)

"Se objetará tal vez —dice Aranguren: *op., cit.*, p. 501— que Unamuno ha combatido el protestantismo con no menos dureza que el catolicismo. Pero aquí hay un malentendido. Siempre que Unamuno combate el protestantismo, lo que combate es el protestantismo *dulcorado*, moralizado y racionalizado, nunca el auténticamente luterano, calvinista puritano o jansenista."

Y el propio Hernán Benítez, que cita esto último (*op., cit.*, página 136), reconoce que Aranguren "tiene razón". Así, pues, si a pesar de todo esto, puede decirse que Unamuno era católico en el fondo, católico en el corazón, habría que reconocer que su catolicismo, una adhesión sentimental, cuando la tenía, a la tradicional religión de su pueblo, era demasiado superficial, por muy en el "caracú" que ese catolicismo se encerrase. Lo que sucede es que Hernán Benítez, que nos dice: "Anda el cristiano más inquieto y acongojado con su fe que el ateo con sus zozobras" (p. 187), y cuyo catolicismo tiene sabor existencialista, sí cree en la "desesperación católica", a diferencia de Aranguren, y no deja ésta sólo a los protestantes.

No andan, pues, a mi juicio, tan descaminados otros católicos, no existencialistas, sino de los corrientes, que acusan a Unamuno de hereje y algo más, como Nemesio González Caminero, que, desde un punto de vista muy distinto al mío, en su *Una-*

muno (Comillas, Santander, 1948. Tomo I), llega, una vez, a cierta conclusión que yo suscribo, al afirmar que lo que había en el fondo de Unamuno era "un descreimiento absoluto en Dios", y que, por tanto, para entendernos, "debemos decir que Unamuno era un ateo" (p. 283). Pero él mismo, más adelante, suaviza su juicio agregando que "vivió de lleno en la duda" (p. 329) y que es preciso confesar que él no estaba "entre los ateos y negadores de cualquier trascendencia" (p. 346), si bien era heterodoxo.

Esto último, que apenas necesita ser demostrado, lo puso bien claramente de manifiesto (aunque ciertamente con no muy buena fe, y, al parecer, sin entender a menudo lo que citaba). Quintín Pérez (*El pensamiento religioso de Unamuno frente al de la Iglesia,* Santander, 1947), por el simple procedimiento de enfrentar textos unamunianos y eclesiásticos. Pero la idea de la "peculiar *confianza* en Dios" y del "corazón católico" está, por lo visto, muy extendida, ya que incluso Quintín Pérez, tan agresivo, aquieta su alma y refrena su bilis para decirnos, ya en el epílogo, que en Unamuno "pasada la sugestión y en voz baja consigo, hay indicios para creer que su pensamiento fué menos radical y más católico."

No han faltado quienes, por diversos caminos, han intuído lo mismo que yo ahora trato de probar, o cosa parecida. J. A. Maravall, por ejemplo, comentando el libro de Marías sobre Unamuno, decía en un artículo ("La Nación", Buenos Aires, 12 de marzo de 1948) lo siguiente: "Nos atrevemos a afirmar que en Unamuno hay una casi total ausencia de religión." Y J. Grau (*Unamuno. Su tiempo y su España,* Buenos Aires, 1946, página 28) afirmaba: "Lo más hondo de su tragedia, que todavía no ha advertido nadie, fué la incapacidad para la fe." Lo habían advertido algunos y lo había dicho ya muy claramente, en 1938, Pedro Corominas, que tenía desde muchos años antes, más razones que nadie para hacer esa afirmación. Indicó también Guillermo de Torre ("El rescate de la paradoja", en *La aventura y el orden,* Buenos Aires, 1943, p. 46) que la tragedia de Unamuno era, como él mismo dijo, la de aquél que "empeñándose en creer que hay otra vida, porque la necesita, no logra creerlo." Y, en fin, Angel del Río, en su *Historia de la literatura española* (New York, 1948, II, p. 179), se refiere al "combate de Unamuno por afirmar una fe que en el fondo no tenía."

La leyenda formada habría de producir a Unamuno arrepentimiento, caídas en la realidad; como ésa muy grande que sufrió en París por esos mismos días, o muy poco después, en la primavera y verano de 1925, de la que en seguida hablaremos.

Uno de los mejores sonetos, a mi juicio, de los que escribió en la isla es el de 22 de mayo de 1924. Al pie de él se lee: "Esto escribí después de varios días de acudir en vano, por la noche, a la costa, a ver si llegaba señal del barco francés que había de sacarme del confinamiento." La espera de esas largas noches la identifica en el poema con otra espera, la de su vida, y escribe:

> *Ya sé lo que es el porvenir: la espera,*
> *tupida de ansias...*
> *siempre aguardando la suprema cita,*
> *la de la libertad, santa palabra,*
> *pero no más; soñar en la garita*
> *mientras el tedio en nuestro pecho labra,*
> *y cuando al fin el fin se precipita*
> *se abre del mar de la oquedad el abra.*

Los dos últimos versos son oscuros. ¿Una señal, una luz descubre de pronto las aguas serenas? ¿Acabó así la espera, o Unamuno imagina que así habría de acabar? En todo caso, ya que el paralelo continúa, él parece indicar su confianza en que idéntico buen fin habrá de tener la otra más larga espera; es decir, que al morir encontrará también puerto donde reposar, bahía serena que quizás él, sin embargo, pensaba sería la Nada. Resultaría muy aventurado afirmar que esos dos versos aluden a un momento, siquiera sea un momento, de verdadera fe que tuviera en la isla. Más bien parece que llegó a ellos obligado por la rima y por el deseo de llevar hasta el fin la analogía que inicia en el primero.

Su experiencia religiosa en Fuerteventura, en suma, no me parece que fuera, ni mucho menos, ni siquiera un momento, lo que él luego creyó, o parece al menos querer hacernos creer. Pero, aunque no poseyese en la isla la fe que luego dijo, es indudable que allí estaba aún lejos de la desesperación en que fué a caer en París, un año después.

"El día 9 (de julio, 1924) nos evadimos..." El 26 del mismo mes navegaba "frente a las costas de Francia". Los sonetos que siguen, LXVIII a CIII, los escribió ya en París, del 10 de septiembre al 21 de diciembre de 1924. Ellos muestran que en París se halló cada día más entristecido. Su soledad y melancolía recuerda la de Don Quijote en casa de los Duques, ya en su habitación, tras haber sido festejado. El 16 de septiembre escribía, añorando Fuerteventura:

> *Caído desde el cielo aquí me aburro*
> *—y cielo era la mar, junto al desierto—*
> *con este marco el cielo es cielo muerto,*
> *no oigo de Dios el inmortal susurro.*

Vivía en París recordando "las piedras de oro" de Salamanca, "la Plaza Nueva de mi Bilbao", o bien "el sol que sobre Gredos brilla". Por las mañanas escribía en su habitación, y por las tardes iba al café donde hacía de conspirador, reunido con un grupo de españoles emigrados. Mas a solas se decía, ya en otoño, que "... es la Revolución una comedia que el Señor ha inventado contra el tedio." Paseaba por los bulevares y caminaba hacia la desesperación. Algunos datos y anécdotas de la vida de Unamuno en París se encuentran en los libros de Francisco Madrid: *Los desterrados de la Dictadura* (Madrid, 1930) y *Genio e ingenio*; de Carlos Esplá: *Unamuno, Blasco Ibáñez y Sánchez Guerra en París* (Buenos Aires, 1940), etc. Pero muy poco o nada se dice en ellos de su vida íntima.

Más interesante, desde el punto de vista nuestro, es el artículo de Mathilde Pomés, *Unamuno et Valéry* ("Cuadernos de la cátedra de Unamuno, pp. 57-70), donde se habla de la soledad que Unamuno sintió en París. La autora atribuye la culpa de ello, en gran parte, a la falta de cordialidad de los intelectuales franceses. Para ellos Unamuno fué "les premiers temps un objet de curiosité... On n'ose dire 'pas très reconnaissant', mais on le pense. Et le vide se fait peu à peu. Bientôt il ne restera plus autour de lui que le monde bigarré, disparate, fluctuant et dérivant des cafés de Montparnasse..." Con ese motivo se ocupa Mathilde Pomés del enternecedor y fallido intento de Unamuno de aproximación a Valéry.

Por otra parte, el propio Unamuno, aparte de lo que ya dice en *De Fuerteventura*, que estamos comentando, al año de su llegada escribía en París, en *Cómo se hace una novela* (Alba, Buenos Aires, 1927, pp. 60-61), cuando se encontraba ya en plena crisis de soledad: "Recibo poca gente. Paso la mayor parte de mis mañanas solo, en esta jaula. Después del almuerzo me voy a la Rotonda, donde tenemos una pequeña reunión de españoles, jóvenes estudiantes en su mayoría. Me paso las horas enteras solo, tendido sobre el lecho solitario de mi pequeño hotel—*family house*—contemplando el techo." El 20 de octubre escribía:

> *No te lo digas ni a ti mismo, calla,*
> *corazón, cállate, causa perdida...*
> *¡Ay, corazón sin patria ni consuelo!...*
> *No la honra de luz, la negra honrilla;*
> *no hazañas leoninas, vida perra.*

Iba a caer al fondo de sí, abandonando la leyenda, y comenzaba por desprenderse de la de su heroísmo, de la de su civismo ejemplar.

Por esos días debió empezar a redactar *La agonía del cristianismo,* obra que se publicó en francés antes que en español. En 1930, en el prólogo a la edición española, recordaba que escribió esa obra "a fines de 1924, en singulares condiciones de mi ánimo, presa de una verdadera fiebre espiritual y de una pesadilla de aguardo, condiciones que he tratado de narrar en mi libro *Cómo se hace una novela.*"

Pero el momento álgido de la fiebre espiritual a que alude, el estallido de la crisis que venía anunciándose, quizás la más intensa y grave que sufrió Unamuno, con excepción de la de 1897, no debió llegar, sin embargo, sino después de haber escrito *La agonía,* obra que terminó el 13 de diciembre de 1924.

Dice también el citado prólogo a la edición española que en ese libro vertió viejos "pensamientos y sentimientos", más aquellos que le despertaron "las desdichas de mi patria", y también "los que venían del azar de mis lecturas del momento". Esto último sobre todo, lo cual no era nada raro en él. Es *La agonía,* dice Unamuno, un libro que "reproduce en forma más concreta, y, por improvisada, más densa y más cálida, mucho de lo que había expuesto en *Del sentimiento trágico de la vida*".

EN "LA AGONÍA DEL CRISTIANISMO" TAMBIÉN OCULTA SU MÁS ÍNTIMO "YO"

Unamuno habla de los hijos de la carne y del espíritu, de la inmortalidad del alma y la resurrección del cuerpo, del Verbo y la letra, de la "agonía" del cristianismo, que es la íntima lucha dentro de él. Pero todo ello, a mi juicio, aparece en la obra bastante descosido, en forma que, sin dejar de ser a veces cálida, muestra demasiado los defectos de la improvisación, sin perder el defecto, tan frecuente en Unamuno, de la excesiva repetición. Casi todo lo que no es en ese libro refrito es comentario. Lo que destaca es su piedad de los que creyeron "gimiendo", de los que quisieron creer, con los que se identifica. Mas lo que nos interesa ahora destacar es que, pese a las singulares condiciones de ánimo en que escribiera esa obra, en ella no fué Unamuno más sincero que otras veces.

No es seguramente casual que conociese algunos de los momentos de mayor angustia en su vida precisamente a raíz de haber escrito *La agonía*, libro que, brotado de un fondo de dolor que por esos días se agudizaba en él, no es, sin embargo, considerado como expresión de su fe, su duda o agonía, sino repetición de la leyenda que de sí mismo él hacía y los otros habían hecho. Hay en ese libro, como en otros suyos, en cuanto a su fe, un disimulo u ocultación de la verdad. Veamos un ejemplo:

Estampa Unamuno las palabras del Evangelio: "El Verbo se hizo carne y habitó entre nosotros." Y comenta: "Aquí se nos presenta la tan debatida cuestión, la cuestión por excelencia agónica, la del Cristo histórico. ¿Qué es el Cristo histórico? Todo depende de la manera de sentir y comprender la historia..."

En este momento comienza a escurrirse, como siempre que llega el momento decisivo. Comienza a hacer malabarismos con la palabra "historia"; y la pregunta importante, "la cuestión por excelencia agónica", acaba así por perder, aparentemente, el sentido concretísimo que tiene. Y no se diga que evitaba responder al problema de la divinidad de Cristo porque dudara. No, él tenía una respuesta, que callaba; o, más bien, que da en la misma página, pero después de tales rodeos y en tal forma que podía estar seguro que pocos habrían de alargar el índice para acusarle diciendo: "¡Unamuno no cree en la divinidad de Cristo!" Y, sin embargo, ésa es la verdad.

Tras algunas divagaciones, no responde aún a la pregunta "¿Qué es el Cristo histórico?", sino que pregunta a su vez: "¿Cuál es el Sócrates histórico?, ¿el de Jenofonte, el de Platón, el de Aristófanes?" Y así escamotea de nuevo la cuestión. Pero veamos lo que responde: "El Sócrates histórico, el inmortal, no fué el hombre de carne y hueso y sangre, que vivió en tal época en Atenas; sino que fué el que vivió en cada uno de los que le oyeron, y de todos éstos se formó el que dejó su alma a la humanidad. Y él, Sócrates, vive en ésta".

En el caso de Sócrates, como de cualquier otro mortal, poco importa en último término lo que en verdad fuera: lo que nos interesa sobre todo es la imagen que de él nos dejó Platón. Mas tratándose de Cristo es cosa bien diferente decir que resucitó a decir que muchos creen que resucitó, porque sus discípulos creyeron que había resucitado. A Cristo y no a Sócrates se refería en verdad Unamuno al escribir las anteriores palabras. La prueba es que a continuación exclama: "¡Triste doctrina! ¡Sin duda, la verdad en el fondo es triste! Dura cosa tener que consolarse con la historia". Es decir, tener que consolarse con la leyenda, pues claramente se ve, y Unamuno además lo advierte, que "el Sócrates histórico", para él, era el Sócrates legendario. Dura cosa, sí, tener que conformarse con la historia, tener que consolarse con la leyenda. Mas ¿por qué había de ser triste tener que consolarse con la leyenda de *Sócrates?* En cambio sería cosa bien triste tener que consolarse con la de Cristo, como sería triste decir que no hay otra vida aunque algunos se hagan la ilusión de que la hay.

Precisamente porque es triste, prefiere él tomar como ejemplo a Sócrates, para embrollar la cuestión, que hace aún más oscura llamando "historia" al reflejo de ella en la mente de los hombres, a la leyenda. Y salvado así el escollo, pasa a hablarnos de San Pablo y la Biblia, y luego hablará de su lucha o agonía, pero dejando al lector confuso en cuanto a su punto de vista sobre "la cuestión por excelencia agónica". La verdad en el fondo es triste, repite en ese libro, glosando a Renan; y por ello trata con cuidado de velar lo que, en el fondo, él creía la verdad.

Lo que en resumidas cuentas viene a decir Unamuno en cuanto al "Cristo histórico" es lo mismo que pocos años después diría A. Loisy, con más claridad, en *La naissance du Christianisme* (París, 1933, pág. 8), extremando la posición heterodoxa que mantenía desde muchos años antes: "La tradition qui nous a conservé le souvenir de Jésus a été, dès l'origine, tout autre chose qu'une tradition historique. Le souvenir s'est *transfiguré* dans la foi". Más adelante dice que no es la fe sino un "éffort de l'esprit pour rompre le cadre naturel, apparemment mécanique et fatal, de l'existence. La foi se procure toutes les illusions qui sont nécessaires à sa conservation". Y agrega: "La foi de ses disciples (los de Jesús) en son avenir messianique fut assez forte pour ne pas se démentir elle même, pour n'accepter pas le démenti qui lui avait donné l'ignominie de la croix..." (páginas 122-123).

Si aludimos a la opinión de Loisy, padre del modernismo, no es sólo por el parecido que tiene con la de Unamuno, confesada o no, sino porque es sabido que éste leyó a Loisy ya en 1904 (como él dice en carta a Ilundain), y porque no sin razón se le ha acusado recientemente (Quintín Pérez: *op. cit.*, y otros) de modernista. Semejanza entre las doctrinas de Unamuno y algunas de los modernistas la hay indudablemente.

Ya en la encíclica *Pascendi,* de 1907, que condena el modernismo, se acusaba a éstos de la distinción que hacían entre "el Cristo histórico" y "el Cristo de la fe", y se les acusaba sobre todo de inmanentismo, de lo que ciertamente puede ser acusado Unamuno. Pero no olvidemos—no olviden los que, un poco tardíamente, acusan a Unamuno de modernista—que su "religión" estaba ya esbozada antes de 1904, y que, por otra parte, la común influencia en Loisy y Unamuno de Harnack es uno de los motivos que les hace coincidir en su antidogmatismo. De todos modos Unamuno había leído con atención y provecho a Loisy, aunque hable luego con cierto desdén de él en *Del sentimiento,* cuando, como en otra parte hemos indicado, parece rechazar también doctrinas de los protestantes liberales que a principios de siglo acogía con entusiasmo.

Un ejemplo, entre muchos que podrían citarse, de la actitud evasiva de Unamuno en lo que se refiere a sus verdaderas creencias religiosas, lo vemos en la siguiente anécdota que cuenta F. Madrid en *Genio e ingenio,* pág. 81: "Un poeta chileno en *La Rotonde* le preguntó: "¿Usted cree en Dios?" Y tras una pausa, Unamuno respondió: "Primero me tiene usted que decir qué entiende usted por creer y qué entiende usted por Dios".

Lo cual era agudeza que, como otras tantas, había usado ya varias veces.

Y no sabemos lo que el poeta chileno respondería, si respondió algo. Mas, si éste hubiera asegurado que para él "creer" significaba lo mismo que Unamuno, siguiendo a W. James, había dicho una vez que significaba, esto es, esa actitud del espíritu que nos hace obrar en una forma determinada, de tal modo que si dejáramos de creer no obraríamos, u obraríamos de modo diferente; y, además, si el poeta hubiera agregado que por "Dios" entendía lo mismo que él dijo una vez que entendía, o sea, un Dios personal, eterno y todopoderoso, un Dios existente fuera de nosotros, que pudiera salvarnos de la muerte, y en el que Unamuno hubiera querido creer, en este caso Unamuno, si hubiera sido sincero, tendría que haber respondido que no, que en verdad él no creía en Dios. Pero si el poeta hubiera así hablado, lo más probable es que Unamuno hubiera hecho a su vez nuevas preguntas, o se hubiera salido con nueva agudeza, dejando sin respuesta clara la cuestión por excelencia básica.

DISIMULA QUE LE FALTA FE PARA CREER EN LA RESURRECCIÓN DE CRISTO

La página de *La agonía* que acabamos de comentar es típica de Unamuno. Primero trata de ocultar —de ocultarse quizás— el fondo de su pensamiento; pero casi inmediatamente, como si se arrepintiera de sus malabarismos encubridores, viene a confesar, aunque sea oscuramente, cuál era ese fondo triste que escondía. Parecería natural que, sentido el arrepentimiento, suprimiera Unamuno lo primero y dejara lo segundo; es decir, en este caso, suprimiera lo de Sócrates y dijera que, en lo que se refiere a la cuestión del Cristo histórico, la verdad es, o tal vez es, en el fondo, triste; o que al menos a él le faltaba fe para creer que Cristo resucitó; que le faltaba fe para dar "el salto" de lo histórico a lo sobrenatural y creer "el absurdo", como diría Kierkegaard.

Mas Unamuno no suprime nada, deja lo uno y lo otro, el disimulo y la confesión, el juego y el drama, como si quisiera sorprendernos primero con su ingenio, y luego, de pronto, con su sinceridad relativa y su dolor. Pero ya que constantemente hace literatura combinando esos elementos, que adoba con recuerdos de sus muchas lecturas, uno duda desde luego de su sinceridad, y a veces incluso de su dolor. Y no me parece raro que él a veces desconfiara también, como en seguida veremos, de sí mismo.

"¡Cristo nuestro, Cristo nuestro! ¿Por qué nos has abandonado?" Nada mejor que esa glosa a las palabras de Cristo en la agonía para acabar *La agonía del cristianismo*. Así se identifica con Cristo; pero identifica a la vez a Cristo con él, como otras veces haría, lo cual es otro modo de negar su divinidad. Mas deja la puerta abierta para que pensemos que espera él ascender hasta el Padre, tras su duda, como Cristo mismo. Nada en todo caso mejor que ese final para remachar la leyenda del Unamuno de la lucha y de la duda.

Kierkegaard luchó toda su vida para poder creer el absurdo y llegar a ser cristiano. Pero Unamuno al parecer no intentó siquiera, después de 1897, dar "el salto", aunque llevara crucifijo en el pecho, pareciera luchar y rezara todas las noches, según dijo. Lo que él hizo sobre todo fué jugar al cristianismo. Como Unamuno luchaba sobre la base de la incredulidad, de la negación, y no sobre un fondo de última confianza, pudo decir, en 1906, en el ensayo *Mi religión,* que esta religión consistía para él en "luchar incesante e incansablemente con el misterio"; y agregar a continuación: "Y yo quiero pelear mi pelea sin cuidarme de la victoria".

Julián Marías (*op. cit.*, págs. 147-149) comenta ese "pasaje revelador" y se pregunta: "¿Qué quiere decir esto?" Y él mismo se responde que ese agnosticismo voluntario, en que Unamuno se encierra sin haberse esforzado en hallar en la fe católica solución para el enigma y consuelo para su pena, es frivolidad: "Unamuno es deliberadamente heterodoxo, *a priori*, sin razones últimas, y a esto es menester llamar, con sentimiento y rigor, frivolidad". No *a priori*, porque previamente había él intentado creer, y no había podido. Más en todo caso Unamuno luchaba ahora sin cuidarse de la victoria porque estaba seguro de perder la batalla, y así ésta venía a ser en verdad sólo un trágico entretenimiento.

Pero por lo que Marías acusa a Unamuno de frivolidad es, sobre todo, por haber éste rechazado "arbitrariamente" las pruebas racionales de la existencia de Dios.

Unamuno entendía por razón, nos dice Marías al comenzar su libro (pág. 27), tan sólo "el pensamiento discursivo", sin plantearse siquiera la posibilidad de llegar a "otra idea de la razón, según la cual la misión de ésta sería aprehender *la realidad* —no éste o aquel tipo de ella—, tal como es, es decir, no imponiéndole un molde, tomado de una esfera parcial de la realidad, sino adoptándose a su íntima contextura. Desde la fenomenología de Husserl hasta la analítica de la existencia de Heidegger, se han dado pasos decisivos en esta dirección. Y tal vez los más explícitos y claros han sido los de Ortega, que postula una *razón histórica o vital*". Marías induce al lector a creer que él piensa, que, de haber estado Unamuno más al día en cuanto al nuevo racionalismo, no habría rechazado las viejas pruebas de la existencia de

Dios como medio de conocimiento de lo divino. Ello me parece más que dudoso.

No pasa Unamuno de compadecer—compadeciéndose—a los que luchaban, Pascal o Kierkegaard, lo mismo que compadeció a los hundidos en desesperación completa, ya sin lucha, si bien clamando, como Leopardi, Quental o J. Thompson (que se llamaba a sí mismo, sin rebozo, "escritor ateo"). Para Unamuno lo importante es que hubiesen anhelado a Dios, o más bien, que hubiesen anhelado eternizar su vida, no morir. Fe, lucha y duda o desesperación, afirmación o negación, era en verdad para Unamuno sólo aspectos de un mismo drama.

En *La agonía del cristianismo* él se había visto obligado a repetir la leyenda. No olvidemos que esa obra era de encargo y destinada a un público extranjero, al que sin duda quiso ofrecer lo mejor de su repertorio. Pero tal leyenda contrastaba demasiado dolorosamente con la realidad de su vida, con el oscuro, el "hondo hueco" que sentía abrirse en su alma por esos días. Todas sus palabras debieron de pronto parecerle vanas, incluso las de esos sonetos C y CI que escribió el 20 de diciembre de 1924, precisamente siete días después de componer la última página de *La agonía del cristianismo,* los cuales muestran que se hallaba ya entonces al borde de la desesperación verdadera:

> *Nada es el tope del mundano empeño.*
> *Nada, nada, nada... y nada oscura;*
> *tiniebla que se cuaja en negro manto*
> *para abrigarnos en la sepultura.*
> *Pero canta a la nada, ¡es un encanto!...*
> *Y en esta soledad de soledades*
> *da lo mismo que afirmes o que dudes.*

Después de esto, al menos por una temporada, él no cantaría. Al día siguiente escribió dos sonetos más, y no a la nada, y cerró la colección que vemos en *De Fuerteventura a París*.

LA MÁS EXTRAÑA AUTOBIOGRAFÍA

Pocas poesías suyas se conocen que daten de los ocho meses que aún permaneció en París. En *Cómo se hace una novela,* en la parte escrita en el verano de 1925, nos dice el propio Unamuno que en los meses anteriores le había sido imposible escribir. Sólo cuatro poesías del *Romancero del destierro* (Editorial Alba, Buenos Aires, 1928) fueron escritas con anterioridad a su traslado a Hendaya, es decir, antes de septiembre de 1925.

De estas cuatro dos no están fechadas. Pero al pie de una de ellas se lee esta nota, de precisión excepcional: "En París, en la noche del sábado al domingo de Pentescostés, 31 de mayo de 1925". Es el poema *¡Vendrá de noche!,* poema que él debió escribir, desvelado, una noche de pesadilla, pesadilla de muerte:

> *Vendrá de noche cuando todo duerma...*
> *Vendrá de noche con su paso quedo,*
> *vendrá de noche y posará su dedo*
> *sobre la herida...*
> *Vendrá como se fué, como se ha ido*
> *—suena a lo lejos el fatal ladrido—,*
> *vendrá a la cita...*

Los primaverales días parisienses, alrededor de ese 31 de mayo, debieron ser para él de verdadera agonía. Esos son seguramente los días angustiosos a que se refiere en *Cómo se hace una novela.* En el prólogo, de mayo de 1927, a la edición española de esa obra escribía: "No puedo recordar sin un escalofrío de congoja aquellas infernales mañanas de mi soledad de París..., del verano de 1925, cuando en mi cuartito de la pensión del número 2 de la rue La Pérouse me consumía devorándome al escribir el relato que titulé *Cómo se hace una novela*".

Pero en la misma obra, en la parte escrita en dicho verano, dice que el sufrimiento venía de antes. Este no debió abandonarle al escribir "bastante de prisa y febrilmente" esas "agoreras cuartillas", como nos dice en el mismo prólogo de 1927, cuando todo ello no es ya sino recuerdo. Todavía en 1933 en el prólogo a *San Manuel Bueno* aludía a *Cómo se hace una novela* diciendo era ése "el más entrañado y dolorido relato que me haya brotado del hondón del alma".

Y aun dos años después, al reeditar *Niebla,* aludió a "mi novela autobiográfica *Cómo se hace una novela*". Ciertamente ese libro —sobre todo en la parte escrita en 1925, es decir, el relato que se publicó primero en francés— a pesar de las divagaciones que contiene, de lo deshecho que es, y de las muchas envolturas que protegen la confesión, es uno de los escritos en que más al desnudo Unamuno se muestra, en el que claramente puede verse cuál era su verdadero drama y en qué consistía lo que luego él llamó "problema de la personalidad".

"Héteme aquí ante estas blancas páginas, tratando de derramar mi vida a fin de continuar viviendo", nos dice Unamuno al comenzar *Cómo se hace una novela* *. Y poco después: "Me dió la ocurrencia hace ya algunos meses, después de haber

* Esta cita y las que siguen están tomadas exclusivamente de la parte del libro que fué escrito en París, en el verano de 1925, es decir, tomadas del relato que se publicó en el "Mercure de France" (número 15 mai, 1926, tomo 188, págs. 13-29) con el título de *Comment on*

leído la terrible "Piel de zapa" (*Peau de chagrin*) de Balzac, cuyo argumento conocía y que devoré con una angustia creciente,
aquí, en París, y en el destierro, de ponerme en una novela que
vendría a ser una autobiografía" (pág. 64).

Más adelante aclara: "Una novela, en la que quería poner
la más íntima experiencia de mi destierro, crearme, eternizarme
bajo los rasgos de desterrado y de proscrito. Y ahora pienso
que la mejor manera de hacer esa novela es contar cómo hay
que hacerla" (pág. 72). No es, quizá, la mejor manera, pero es
sin duda la más fácil.

ADVIERTE SU DUALISMO Y COBRA ASCO DE SÍ

La más íntima experiencia de su destierro debió ser ésta de
que nos habla en el mismo libro, la de haberse sentido personaje de novela, haberse de pronto sorprendido haciendo el papel de desterrado. Hay quizá en esto una fatalidad: todo hombre se representa al expresarse, al comunicar sus impresiones.
Pero el caso de Unamuno era especial —y esto es lo que él nos

fait un roman. Dos años después, ya en Hendaya, al preparar la edición española de esa obra, Unamuno mismo, en vez de utilizar su original en español, que no tenía a mano, tradujo el texto del "Mercure",
según él dijo. Entonces agregó un prólogo, una "continuación", y,
además, ciertos trozos que intercaló en el texto primitivo, pero sepa-
rándolos por medio de corchetes, todo lo cual constituye el texto de
Cómo se hace una novela, tal como apareció en Buenos Aires, en
1927. Pero como la traducción de la parte escrita en 1925 es fiel, por
ella citamos, es decir, por esa edición completa en español, y no por el
texto en francés del "Mercure". Más adelante nos referiremos a lo
que agregó en 1927.

dice— por su tendencia a exagerar y dramatizar el papel, a falsear la realidad.

Ese drama de advertir que estaba representando un papel se agravaba en él, no sólo al tener que reconocer que tal papel era en gran parte falso, sino al proponerse desde el primer momento utilizar el conflicto consigo mismo, conflicto entre lo externo y lo íntimo de la persona, para una nueva obra literaria, lo cual era caer en nueva novelería. Se asqueaba de sí mismo, dudaba de su sinceridad y sentíase en fin, ya que la crisis era grave, imposibilitado de escribir la novela que se le había ocurrido; y por ello, para salir del paso, pensó era mejor contarnos cómo debía hacerse, a la vez que nos hablaba, confesándose —no sin velos— de los remordimientos que le llevaban a querer escribir esa obra.

Casi desde el principio de su relato Unamuno comienza a defenderse de la acusación que está latente en todo el libro, la acusación que él mismo se hace: la de haber mentido con la leyenda que de sí mismo él levantó. Por eso dice: "Hay una leyenda de la realidad que es la substancia, la íntima realidad de la realidad misma". Pero no se convencía del todo e insiste poco después: "Esta leyenda, esta historia me devora, y cuando ella acabe me acabaré yo con ella". Y también: "El Unamuno de mi leyenda, de mi novela, este Unamuno me da vida y muerte, me crea y me destruye, me sostiene y me ahoga. Es mi agonía. ¿Seré como me creo o como se me cree?" Esto es ya cosa distinta a decir que la leyenda es la substancia de la realidad, en el sentido que a esa frase él quiso darle. Por eso a continuación de lo anterior agrega: "Y he aquí como estas líneas se convierten en confesión ante mi yo desconocido e inconocible para mí mismo. He aquí que hago la leyenda en que he de enterrarme".

El último fondo del alma es siempre desconocido; lo íntimo de la realidad, según Kant, a quien Unamuno parece, en
ésta como en otras ocasiones, seguir, es incognoscible; pero todo
eso no impide que él supiera perfectamente que había dentro
de sí una fuente de dolor, algo que ocultaba con la leyenda
que de sí hacía, algo cuya realidad alteraba mucho con su "novela". Casi a continuación nos dice que ese personaje Jugo de
la Raza, héroe de la novela que pensaba escribir —y que, naturalmente, es el mismo Miguel de Unamuno y Jugo—, "busca
las novelas a fin de descubrirse, a fin de vivir en sí, de ser él
mismo. O, más bien, a fin de escapar de su yo desconocido e
incognoscible hasta para sí mismo". O lo uno o lo otro: o
para ser él mismo o para escapar de su yo. Más bien lo segundo.
Y si ese yo íntimo le es desconocido, ¿por qué querer escapar
de él? En verdad Unamuno buscaba la novela, hacía su "novela" para escapar del yo íntimo que conocía.

Mucho juega Unamuno en esa obra con la palabra "novela", que a veces es la que pensaba escribir, a veces la que leía
el personaje de la novela que él pensaba escribir, y más a menudo es la "novela", la leyenda que él hacía de su vida. Esto le
permite construir numerosas frases de doble sentido y hacer
confesiones disimuladas. Me parece evidente, y supongo que
otros lo habrán advertido —aunque nadie, que yo sepa, lo haya
indicado—, que esa extraña historia, tan traída por los pelos,
de que él nos habla, y que constituiría el tema de su abortada
novela, esa historia de un personaje, Jugo de la Raza, que necesita leer una determinada novela aun sabiendo que su vida
acabará cuando ella acabe, es perfectamente simbólica: es la
historia de Unamuno, que no sabía apartarse de su "novela".
pues ella le daba vida, aunque se dijera que cuando ella acabase
él moriría. Basta cambiar donde dice "leer la novela" por "ha-

cer la novela", o si se quiere por "hacer la farsa", y todo resulta diáfano. Y Unamuno no nos deja dudas de que tenemos derecho a hacer esta substitución. Cuenta el argumento de la novela que pensaba escribir diciendo: *"U. Jugo de la Raza, errando por las orillas del Sena, da con una novela. Cuando, por un instante, separando los ojos de las páginas del libro los fija en las aguas del Sena, parécele que esas aguas no corren, que son las de un espejo inmóvil, y aparta de ellas sus ojos horrorizados y los vuelve a las páginas del libro, de la novela, para encontrarse en ellas, para en ellas vivir. Y he aquí que da con un pasaje, pasaje eterno, en que lee estas palabras proféticas: "Cuando el lector llegue al fin de esta dolorosa historia se morirá conmigo". Entonces Jugo de la Raza sintió que las letras del libro se le borraban de ante los ojos..."*

Era por horror a las aguas inmóviles por lo que Unamuno se entregaba a la "novela". La crisis que él nos dice sufriría entonces su personaje es, sin duda, recuerdo de la que el propio Unamuno sufrió en su habitación de la calle La Pérouse: "Había sentido sobre su frente el soplo del aletazo del Angel de la Muerte. Llegó a casa, la casa del pasaje, tendióse sobre la cama, se desvaneció, creyó morir y sufrió la más íntima congoja".

El personaje novelesco se decía: "No, no tocaré más ese libro, no leeré en él..." Es decir que Unamuno, en esos días de crisis de París, debió decirse: "No, no seguiré haciendo novela, farsa de mi vida, de mi íntimo drama..." Mas Unamuno sabía que no cumpliría ese propósito que le dictaban el arrepentimiento y la desesperación: "Pero el pobre Jugo de la Raza no podía vivir sin el libro, sin aquel libro; su vida, su existencia íntima, su realidad, su verdadera realidad estaba ya definitiva e irrevocablemente unida a la del personaje de la novela".

De nuevo aquí viene a decirnos Unamuno —aunque al parecer esté refiriéndose a Jugo de la Raza— que su "verdadera realidad", su yo íntimo, estaba ligado al personaje de la "novela", es decir, al Unamuno de la leyenda. Mas inmediatamente agrega que no podía abandonar la novela por no sentirse con la energía que para ello hubiera sido necesaria.

De haber la novela en verdad expresado su íntima realidad, como quiere hacernos creer a veces, no habría sentido la necesidad de abandonarla, de abandonar esa leyenda. Lo que sucedió es que él —como su personaje— quería dejar la novela, no volver a ella, pero no podía. Jugo de la Raza, nos dice Unamuno, "estaba convencido que un día no sabría resistir", que tendría que seguir con su novela, "proseguir la lectura aunque tuviese que morir al acabarla".

Unamuno, sin embargo, por su parte resistía. No quería hacer más "novela" de su vida y por eso evitaba escribir, y aun temía moverse: "Y entre tanto yo, Miguel de Unamuno, novelesco también, apenas si escribía, apenas si obraba por miedo a ser devorado por mis actos". Escribía cartas políticas, "pero estas cartas, que hacían historia en mi España, me devoraban. No escribía gran cosa. Me hundía en una congojosa inacción de expectativa". Aquí ya no habla de Jugo de la Raza, sino de él mismo directamente, de Unamuno, que teme ser devorado por su "novela". Me parece, pues, indudable que el problema del personaje de Unamuno era el de Unamuno mismo transfigurado simbólicamente: Unamuno inventó ese conflicto de Jugo de la Raza ante el libro, queriendo así expresar un conflicto suyo, el que luego llamaría "problema de la personalidad".

"La mayor parte de mis proyectos —y entre ellos el de escribir esto que estoy escribiendo sobre la manera cómo se hace una novela— quedaban en suspenso", nos sigue diciendo. No sólo, pues, no había podido escribir la novela que primero pensó, sino que el segundo proyecto, el de decirnos cómo se hace, tuvo también resistencia a realizarlo. Ello seguramente porque la angustia que le había dictado esos proyectos era demasiado viva, y porque él no dejaba de sentir que había no poco de falsificación, de nueva "novela", en eso de contarnos, más o menos confusa y veladamente, y aunque fuera con mucha emoción, la tragedia del hombre que falsea su vida por hacer de ella literatura, por haber hecho de ella novela —novela *voluntaria,* no ya la que es fatal al expresarse—, ansioso de gloria, atacado por la fiebre del exhibicionismo. Cuando al fin se decidió a escribir el relato, en los meses de julio y agosto de 1925, por muy febril y angustiosamente que lo hiciera, como él dice, y por mucho que sintiera reavivado el problema al escribir de él, debió ser cuando ya había amainado el sufrimiento que meses antes le había atormentado, y que alcanzó tal vez el momento crítico en la primavera de ese mismo año, después que su familia, que había ido a visitarle a París, regresó a España y quedó él de nuevo a solas.

"DIOS SE CALLA PORQUE ES ATEO"

El personaje de Unamuno sufre una segunda crisis, que debe ser también narración de alguna de su autor semanas antes: "El corazón le latía a rebato. Tendido en la cama recitó primero un Padrenuestro y luego un Avemaría. Sentíase hundirse en sí mismo. Un poco calmado abrió el libro. Soñaba al otro, o más bien el otro era un sueño que se soñaba en él, una criatura de su soledad infinita".

Fijémonos en eso de que "el otro", es decir, el de la "no-

vela", era "criatura de su soledad infinita". Poco sentido tiene
esto referido al personaje Jugo de la Raza, pero en cambio tiene
completo sentido referido a Unamuno mismo, y es lo que él
debió confesarse en esos instantes de crisis, en esos momentos
en que sentía la muerte cerca: el otro, el Unamuno de la leyenda, no era sino un fruto literario de su verdadera desesperación; el Unamuno que el mundo conocía y admiraba, el de
la duda y la lucha, no era sino invención del Unamuno desolado
y solitario, el verdadero.

Unamuno no sabía cómo acabar su relato, no sabía cuál
habría sido el final de esa novela proyectada. Piensa que Jugo
de la Raza acabaría por quemar el libro para librarse de su ma-
leficio. Pero él sabía que esto no era solución, ya que él mismo
no quemaba la suya. Por eso dice que lo haría vagar perdido
por diferentes países. Y Unamuno vuelve a hablar de sí mismo
dejando al personaje, de momento. Y dice cosas significativas,
como ésta: "¡Y Dios se calla! He aquí el fondo de la tragedia universal: Dios se calla. Y se calla porque es ateo". Luego vuelve a referirse a su "novela" o leyenda, y después de
tanto haber dicho que ella expresa su realidad íntima, se pregunta: "¿No estaré acaso a punto de sacrificar mi yo íntimo
al otro, al yo histórico, al que se mueve en su historia y con
su historia?"

Esto le lleva a preguntarse, ahora ya sin disimulo, si no
será él acaso un hipócrita; pero llegado a ese punto da media
vuelta y se defiende de su propia acusación clamando lo que
podía esperarse: "¿Hipócrita? ¡No! Mi papel es mi verdad y
debo vivir mi verdad, que es mi vida". Su "papel" no era su
verdad, aunque aludiera a ella, como todos los papeles de teatro. El lo sabía y agrega: "Ahora hago el papel de proscrito.
Hasta el descuidado desaliño de mi persona depende del papel

que representa. ¿Es que represento una comedia, hasta para los míos? ¡Pero no! ¡Es que mi vida y mi verdad son mi papel!"

Recuerda que su mujer y sus tres hijas fueron a verle, "en febrero de 1924", aunque debe querer decir de 1925, y hablando de su mujer recuerda en la página siguiente "un momento de suprema, de abismática congoja", un momento de crisis, años antes cuando, viéndole llorar, ella le gritó "¡Hijo mío!"; y por tal detalle sabemos que esa crisis pasada, que ahora en 1925 recuerda, no es otra que la de 1897. Esas crisis que, más o menos intensas, debieron repetirse a lo largo de toda su vida son las que más al desnudo muestran el alma de Unamuno, y son, por otra parte, el motivo de inspiración de gran parte de su obra.

Como él había de sucumbir a la tentación de caer de nuevo en novelería, así le ocurriría al personaje también, del cual nos dice le haría, tras sus viajes, "volver a París trayendo el libro fatídico". Se plantearía, pues, "el terrible problema de o acabar de leer la novela que se había convertido en su vida, y morir en acabándola, o renunciar a leerla y... morirse también".

Más adelante se dice aún Unamuno: "Si no le haría perder la voluntad o en todo caso el apetito de vivir, de suerte que olvidara el libro, la novela, su propia vida y se olvidara de sí mismo", para lo cual tendría que hacerle sufrir "un ataque de hemiplejía", o cosa parecida.

Al terminar, hablando otra vez Unamuno de sí mismo directamente, ya que él no acababa de absolverse, y temiendo que algún posible lector no le absolviera del pecado de haber hecho farsa de su vida, escribe: "Presumo que algún lector, al leer esta confesión cínica y a la que acaso repute de impúdica, esta confesión a lo Juan Jacobo, se revuelva contra mi doctrina de la divina comedia, o mejor de la divina tragedia, y se indigne diciendo que no hago sino representar un papel; que no ha sido seria la comedia de mi vida".

Nadie se indignó, que yo sepa, quizás por no haber leído el libro, o no haber comprendido en qué consistía realmente la confesión. En todo caso, lo que hay en él de confesión no creo pueda irritar a nadie, al contrario; más bien levanta recelos lo que hay de hipocresía y media tinta, aun en medio de la confesión; y que insista tanto en decir, hasta el final, buscando excusa, que "no hay nada más que comedia y novela". A ese presunto lector indignado él le suplica "que piense que lo que le parece realidad extraescénica es comedia de comedia, novela de novela, que el nóumeno inventado por Kant es de lo más fenomenal que puede darse, y la sustancia lo que hay de más formal. El fondo de una cosa es su superficie".

SENTÍA SU FAMA PUESTA EN PELIGRO

Es claro que si él nos dice aquí que "el nóumeno es de lo más fenomenal", es sólo para poder decir que la íntima realidad es la que muestra la apariencia, y, en suma, que su "novela" era en efecto su verdad. Cierto que él desde muy joven había ya dicho que todo es forma, que no hay esencias, lo cual era un modo de negar toda trascendencia, de negar a Dios, como cuando escribía en 1891, en un artículo incluído luego en *De mi país* * que "no hay interiores; el exterior es impermeable, y las cosas son lo que parecen: retazos sueltos sin sentido", ideas que, después de sus excursiones por lo religioso, repetiría en sus últimos años, al decir que "todo son formas" y que "el mundo no tiene finalidad", como dijo en 1934.

* Colección Austral, Buenos Aires, 1943, pág. 84.

Pero él, que no creía en el nóumeno inventado por Kant, había hablado mucho de lo "incognoscible" y se había valido a menudo de esa distinción entre mundo fenoménico y nóumeno al tratar del problema de la personalidad, al referirse al conflicto entre lo externo y lo íntimo de la persona, como ya hemos indicado; aunque ahora, tratando de ese mismo problema, rechace esa distinción. De Kant, como de cualquier otro, Unamuno tomaba sólo aquello que le parecía, cuando y como le parecía. Y aceptaba o rechazaba una idea o doctrina según las necesidades del momento; no tanto por necesidades intelectuales o morales como estratégicas, atendiendo a su propia defensa.

Unamuno, en el fondo, tenía poca confianza en sus admiradores, ya que no la tenía en sí ni en su obra. Al terminar el relato de *Cómo se hace una novela* recuerda esta anécdota significativa: "Cuéntase de un actor que recogía grandes aplausos cada vez que se suicidaba hipócritamente en escena y que una, la sola y última, en que lo hizo teatralmente pero verazmente, es decir, que no pudo ya volver a reanudar representación alguna, que se suicidó de veras, lo que se dice de veras, entonces fué silbado". Eso temía Unamuno que le ocurriera con su libro o, más bien, que le hubiera ocurrido de haber sido completamente sincero y haber dejado por una vez el juego y la farsa.

Quizás por eso no fué del todo sincero ni aun en esa "confesión cínica". De haberlo sido es posible hubiera sido silbado, como él dice lo fué el actor que se murió de verdad; pero sin embargo en su caso, como en el del actor, a la larga todos habrían reconocido la autenticidad del drama. Aunque silbado de momento hubiera sido aplaudido por la posteridad; y en cambio, obrando como hizo, es muy posible que le ocurra lo contrario. Mas Unamuno, tan ansioso de eternidad, en cuanto a fama prefería la inmediata y perceptible por él; se moría por el aplauso, y por eso agonizó tanto literariamente. Lo que le salva, tal vez, es que, dijera lo que dijese, no todo en él era comedia o novelería.

Apenas concluído su relato se lo dejó a Jean Cassou para que lo tradujera y se publicase en el *Mercure de France,* e inmediatamente se trasladó desde París a Hendaya, a fines de agosto de 1925. En Hendaya residió hasta su regreso a España a principios de 1930 *. Allí escribió las poesías políticas y otras que componen el *Romancero del destierro,* salvo las cuatro a que antes aludimos. Es, pues, dicho libro la base principal de que disponemos para saber de sus ideas y sentimientos en los dos primeros años de su permanencia en ese lugar, a la vista de tierra española. Una de las primeras poesías fechadas en Hendaya es la de 4 de octubre de 1925, *¡Adiós, España!* Ella nos muestra que su estado de ánimo de cuatro meses antes, cuando escribiera *¡Vendrá de noche!* no había variado mucho. Las crisis de terror se repetían. El parece creer su muerte inminente:

> *¡Adiós, adiós! Esta es mi muerte.*
> *Adiós mi fe, la del engaño*
> *de mi esperanza, adiós mi fe.*
> *¡Llegó, mi España, por fin la hora*
> *del fin de todo, del fin final!*

* Muchos visitaron a Unamuno en Hendaya y no pocos escribieron artículos contando su visita. Pero poco dicen que nos ayude a indagar en el estado de ánimo de Unamuno en aquellos años. Vivía en "una casita blanca con maderas pardas... A primeras horas de la mañana ya está trabajando el maestro...", decía azorineanamente Azorín, en un artículo de "La Prensa" (*Miguel de Unamuno, op. cit.*). Y G. Marañón: "Vivía... en aquel hotel pequeñito, cerca de la estación;

Pero ese temor, ese dolor agudo debió irse poco a poco desvaneciendo. En las poesías siguientes lo que domina es el melancólico recuerdo de la tierra española, y también el de la fe de su niñez, esa fe ingenua que contrastaba con sus posteriores luchas, las cuales ahora sentía como inútiles. En agosto de 1926 escribía:

> ¡Oh mi vieja niñez!...
> Pero salté la linde,
> me metí en el desierto, el infinito,
> donde el alma se rinde
> al tocar de su entraña el hondo hueco
> y se seca en el aire todo grito
> sin eco.

Unamuno meditaba sobre su vida pasada, sobre lo que él hubiera podido ser. En una carta a José Bergamín del 13 de abril de 1926, decía: "¿Escribir? Poco. Me da miedo escribir. Cuando cojo la pluma paréceme que se apodera de mí un demonio... y tiemblo" *. Y en la misma carta: "Tiemblo de

en un dormitorio humilde, casi pobre, lleno de montones de libros", artículo de "La Nación" (*Evocación universitaria,* reproducido en *Repertorio Americano,* 19 marzo 1938). Pueden verse también V. Sánchez Ocaña, *Junto a Unamuno* ("La Nación", 9 abril 1938); C. Esplá, *Unamuno...* (*op. cit.*); C. G. Ruano, *Vida, pensamiento y aventura de Miguel de Unamuno* (Madrid, 1930). Azorín en su obra *Madrid* se refiere a un ataque al corazón que Unamuno sufrió en Hendaya.

 * "Revista Nacional de Cultura", Caracas, noviembre-diciembre, 1946, págs. 19-20.

tener que ponerme a pensar en el que pude haber sido, en el
ex-futuro Unamuno, que dejé hace años desamparado y solo,
¡pobrecillo!, en una sendeja del páramo de nuestra historia española. Pero ¡pecho al aire!" Eso del ex-futuro ya lo había
dicho otras veces, y a ello alude en *De Fuerteventura*. Que se
preocupara del que pudo haber sido indica que no se hallaba,
aun en medio de la fama, satisfecho con el que era. Recuerdo
de los miedos y temblores que al ponerse a escribir le acome-
tían un año antes sí debía sentir en Hendaya, donde, sin embargo, escribió bastante.

Una *utilización* del problema de la personalidad es lo que
sobre todo puede advertirse en las obras de teatro que entonces
ya había escrito, o escribió poco después *. Son, en realidad, las
que se conocen, obras confusas, malas, en alguna de las cuales
se dejó llevar un poco por las modas literarias del momento;
es decir, por ese "vanguardismo" que decía aborrecer, con el
que Unamuno, con su gusto por los cubileteos verbales, venía
a coincidir en cierto modo.

El conflicto entre lo íntimo y lo externo de la persona, el
"problema de la personalidad", era la fuente central de su inspiración. De ahí derivan esos extraños y oscuros conflictos diversos
que se le ocurrieron y creyó adecuados para formar con ellos
sendas piezas teatrales, que en lo que tenían de extravagante y

---

* En la carta a Bergamín, de abril de 1926 (*op. cit.*), decía Unamuno: "Tengo ahí cuatro o cinco obras de teatro, pero estoy dispuesto a que no se pongan mientras haya censura". Si estas obras a que
se refiere eran obras nuevas, como es de suponer, escritas en los ocho
meses que llevaba entonces en Hendaya, no había escrito tan poco
como en la misma carta dice. Algunas de ellas, muy probablemente, eran
las mismas de que habló Azorín en 1928: *El otro, El hermano Juan*,
etcétera, diciendo que era "el problema de la personalidad lo que se
debate en el fondo de todas".

vago, de incomprensible, resultaban actualísimas, bocado exquisito para minorías selectas. Renunciemos a desentrañar esos conflictos, entre geniales y disparatados, pero más a mi juicio lo segundo que lo primero, y fijémonos, aquí y allá, en alguna frase cuyo sentido resultará clarísimo para el lector.

En *El Otro, Misterio en tres jornadas y un epílogo* *, la más conocida de esas obras, se lee: "Le persigue ese que llama *el otro*". "¿Toda la verdad? No hay quien la resista..." "Y tú no confiesas, no confiesas, no confiesas quién eres por cobarde..." "Cosa tremenda no poder ser uno, siempre uno y el mismo... Me mata el otro, me mata..." Y al final: "¡Qué paz ahora, hijo mío, qué dulce y triste paz sin contenido!" Esa triste paz debía ser la de Unamuno por la fecha en que escribió la obra.

SU OBSESIÓN: ¡DEJAR NOMBRE!

En una de las últimas páginas se lee también, en un paréntesis: Donde dice "el historiador no sabe quién es", puede decirse: "Unamuno no sabe quién es". De tal modo esta obra, aunque cuajada en símbolos, expresa un verdadero problema de Unamuno, que basta aludir a la pieza para rozar, sin advertirlo acaso, el más hondo secreto de su autor. El señor León Mirlas, por ejemplo, en su artículo *El problema de la personalidad en el teatro moderno* **, se refiere a "la desgarradora soledad del protagonista de *El otro,* frente al cadáver de sí mismo". Y, en efecto, en esa desgarradora soledad vivió Unamuno desde 1925: frente al cadáver de sí mismo, aunque aun de vez en cuando

*   Calpe, Madrid, 1932.
**   "La Nación", Buenos Aires, 4 de febrero de 1935.

retocando el maquillaje del muerto y tratando de llevarlo a escena.

En el prólogo a *El Hermano Juan o el mundo es teatro,* dice Unamuno: "Toda la grandeza de Don Juan Tenorio consiste en que es el personaje más conscientemente teatral, representativo, histórico, en que está siempre representado, es decir, representándose a sí mismo". El prólogo debe ser posterior. Pero en todo caso veamos que Unamuno, que siempre había detestado a Don Juan, ahora encuentra la razón de su grandeza en que sea "conscientemente teatral", es decir, en ser como Unamuno, quien, por cierto, muchos años antes, en el *Rosario de sonetos,* se había llamado ya a sí mismo, despreciándose, "Don Juan de las ideas".

En el mismo prólogo a *El Hermano Juan* exclama con tanta piedad para don Juan como para sí: "¡ Ser mirado, ser admirado y dejar nombre! ¡Dejar nombre!" El tema de don Juan se mezcla en esa obra con otros dos temas clásicos, a los que él ya otras veces había dado vueltas: el de *La vida es sueño* y el de *El gran teatro del mundo.* Ya al comenzar dice don Juan: "En este gran teatro del mundo cada cual nace condenado a un papel y hay que llenarlo, so pena de vida". Es decir, que el papel que hacemos es fatal, que nos movemos escuchando las palabras del apuntador.

Pero eso es una cosa, por triste que sea, y otra hacer teatro en ese teatro del mundo, inventar papeles, declamar fuera de tono por atraerse miradas y aplausos. Ya en *Amor y Pedagogía* declaraba ese Don Fulgencio, atacado como Unamuno de erostratismo, de furiosa ansia de gloria, su derecho a introducir "morcillas" en el papel, palabras que el apuntador no decía. Y eso él hizo. Y menos mal cuando la "morcilla" era un gemido, una protesta ante el destino, grito de rebeldía, como el de

Augusto Pérez de *Niebla*, ante su creador, ante quien decide de su vida y su muerte. Lo malo es cuando Unamuno quiere hacer pasar como comedia fatal su comedia dentro de la comedia, hacer pasar por "morcilla" legítima lo que es embutido, farsa.

Pero veamos algunas frases más de ese Don Juan con el que Unamuno se identifica: "Ahora solo, solo, solo, como me parió mi madre, ¿qué me queda? Prepararme a bien morir, ensayar una nueva muerte". Y también: "¡Cuando se empeñan en hacerle a uno leyenda!" Y al acabar: "¿Existo yo? ¿Existes fuera del teatro...? ¿Existe Don Miguel de Unamuno?

Y en *Sombras de sueño* * se lee también: "Creí sacudirme del personaje y encontrar bajo de él, dentro de él, al hombre primitivo y original..."

Veamos ahora, por último, algo de lo que él dijo en las páginas que, en el verano de 1927, en Hendaya, agregó a la traducción del relato publicado en el *Mercure,* es decir, lo que escribió al preparar la edición española de *Cómo se hace una novela.*

Unamuno se hallaba entonces bastante alejado ya del problema, como él mismo indica; y, aparte los comentarios políticos, en esas páginas lo que hace sobre todo es justificarse, más que confesarse, y tratar de hallar una solución a su problema, pero ya en frío.

En el comentario a un retrato que de él hizo Cassou, inserto en el mismo libro, dice Unamuno, refiriéndose a esas cajitas de laca japonesa que encierran otra cajita, y ésta otra, y

* Col. "El teatro moderno", Madrid, 8 de marzo de 1930, act. IV, esc. III, pág. 38.

luego otra más; que, por último, se encuentra "una final cajita... vacía. Pero así es el mundo, y la vida". Y esto mismo repetiría años después.

Los trozos que, encorchetados, intercala en el relato de 1925
son casi todos ellos referentes a la política española del momento, pero algunos no, y de éstos interesa destacar el siguiente:
"A las veces en los instantes en que me creo criatura de ficción
y hago mi novela, en que me represento a mí mismo, *delante
de mí mismo...*"

SE ARROJA A "LA NIÑEZ ETERNA" PARA HUIR DE SÍ

Luego de terminada la traducción del relato publicado en
el *Mercure* Unamuno escribió una "continuación" al comenzar la cual nos dice: "Y después ha continuado mi novela, historia, comedia, tragedia o como se quiera..." Casi inmediatamente se detuvo, pues no sabía cómo continuar esa continuación: "Escribí lo que precede hace doce días y todo este tiempo lo he pasado, sin poner pluma en estas cuartillas, rumiando
el pensamiento de cómo habría de terminar la novela que se
hace". Pero ahora dice haber encontrado la solución, y es ésta
una sugerida ya anteriormente en uno de los trozos intercalados: "Mi Jugo se dejaría al cabo del libro, para escapar de la
fatídica lectura, iría a dar a su tierra natal, a la de su niñez,
y en ella se encontraría con su niñez eterna, con aquella edad
en que aún no sabía leer, en que todavía no era hombre de libro". Esta solución a su problema fué, en cierto modo, la que
él luego buscó, a su regreso a España: es la preconizada en *San
Manuel Bueno, Mártir.* Los sentimientos que tres años después

le moverían a escribir ese nuevo relato tenían su raíz en esas meditaciones y nostalgias de Hendaya.

El 17 de junio de 1927 da por terminada esa "continuación" a *Cómo se hace una novela*; pero luego no se decide a terminar, no puede desprenderse de ese libro, y cuatro días después siguen las divagaciones. Comenta un artículo de Azorín sobre un libro de Lacretelle, y dice: "Encuentro profundamente significativo y simbólico el que un autor que escribe un Diario para explicar cómo ha compuesto una novela evoque la memoria de Rousseau, que se pasó la vida explicándonos cómo se hizo la novela de esa su vida, o sea, su vida representativa, que fué una novela". Se refiere a Lacretelle, pero antes que éste Unamuno había tenido la ocurrencia de comentar la novela que hizo, o pensó hacer; y antes que él había recordado a Rousseau, como vimos hacía en 1925 al referirse a su "confesión cínica, confesión a lo Juan Jacobo". Nos importa hacer notar que el recuerdo de Rousseau era en él espontáneo, ya que luego lo recuerda, y mucho, al escribir *San Manuel Bueno,* su otra y definitiva confesión.

Aún nombra una vez más a Rousseau, en la página 148; y quizás pensaba en él también anteriormente, en uno de los trozos intercalados, al referirse a un relojero que afirmaba que todas las religiones dicen lo mismo, igual "Cristo y Buda..., en dos lenguas diferentes". Eso es lo que afirmaba el vicario saboyano de Rousseau, y la religión de éste es la que Unamuno recuerda al escribir la historia de Don Manuel, el párroco de Valverde de Lucerna.

Ya al terminar su "continuación" vuelve Unamuno a decirnos que "no hay más que leyenda, o sea novela". E insiste en querer justificarse escribiendo: "Y yo me he hecho problema, cuestión, proyecto de mí mismo. ¿Cómo se resuelve esto? Haciendo del proyecto trayecto... luchando". Sí, pero él se hacía problema de sí mismo, al menos en ese libro, sobre todo porque advertía que mentía con lo de la lucha, así que no sería solución querer resolver dicho problema con nueva mentira, con nueva lucha.

Nuevamente se pregunta si no sería buena solución hacer que su personaje abandonara la lectura del "libro fatídico" y se dedicara a hacer solitarios, y así "esperar que se le acabe el libro de la vida". Y se responde: "Pero los solitarios son solitarios, para uno mismo solo; no participan de ellos los demás". Y de ahí deduce que ha de seguir haciendo novela, pues la novela se hace "para hacerse uno con el lector", y esto es lo que a él le interesa, de lo que no podía prescindir realmente, aunque da a su solución definitiva un tinte generoso diciendo que si bien aquellos que tan sólo "se muestran para lucirse" no se alumbran, en cambio "el que no sólo luce, sino que al lucir alumbra a los otros, se luce alumbrándose a sí mismo". El melancólico estado de ánimo que, en general, reflejan esos añadidos de 1927 a *Cómo se hace una novela* no debió variar mucho en los dos años y medio que aún tuvo que permanecer Unamuno en Hendaya, hasta donde puede juzgarse por las poesías que de esa época se conocen, y por otros escritos. No debieron faltarle días en que tocase de nuevo el fondo de su pena. "Estoy pasando días de ansiedad borrascosa", escribía, sin determinar la causa, en una carta de 6 de septiembre de 1928 ("Revista Azul", México, 30 de diciembre, 1929). Probablemente esa ansiedad se debía más a un recrudecimiento de sus personales problemas que a los sucesos políticos de entonces. Un mes después, en el prólogo a una nueva edición de *Contra esto y aquello,* se lamentaba de ese título que pudo "contribuir a cuajar envolviéndome y deformándome una cierta leyenda que yo, tanto como los otros, he contribuído a formar" (*Ensayos*, II, pág. 1006).

La solución estaría, pues, en seguir haciendo novela, en seguir mintiendo, pero pensando en los otros, en aquellos que a los otros alumbrara. Tal vez no en inquietar al prójimo sino en mostrarle el camino del consuelo. Eso en todo caso es lo que él haría en la nueva novela que escribió a poco de su regreso a España, tras haber sentido avivado de nuevo "el problema de la personalidad", y debido a su reacción ante los sucesos políticos de entonces.

SAN MANUEL BUENO Y EL VICARIO SABOYANO DE ROUSSEAU

Había pasado Unamuno en Hendaya más de cuatro años de amargura y nostalgia, de ira e impaciencia; pero a principios de 1930 ocurrió lo que tanto había deseado: cayó la dictadura. El 9 de febrero cruzó la frontera y fué aclamado por la muchedumbre en Irún y Bilbao. La agitación política en España era grande entonces y no dejó de crecer en los meses que siguieron. El 11 de febrero llegó a Salamanca, su Salamanca, donde debió descansar de tanto gentío, tanto aplauso y tanto ruido. Pero el 1 de mayo se presentó en Madrid. Su llegada dió lugar a manifestaciones tumultuosas. Al día siguiente halagaba a los estudiantes al decir: "Esta generosa juventud que en la calle derribó a la dictadura, como en la calle derribará ésta más vergonzosa todavía..." Y dos días después volvía a atacar al gobierno provisional de Berenguer, que prometía unas elecciones, diciendo: "No se trata de que las gentes vayan a votar con una papeletita en la mano... Se trata de que las gentes voten en la calle a gritos" (*Dos artículos y dos discursos,* Madrid, 1930, pp. 139 y 225). Mas no tardaría Unamuno en arrepentirse de esas incitaciones demagógicas. Las palabras encendidas le sonarían pronto a falso, en cuanto otros empezaron a repetirlas. Regresó pronto a Salamanca, donde encontraría de nuevo la soledad. En octubre de ese mismo año de 1930, en el prólogo a la edición española de *La agonía del cristianismo* (*Ensayos*, Aguilar, Madrid, 1945, I, 930), confesaba: "Volví para reanudar aquí, en el seno de la patria, mis campañas civiles, o, si se quiere, políticas. Y mientras me he zahondado en ellas he sentido que me subían mis antiguas, o, mejor dicho, mis eternas congojas religiosas, y en el ardor de mis pregones políticos me susurraba la voz aquella que dice: "Y después de esto, ¿para qué todo?, ¿para qué?" Y para aquietar esa voz o a quien me la da, seguía perorando a los creyentes en el progreso y en la civilidad y en la justicia, y para convencerme a mí mismo de sus excelencias".

No se convenció de esas excelencias, y por ello, por esos mismos días del otoño de 1930, escribió *San Manuel...* El Unamuno de la leyenda se había identificado con la revolución; pero el íntimo, el que oía la misteriosa voz, no tardaría en identificarse con la paz y silencio, terrible silencio, de algunas aldeas españolas. Una vez más, ese verano de 1930, había caído Unamuno a lo hondo de sí, a la dolorosa verdad, tocando la nada, y al abandonar el papel de luchador consigo abandonaría también el de incitador a la lucha civil; o quizás a la inversa, al apartarse de la revolución temeroso del aire que ésta tomaba, abandonando el papel de libertador de galeotes abandonaría también, momentáneamente siquiera, su vestidura legendaria, y caería de nuevo al verdadero dolor; es decir, advertiría de nuevo que lo que en el fondo de su conciencia había no era "lucha" o "duda", sino una completa falta de fe.

Esa incredulidad última de Unamuno es la que, atormentado por el constraste entre lo que él era y lo que parecía, entre el Unamuno externo y el íntimo, él quiso confesar, y en cierto modo confesó a través de su personaje, el párroco Don Manuel.

Dolorosa intimidad, pues, conciencia de haber engañado, ya que no a sus feligreses sí a sus lectores, arrepentimiento; y, a la vez, una reacción ante los sucesos políticos de España en 1930, es lo que movió a Unamuno a escribir *San Manuel Bueno, mártir.* Unamuno, al parecer, temía que los sueños progresistas apartasen a los españoles del pensamiento de lo esencial. Poco después de instaurada la República escribía: "Me está desazonando el observar cómo se hinchan las ilusiones de un porvenir de riqueza... hay que poner tope a las ilusiones, y sobre todo hay que pensar para qué... para qué fin esa mejoría" (*La enormidad de España,* México, 1945, pp. 206-207). Cosa parecida había dicho meses antes en *San Manuel...,* aunque su inquietud ante la situación política de España se refleje más claramente en el artículo que en la novela. Pero en los años que siguieron se puso en claro que sus temores a la revolución no eran sólo motivados por esa causa que antes declaraba. En los artículos publicados en el periódico *Ahora,* en 1933 (reunidos en *La ciudad de Henoc,* México, 1941), en los que domina un tono en extremo pesimista y melancólico, se advierte a menudo antipatía hacia la reforma agraria que se proyectaba: "Muchos de esos ya míticos latifundios, ¿se constituyeron por donaciones regias o por el abandono de sus comunidades?... Hay, por ejemplo, nada más disparatado que confiscar tierras de la llamada grandeza sin tener un concepto justo y claro de lo que grandeza sea?" (pp. 126-127). Pero lo que más interesa hacer notar es el arrepentimiento de Unamuno, en el mismo artículo, cuando recuerda "los años en que recorríamos estos campos predicando la revolución agraria y creyendo despertar el sentimiento de colectividad, de comunidad. Y ahora sentimos que lo que se despierta es el sentimiento de cantonalismo, de anarquismo". Ese apartamiento, pues, de la revolución, que

puede observarse ya en *San Manuel*..., y que en dicha obra
aparece disimulado, justificado por la fuerza de otras más nobles
inquietudes (después de todo resultaban un poco escandalosos
virajes tan rápidos, ya que meses antes él incitaba a la guerra
civil), se manifestaría luego más abiertamente. Su cambio de
actitud en esa novelita, no fué sólo, creo yo, determinado por
razones íntimas espirituales; y ese desdeñar el progreso no lo
determinaba tan solo la voz lúgubre que susurraba "¿para
qué?" mientras él peroraba. La voz —eco del Eclesiastés— haría lo suyo, y su temor a la revolución, haría lo demás.

A principios de junio de 1930 visitó el triste y bello lago
de Sanabria, en la provincia de Zamora, lugar que le inspiró
el escenario de su novelita. Contemplar la superficie de las
aguas producía siempre a Unamuno extraña impresión, pues
le hacía pensar en la íntima paz que bajo el Unamuno de la
palabra apasionada en él se escondía. Pero más que otros lagos
debió impresionarle esa muerta laguna que rodean peladas co-
linas lunares. Y debió impresionarle sobre todo en aquellos días
en que la visitó, cuando aun resonaba en sus oídos el eco de los
últimos mítines y banquetes a que tan pródigamente se había
entregado en los primeros meses que siguieron a su regreso a
España. En el prólogo, escrito en 1932, a *San Manuel Bueno,
mártir y tres historias más* (ed. Calpe, Madrid, 1933, p. 9), decía Unamuno: "Escenario hay en *San Manuel Bueno, mártir,*
sugerido por el maravilloso y tan sugestivo lago de San Martín
de Castañeda, en Sanabria, al pie de las ruinas de un convento
de bernardos y donde vive la leyenda de una ciudad, Valverde
de Lucerna, que yace en el fondo de las aguas..." La leyenda de
una ciudad con ese nombre —*Lucernam... quae est in valle vi-
ridi*— la cual resistió a Carlomagno y quedó sepultada en el
fondo de una laguna pestilente, se encuentra ya en la crónica

latina del pseudo Turpín, del siglo XII, según se lee en *Orígenes de la novela* (Menéndez Pelayo, *Obras completas,* Santander, 1947, XIII, 307). Cruzando yo esa laguna en 1934, una ribereña me dijo que en ocasiones escuchaba el sonar de las campanas sumergidas, campanas a las que Unamuno alude también. La leyenda vive, en efecto, en las aldeas pobrísimas que rodean al lago.

En el mismo prólogo nos dice Unamuno que vió "por primera vez ese lago el día primero de junio de 1930". Pero debió estar por allí más de un día, a juzgar por los pueblos que visitó. La contemplación del lago debió ser definitiva para la creación de la historia del párroco de Valverde de Lucerna. Ya en un artículo de 1911, "La laguna de Tenerife", decía Unamuno haber sentido ante las aguas "un silencio y una soledad que se me metían hasta el tuétano del alma" (*Por tierras de Portugal y de España,* Madrid, 1911, p. 263). En el mismo artículo, hablando de su viaje de regreso desde Canarias, se refiere al fondo del mar "silencioso y tranquilo mientras su sobrehaz ruge y se agita". Y de impresiones parecidas trataría en otras ocasiones, y similares imágenes emplearía muchas veces. A Pachico, esto es al joven Unamuno —nos cuenta éste en *Paz en la guerra*— "sumíale la visión de la inmensa llanura líquida y palpitante en la oscura intuición de la vida pura". Mas la contemplación del agua estancada habría de sumir luego a Unamuno, más frecuentemente, en la oscura intuición de la muerte.

Debio impresionarle encontrar aquella paz en aquel rincón precisamente por los días en que comenzaban a extenderse por los campos las furias y los odios; debió sentir, al llegar al balneario que hay junto al lago y advertir el hondo silencio, un gran asombro, y pensar en el contraste entre el ruido de las luchas políticas en las ciudades y esa calma aldeana, esa paz de muerte; contraste que debió recordarle el que había en su propia persona, comparable al que percibía entre la superficie de las aguas, que los vientos rizan, y el fondo quieto de ese lago legendario.

Un año después de redactada su novela, metido de nuevo en política, pues fué diputado de las Cortes constituyentes de la República, escribía Unamuno melancólicamente: "Una sesión [de las Cortes] agitada, pero como puede ponerse bajo un torbellino de aire la sobrehaz de una laguna quieta, cerrada... y yo hundiendo mi cabeza y soñando en mi mocedad" (cf. *El Sol*, Madrid, 29 octubre, 1931). Hundir su cabeza y soñar en su mocedad, en la fe perdida; caer a sí, sintiendo que era inútil, superficial, toda agitación, es lo que él ya debió hacer ese verano de 1930, junto al lago de Sanabria. La misteriosa voz que al oído le había susurrado algo poco antes, mientras él lanzaba sus arengas, debió escucharla luego muy claramente junto a esas aguas. Entonces escribió, "a raíz de haber visitado por primera vez ese lago", las dos poesías que incluyó en el prólogo a *San Manuel Bueno, mártir y tres historias más*. La que empieza:

> *San Martín de Castañeda,*
> *espejo de soledades...*
> *Campanario sumergido*
> *de Valverde de Lucerna,*
> *toque de agonía eterna*
> *bajo el caudal del olvido...*

Y esa otra que acaba:

> *Se muere Riba de Lago*
> *orilla de nuestras luchas.*

Ambas me parecen prueba de que no es caprichosa la atribución de esas impresiones que decimos debió él tener junto a ese lago; ello aparte de que tales impresiones se reflejan clarísimamente en la novela que tiene como escenario ese lugar, y que en cierto modo ese lugar le inspiró.

Bullicio, lucha, mentira: todo quedaba atrás. Allí se encontraba sumido en atmósfera de paz, de muerte, que debió pesar sobre el fondo de su alma, sobre "la quietud del lago del alma", como en otra ocasión él dijo. Y lo que entonces debió sentir es lo que poco después expresó en *San Manuel...*: melancolía, apego a las aguas quietas, a "lo que se queda"; y por otro lado, muerte, muerte sin esperanza. No deberían ser borradas esas creencias que habían sido las de su niñez, no debería ser perturbada esa calma; pero el fondo de todo era, sí, la muerte. Y eso es lo que se lee en la obra: amor a la tradición y ateísmo —fijémonos bien, ateísmo y no duda—, respecto a la fe ingenua y, a la vez, la clara negación de la esperanza. Tradición dolorosamente sostenida, necesidad de conservar la fe del pueblo, por razones pragmáticas, para que el pueblo viva, aunque los conservadores no la posean; ésa es la lección que de su novelita se desprende, el mensaje de Unamuno, que puede considerarse como su testamento religioso. Y a esa conclusión, que era como un sincerarse consigo mismo, es a la que él había llegado, contradiciendo todas sus predicaciones anteriores, después de haberse desprendido, al menos momentáneamente y ante sí mismo, de su novela; después de haber tocado de nuevo la fuente de su dolor; después, en suma, de haber sufrido una de esas crisis que en él provocaba "el problema de la personalidad".

El problema de la personalidad, nos dice Unamuno en el prólogo de 1932 a *San Manuel Bueno, mártir y tres historias más* (p. 28), "es el que me ha inspirado para casi todos mis personajes de ficción". Tal como nosotros hemos entendido ese problema, puede decirse que le inspiró sobre todo para Don Manuel y para Don Sandalio, el personaje de otra de las novelitas incluídas en el mismo volumen. Poco antes, en el mismo prólogo, decía también Unamuno que "a Don Manuel Bueno y a Lázaro Carballino como a Don Sandalio... lo que les atosigaba era el pavoroso problema de la personalidad, si uno es lo que es y seguirá siendo lo que es" (p. 27).

El problema, pues, explica Unamuno, consiste en saber "si uno es lo que es" y si "seguirá siendo lo que es". Por la misma época, hablando de *El otro* decía casi lo mismo, definiendo el problema de la personalidad como "el sentimiento congojoso de nuestra identidad y continuidad individual y personal" (*Indice Literario,* Madrid, 1933, I, 26). Esto, que no es mucho ni muy explícito, es casi todo cuanto él dijo para indicar en qué consistía el tal problema, al que tanto alude. En el ya citado prólogo se refiere también a "ese problema, esa congoja, mejor, de la conciencia de la propia personalidad". Mucho más claro puede verse, como ya antes afirmamos, leyendo con atención *Cómo se hace una novela,* y observando la relación de esta obra con las que siguieron, que él dijo tenían como base el problema de la personalidad. Pero en todo caso eso que dice de *identidad* —saber si uno es lo que es— y de *continuidad* —si uno seguirá siendo lo que es— o de conciencia de la propia personalidad, en modo alguno contradice lo que en cuanto a la realidad de ese problema ya antes establecimos; si bien yo creo que Unamuno hace un pequeño escamoteo, una pequeña falsificación al insinuar que era parte de su problema *la duda* en cuanto a la continuidad.

El problema de la personalidad, entendido éste como problema de identidad, el del contraste entre lo que uno es y lo que parece, es el que vemos reflejado en *La novela de don Sandalio*; y entendido como problema de continuidad, es el que podría decirse se manifiesta en *San Manuel*... Pero en último término el problema básico en el párroco —como en el propio Unamuno— no era el de la continuidad, no era el de no saber si seguiría viviendo o no, y ni siquiera el de no querer morirse, sino el de saber que, sin duda alguna y sin esperanza alguna, iba a morir. Más que problema de la continuidad era, pues, el sentimiento congojoso de la *discontinuidad*.

La raíz del problema de la personalidad en Don Manuel, como en Unamuno, era el sentimiento de la Nada, la intuición de la propia muerte. Mas precisamente ese sentimiento, en toda su terrible desnudez, es el que Unamuno quería ocultarse, quería esconder, lo cual le llevaba a hablar confusamente de fe, esperanza y duda; y de esa ocultación, de ese transformar la certeza de la discontinuidad en "problema" de la continuidad, es de donde, sobre todo, brotaría el otro problema, el de la sinceridad, el de la identidad de lo externo y lo aparente de la propia persona. Por ello Unamuno junta en uno dos problemas que poco tienen que ver entre sí, pero que en verdad en él tenían mucho en común. Por eso hay algo en común, aunque no lo parezca, entre Don Manuel y Don Sandalio; y por eso ambos, según el propio Unamuno nos dice, nacieron del "problema de la personalidad". Y Unamuno definía bien ese problema, con la salvedad de que, como acostumbraba, hacía pasar por duda lo que no lo era; trampa ésta que es precisamente en lo que consistía su "novela", su leyenda; la cual, disipada súbitamente, originaba esa caída a la angustia y al arrepentimiento que es la raíz verdadera del problema. Una de esas caídas es la que originó *Cómo...* y otra, cinco años después, la que originó *San Manuel...*

Hay un constraste entre lo que el párroco era en verdad y lo que parecía, y así esta obra refleja también el problema entendido como problema de identidad; mas es sobre todo la confesión que hace el párroco lo que permite decir que esta obra es la que más plenamente expresa el problema de la personalidad de Unamuno, la que mejor expresa a Unamuno. En ningún pasaje se pintó él tan esencialmente como en ese cura, en el que, por otra parte, al parecer había retratado a un viejo amigo suyo, muerto años antes: Francisco de Iturribarría. De él habla Unamuno en su artículo "Francisco de Iturribarría. Recuerdos de entrañabilidad y de silencio", que se incluye en un libro casi nunca mencionado, y menos leído, *Sensaciones de Bilbao* (ed. Vasca, Bib. de "Hermes", Bilbao, 1922). Ahí cuenta Unamuno que había asistido con Iturribarría a la "escuela de don Higinio y de don Sandalio después", pero que no volvió a hablarle hasta 1901, fecha en que le encontró en Bilbao en casa de un común amigo. Y agrega: "Desde entonces, con largos silencios, nuestros espíritus se comunicaron..." Pero no se escribían, pues Iturribarría era sacerdote y "conocía mi indiscreción, y aunque al hablarme... me dejó adivinar, y aún algo más, no poco del trágico secreto de su vida, no podía confiar a letras que quedan su intimidad". Ese cura vasco leía a Kierkegaard, nos dice Unamuno (probablemente por indicación de éste), y escribía versos, de los cuales nos ofrece alguna muestra; y en esa misma basílica de Bilbao en la que Unamuno de niño había orado y soñado —según nos cuenta en los *Recuerdos de niñez y de mocedad*— el párroco "cultivaba su desesperación resignada". No deja de ser curioso que Unamuno diga luego en *San Manuel...* que éste murió, como había vivido, "en una desolación activa, resignada". Unamuno lo encontraba en los veranos, cuando iba a Bilbao. Un día pasearon juntos. "Aún recuerdo lo que allí, contemplando la hondonada de Buya, nos dijimos", escribe en el mismo artículo. "Sobre ello pesará el silencio de la eternidad. Porque eran dichos de eternidad y silencio... Nos miramos a los ojos y nos adivinamos sendos mares de lágrimas..." Y en *San Manuel*... dice Unamuno, por boca de Angela Carballino, que al descubrir el secreto del párroco, que era exactamente el mismo que el de Iturribarría, "doblamos en silencio la cabeza y nos pusimos a llorar". Y a Lázaro Carballino le había hecho el párroco Don Manuel la misma confesión, mientras daban un paseo por el campo, que Iturribarría debió hacer en un paseo análogo a Unamuno. El cura vasco, muerto ya cuando Unamuno escribió su artículo, había estudiado "su carrera en el seminario de Vitoria y... volvió a dormirse para siempre en la paz inacabable de Bilbao, su lugar..." Y el cura leonés, "que en el seminario se había distinguido..., no quería ser sino de su Valverde de Lucerna, de su aldea perdida". El cura vasco, como el de la novela, se fué poco a poco extinguiendo, y murió "guardando su simiente, su secreto".

Si Unamuno pensó en alguien que había conocido al crear la figura de Don Manuel, debió ser sobre todo en ese Iturribarría, al que de pasada alude también en sus *Recuerdos*... Y que en alguien que él había conocido pensó, es cosa que, al parecer, el propio Unamuno decía. El periodista J. Brouwer, que le entrevistó en septiembre de 1936, se refiere a "San Manuel Bueno..., de quien decía era un tipo sacado de la vida..." (cf. *Repertorio Americano*, 10 de abril de 1937). Y Pedro Salinas me aseguró un día, en 1948, que lo mismo le había dicho a él el propio Unamuno.

Claro es que lo que podría llamarse la "novela" del párroco, su mentira, era muy distinta a lo que había sido la "novela" de Unamuno, y de hecho todo lo contrario, pues mientras el primero callaba por piedad, por amor a los otros, lo que Unamuno con su novela había casi siempre hecho, o tratado de hacer, fué inquietar, y tal vez más por amor a sí y a su fama que a otra cosa. Pero es que el cura no expresa lo que Unamuno había sido, y en cierto modo siguió siendo luego, hasta su muerte, sino lo que, tocado por el arrepentimiento, al sentir la inutilidad de sus gritos, él hubiera querido ser. No era ésa la primera vez que Unamuno imaginaba un personaje que no era sino lo que él había querido ser, lo que hubiera sido de haber tenido el valor de seguir la voz de su conciencia y renunciar a vanidades.

Cuando Unamuno, haciendo su novela, insistía en afirmar, sin creerlo verdaderamente, aquello de que la fe *crea* su objeto y que el consuelo estriba en la lucha, cuando él se defendía de su verdadera desesperación con una literaria y elaborada inquietud presa en fórmulas y paradojas, es natural quisiera inquietar a los demás y hablara con desprecio de "la fe del carbonero"; pero caído al dolor y descubierto, una vez más, el fondo de su alma, y al sentir la necesidad de mostrarse en desnudez (aunque en desnudez relativa, ya que se disfraza de párroco), es natural quisiera, por piedad, ahorrar a los demás el sufrimiento que él tenía, tranquilizar a los otros como hace el párroco (aunque Unamuno, al descubrir el secreto no llegue del todo a tranquilizar a sus lectores). La piedad de Don Manuel, que callaba el doloroso secreto de su falta de fe, es reflejo de la piedad de Unamuno, reflejo de su arrepentimiento, aunque arrepentimiento relativo, y del cual hay a veces rasgos en sus obras anteriores.

"Hay que sembrar en los hombres gérmenes de duda, de desconfianza, de inquietud, y hasta de desesperación", escribió Unamuno (*Ensayos,* II, 558), y cosa parecida dijo otras muchas veces. Y también: "No puedo oír con calma lo de la fe implícita; nada encuentro más repulsivo que elogiar la fe del carbonero" (ibid., I, 631), lo cual igualmente mucho repitió. Pero en el soneto LXXX de su *Rosario de sonetos líricos* escribió, arrepentido: "... recuerda/ cuando en tu vida pública perores/ que esa dolencia a muchos les consume/ el alma triste, y no se la empeores/ con fáciles diatribas..." En el mismo libro, "el buen caudillo" dice algo que podría haber dicho el párroco Don Manuel: "... yo que no creo/ debo engañarles; por su bien me inmolo; / ellos quieren vivir; pobres humanos / que así fingen el mundo a su deseo." Sin embargo, la actitud característica de Unamuno, hasta *San Manuel...,* fué la otra, la del sembrador de inquietudes, enemigo de la fe del carbonero. Y aún después de 1930 repetía: "Salgamos de la ignorancia religiosa del carbonero" ("Los milagros de la virgen de Ezquioga", *El Sol,* Madrid, 29 ag. 1931). Y el que Don Manuel engañase a sus feligreses es también reflejo de la conciencia que Unamuno tenía de haber engañado a sus lectores: él se identificaba con el párroco y parece absolverse al absolver al cura. Pero ya hemos dicho que el engaño no era el mismo y fué por razones muy diferentes, así que al perdonarse Unamuno a sí mismo con tanta maña como rapidez, no hace sino mostrar lo turbio de su conciencia, la poca claridad de ese arrepentimiento y el mucho deseo que tenía de ser perdonado.

Inspirándose o no en alguien que conociera o en algún personaje literario, parece de todos modos indudable que al imaginar a Don Manuel, como antes a Jugo de la Raza, se identificó con él y no sólo estéticamente: se fundió con él, confesándose por boca de él, al modo de los románticos. Dice en *San Manuel...* el párroco —cuando no su propio autor, Unamuno—

ciertas frases que mejor que a él mismo se aplican a quien así
le hacía hablar. Algunas en verdad carecen de sentido en la
obra, pero no resultan ni mucho menos incomprensibles sabiendo, o sospechando siquiera, que Unamuno se confiesa por
boca de ese cura, y estando nosotros en antecedentes de cuál
podía ser esa confesión, muy parecida, o que se relaciona estrechamente, a la que se encierra en *Cómo se hace una novela*.

A Unamuno debió pasarle por la cabeza en 1930, lo mismo
que en 1925, la idea de deshacer de pronto toda su anterior
"novela", de declarar francamente que no creía en nada, que no
dudaba, que su obra había sido sobre todo literatura, farsa...
Pero en el otoño de 1930, al escribir *San Manuel*, rechazaba
esa solución radical, apartaba de sí tal pensamiento y buscaba
excusas para lo que debía juzgar una debilidad. Por ello sin
duda, sin que venga para nada a cuento, de pronto dice el párroco: "Pensar ocioso es pensar para no hacer nada o pensar
demasiado en lo que se ha hecho y no en lo que hay que hacer.
A lo hecho pecho, y a otra cosa, que no hay peor que remordimiento sin enmienda" (*op. cit.*, p. 52). Pero, cabe preguntarse,
¿de qué se arrepentía el párroco? Quien se arrepentía y no lograba enmendarse, y lo sabía, era el propio Unamuno, que por
ello cinco años antes había inventado esa extraña historia de
Jugo de la Raza, que no podía desprenderse de su novela, aun
sabiendo que moriría cuando ella acabase. Se arrepentía Unamuno de haber permitido se formase en torno a él esa leyenda
que "yo, tanto como otros, he contribuído a formar", como
decía en 1928, en el prólogo a una segunda edición de *Contra
esto y aquello*. Por eso en la última página de *San Manuel*...,
hablando ya el propio Unamuno, nos dice que "si Don Manuel
y su discípulo Lázaro hubiesen confesado al pueblo su estado
de creencia... ni les habría creído". Lo mismo venía a decir,

la misma justificación se daba, al final de *Cómo...*, cuando, después de haberse preguntado qué camino seguiría, indeciso en cuanto a la resolución a tomar tras haber descubierto al hombre íntimo que se escondía bajo el de la "novela", acababa abruptamente contándonos la anécdota aquélla, muy significativa, del actor al que aplaudían siempre cuando moría en escena, cuando moría de mentira, y que una vez, cuando agonizó de verdad en el teatro, y se murió, no le creyeron, no le tomaron en serio y le silbaron. Y Unamuno amaba el aplauso... Así, pues, en 1930, al terminar *San Manuel...*, lo que Unamuno venía otra vez a decir es que no valía la pena ser sincero, arrancarse la máscara, y esto no ya por no perjudicar a los otros, sino por no perjudicarse a sí mismo. Quizás por eso él fué sincero sólo a medias, ya que se confesó a través de un personaje novelesco, y no directamente. Por otra parte, es indudable que las frases a que aludimos, eso de que el pueblo no habría creído la confesión del cura y su discípulo, no carecen ni mucho menos, esta vez, de sentido en la obra. Pero no es casual que, como otras muchas, se apliquen a Unamuno mismo tanto como a sus personajes. Y desde luego, repetimos, hay más de una frase que se aplica mucho mejor a Unamuno que al párroco, como cuando éste dice: "Yo no puedo perder a mi pueblo para ganarme el alma" (p. 60). ¿En qué podría el párroco perjudicar a su pueblo, perderlo, cuando no había hecho ni pensaba hacer otra cosa que salvarle, ya que no de la muerte, pues ello no estaba en su mano, de la desesperación al menos? ¿Y qué sentido tendría eso de salvar el alma en quien tan claramente dice no creer en la inmortalidad de ella? Lo que Unamuno evidentemente quería decir, o decía sin quererlo, lo que se decía en todo caso a sí mismo, en ese momento de crisis, es que él no podía, por ganar fama, por mantener su leyenda, seguir inquietando al pueblo, llevarlo a la desesperación, perderlo con sus arengas revolucionarias y religiosas, o antirreligiosas. Mas como él no había hecho otra cosa antes, quiere perdonarse, y por eso perdona al párroco, aunque éste en verdad no hubiera cometido ninguna falta. Ese pasaje del Evangelio al que Unamuno alude (pp. 115-116) cuando escribe: "Antes de cerrar este prólogo, quiero recordarte, lector paciente, el versillo noveno de la Epístola del olvidado apóstol San Judas...", no quería decir, al menos para él, sino que Moisés —conductor de un pueblo, que no llegó a ver la tierra prometida— no merecía por su flaqueza ser condenado. "El que quiera entender que entienda", comenta Unamuno, enigmáticamente. Y lo que quiere insinuar, en total, es que el párroco, por haber engañado a su pueblo no merecía reproche, y él tampoco por haber engañado al lector.

A fines de 1933, en el artículo "Almas sencillas" (*La ciudad de Henoc,* pp. 163-168), se refería a un crítico que, tratando de *San Manuel*..., había dicho que Unamuno admiraba a su criatura, pues "no ha tenido la abnegación de su San Manuel Bueno, evitando con el recato de su íntima tragedia el estrago que pudiera causar". Don Miguel trata de defenderse y contesta: "¡Ah, no; hay que despertar al durmiente...!" Pero en seguida agrega: "Y no hay temor, si es alma sencilla, crédula... que pierda el consuelo del engaño vital." Esto es ya otra cosa: de lo que se trata es de saber si hay que desear que las almas sencillas sigan o no con el engaño, independientemente de que puedan o no ser desengañadas. Despertar al durmiente es lo contrario de lo que Unamuno decía en *San Manuel*..., por boca del párroco, que debe hacerse. En ese artículo de 1933, sin embargo, reafirma a veces lo dicho en la novelita, como cuando escribe: "Sin el engaño no viviría... ¡Se paga tan cara una conciencia clara! ¡Es tan doloroso mirar la verdad!" Pero inmediatamente da un viraje y afirma: "En España la inconsciencia infantil del pueblo acaba por producir mayores estragos que le produciría la íntima inquietud espiritual." Mas pronto ve los peligros de esa íntima inquietud generalizada, y añade: "Quitarle... esa religión que Lenin declaró que era el opio del pueblo, y se entregará a otro opio, el opio revolucionario de Lenin." Sin embargo, finalmente, declara, pensando probablemente más en sí mismo que en el pueblo: "Terrible, sí, la angustia metafísica o religiosa, la congoja sobrenatural, pero preferible al limbo." Y ésta parece ser, por tanto, en ese artículo tan contradictorio y confuso, su decisión definitiva, contraria a la expuesta en *San Manuel*... Pero no puede decirse que esa sea su posición definitiva en 1933; es decir, no es cierto que, pasada la crisis que le movió a escribir la novela en el otoño de 1930, él hubiera vuelto a su posición de siempre, pues el mismo año de 1933, en otro artículo, "Las ánimas del purgatorio", incluído en el mismo libro, dice otra vez algo que recuerda a las palabras de Don Manuel: "Todo el que se proponga hacer la dicha —la emancipación— del pueblo, proletario o no, tiene el deber de engañarle."

Unamuno, pues, que había inquietado siempre, se preguntó a veces, pero sobre todo a partir de 1930, a partir de *San Manuel...*, si no sería mejor engañar al pueblo, callar el triste secreto. Y aunque él no tuviera la abnegación de su párroco, y en verdad no dejara nunca de inquietar, lo que el párroco hacía fué sin duda, después de haber imaginado este personaje, lo que le parecía a él mejor, aunque otra cosa diga, repitiendo sus viejas ideas, en ese artículo "Almas sencillas", donde se defiende de una acusación muy oportuna y trata de justificar su obra anterior, sobre la cual, sin embargo, debía tener grandes

dudas. Trataba él inútilmente de encontrar "una línea misma...,
una línea dialéctica", en todos sus escritos, como dice en el artículo "Paz en la guerra" (*La ciudad de Henoc,* pp. 80-85).
Una cierta unidad hay en todos sus escritos, claro es; mas,
por otra parte, las contradicciones suyas no son sólo ésas entre
la cabeza y el corazón que él admite con orgullo, sino otras
determinadas por verdaderos cambios de postura que afectan
tanto a su cabeza como a su corazón; y otras determinadas tan
sólo por confusión dentro de la cabeza misma.

Fijémonos ahora en que el nombre de "Manuel Bueno" recuerda al de "Quijano el Bueno", en quien Don Quijote se
transformó al sentirse morir, arrepentido ya de sus estériles
luchas. Nada extraño parece que quien toda su vida se había
identificado con el batallador Don Quijote, con ese luchador
por la fe, hubiera querido luego, al final, en esa obra de venci-
miento y desmayo, de arrepentimiento que es *San Manuel Bueno, mártir,* identificarse con Quijano el Bueno, y para ello iden-
tificar a éste con el párroco. Y que entre el cura y Don Quijote
establece Unamuno cierta relación —y por tanto que el parecido
de los nombres no es casual— me parece evidente, ya que él
mismo nos dice en el prólogo:

"Don Manuel busca, al ir a morirse, fundir —o sea salvar—
su personalidad en la de su pueblo... ¿Y no es, en el fondo,
este congojoso y glorioso problema de la personalidad el que
guía en su empresa a Don Quijote, el que... quiso salvarla en
alas de la fama imperecedera?... Y no quiero aquí comentar ya
más ni el martirio de Don Quijote ni el de Don Manuel Bueno, martirios quijotescos los dos" (pp. 28-30).

Claro es que este prólogo lo escribió dos años después que
la obra, mas el parecido de los nombres hace pensar que él es-

tableció esa relación ya antes, al escribir la novela. En diversas ocasiones se refirió Unamuno a la cordura final de Don Quijote. Al terminar *Vida de Don Quijote y Sancho,* por ejemplo, decía: "Volviste a ser Alonso Quijano, el Bueno, para morir..." Y en la introducción a *La agonía del cristianismo*: "Se pone uno en paz consigo, como Don Quijote, para morir..."

Fijémonos en que otros nombres, en la misma novela, tampoco son caprichosos, sino simbólicos: *Lázaro,* el ex progresista arrepentido, que ayudaba a Don Manuel a sostener en la gente del pueblo la creencia en la inmortalidad, es un nombre sin duda escogido pensando en el Lázaro del Evangelio, "Lázaro el resucitado", del que Unamuno mismo nos dice en *Cómo...* que los judíos "iban por él a Jesús y creían". Y hasta es posible que *Blas* "el bobo", la persona que en el pueblo más libre de dudas estaba, se llame así (por muy rebuscada que esta explicación pudiera parecer) en recuerdo de Blas Pascal, que dió a los que anhelaban creer ese consejo de tomar agua bendita y hacer todo como si creyeran, pues "celà vous fera croire et vous abêtira" (*Pensées,* éd. Brunschvicg, París, 1904, II, pp. 153-154). Más de una vez recordó Unamuno esa frase de Pascal, *que es precisamente la que recuerda en la novela Don Manuel* al decir: "Toma agua bendita, que dijo alguien, y acabarás creyendo" (página 77). Como Unamuno hace de su párroco un hombre poco amigo de libros, le hace decir eso de "que dijo alguien"; pero Unamuno mismo sin duda recordaba perfectamente quién lo dijo. En el capítulo "La fe pascaliana", de *La agonía...*, se lee: "Pascal, el que... había dicho lo de *cela vous abêtira,* 'eso os entontecerá'..." Irónicamente, tal vez, debió imaginar Unamuno en el tonto del pueblo, en Blasillo el bobo, la realización de lo que Pascal aconsejaba, pues repetidamente nos recuerda que era ese tonto el más perfecto cristiano, el más férvido creyente.

Refiriéndose, en el prólogo, a la historia incluída en *San Manuel...* que se titula *Un pobre rico o el sentimiento cómico de la vida*, decía Unamuno: "Si me dejase llevar de mi afición a las digresiones... me daría a rebuscar porqué a los personajes de esta mi novelita les llamé como les llamé." Y nada dice de la novela *San Manuel...*, seguramente porque sabía bien, sin necesidad de rebusca, porqué llamó a los personajes de ella como les llamó. Eso de que Don Manuel quiera al ir a morir fundir su personalidad en la de su pueblo, es decir, ser como él y aceptar su fe, es otra de las frases que, más que al párroco, que tuvo ese propósito siempre y no sólo al ir a morir, se aplica al propio Unamuno.

De todo cuanto acabamos de indicar creo que una conclusión al menos se desprende, y ésta es la que ahora más nos interesa destacar: que ese clérigo de Valverde de Lucerna, recordara o no al amigo de Unamuno, Iturribarría, le brotó a su autor muy de dentro del alma, ya que es expresión de viejos problemas y conflictos suyos, íntimamente sentidos, y es fruto de un estado de ánimo especial —aunque él, en el citado prólogo, niega esto— en que se hallaba al escribir *San Manuel...*, o en que se había hallado antes. El escenario de la obra es español, y ésta refleja las circunstancias políticas de España en la época en que escribió, así como la reacción de Unamuno ante ellas. Nadie podrá, por tanto, decir que esta obra no sea original, no sea sentida, esencialmente unamunesca. Y, sin embargo... Sin embargo, la historia de *San Manuel Bueno, mártir* tiene un evidente parecido con la historia del vicario saboyano que se incluye en el *Emilio* de Rousseau; tanto, que resulta muy poco probable que Unamuno no la recordara al escribir la suya. Mas si no la recordó la coincidencia de ambos románticos en esa "profesión de fe" resultaría en extremo curiosa.

La *Profession de foi du Vicaire Saboyard,* que tanta resonan-
cia tuvo a fines del siglo XVIII, expresaba la verdadera religión
de Rousseau, la definitiva: es, según él mismo dijo, su testamento religioso, que estableció tras mucha meditación y vacilaciones, tras mucho dolor e inquietudes, al salir de un largo
período de crisis. Era una obra muy suya, aunque fuera escrita
tal vez bajo el influjo de alguna otra, y aunque el personaje
central, el vicario, recordara a cierto sacerdote a quien Rousseau
había conocido (cf. la obra fundamental sobre el tema, P. M.
Masson, *La religion de J. J. Rousseau,* 3 vols., París, 1916).

Unamuno, que era gran admirador de Rousseau, conocía la
historia del vicario saboyano. Aparte otras indicaciones menos
concretas, una cita de "Rousseau en su *Emilio*", como él nos
dice, que hace en *Del sentimiento...* (cf. *Ensayos,* II, 760-761),
está tomada justamente, aunque esto él no lo precise, de la
parte de ese libro que corresponde a la *Profesión de fe.* "He
querido siempre a Rousseau... al padre del Romanticismo...
Rousseau, el padre espiritual de *Obermann,* fué siempre un
sombrío pesimista...", decía Unamuno en su ensayo "El Rousseau de Lemaître" *(Ensayos,* II, 1095-1096). Y la defensa de
Rousseau continúa en el ensayo siguiente, "Rousseau, Voltaire,
Nietzsche", donde se refiere al "hondo sentimiento religioso
que ha producido esos grandes rebeldes como Dante, Lutero y
Juan Jacobo" *(ibid.,* p. 1107). Otras muchas veces le alude *(ibid.,*
páginas 557, 607, 711, etc.), y siempre elogiosamente. Y le
nombra también en *Andanzas...* y *Por tierras...* como sentidor
de la naturaleza.

"Un cierto soplo de rousseaunianismo nos llevaba a perdernos en las frondosidades de la encañada...", nos dice al final de sus *Recuerdos de niñez y de mocedad* (Madrid, 1908, p. 216). Incluso influyó en él antes de haberle leído, pues nos cuenta en los mismos *Recuerdos*... (pp. 145-147) que, a los catorce años, cuando preparó su primera conferencia, "que había de versar acerca de la divinidad de Jesucristo", estudió sin descanso "en un libro que hallé en casa", y el resultado fué que luego, cuando "en tono oratorio... llegué a la muerte de Jesús, cité, o mejor dicho, recité, aquello de Rousseau de que si Sócrates murió como un sabio, Jesucristo murió como un Dios..." Esa famosa comparación es precisamente parte de la *Profesión de fe*... No deja de ser curioso que en *Cómo se hace una novela* (Buenos Aires, 1927), donde más de una vez nombra a Rousseau y donde, hacia el final, parece, en cierto modo, anunciar la novela *San Manuel*..., que escribiría años después, al regresar a España, diga, también al final (p. 145), refiriéndose a un artículo de *Azorín*: "...encuentro profundamente significativo el que un autor que escribe un Diario para explicar cómo ha compuesto una novela (el autor a que se refiere es J. de Lacretelle) evoque la memoria de Rousseau..."

Los dos clérigos de Rousseau y Unamuno se parecen bastante: ambos defienden la religión tradicional de cada país, sea ésta cual fuere, por razones pragmáticas, para que los sencillos se consuelen y vivan; ambos tienen un discípulo a quien, entre lágrimas, confiesan la verdad en cuanto a su fe personal, distinta de lo que parece, de lo que fingen. Pero esa fe, o falta de fe, no era exactamente igual en ambos, pues el párroco de Valverde de Lucerna era ateo, aunque ateo desesperado, como Unamuno, y el vicario saboyano era o pretendía ser deísta, como Rousseau. Mas esa diferencia, como veremos menos grande de lo que parece, es en todo caso la que va de uno a otro, e indica el camino recorrido en lo que a la historia de la pérdida de la fe se refiere.

Rousseau se alejó del bullicio de París, lleno de resentimiento hacia cortesanos y enciclopedistas, para entregarse libremente a sus fantasías. Entonces escribió *La Nouvelle Héloïse,* ese "rêve de volupté redressé en instruction morale", como decía G. Lanson *(Annales Jean-Jacques Rousseau,* VIII [Genève, 1912], 17). Pero le faltaba Dios, un Dios verdadero. Para fundamentar sus sueños hubiera necesitado el soporte de lo divino. Y bien fuera por exigencias de la razón, sobre todo, como modernamente algunos creen; o exigencias del sentimiento; o de razón y sentimiento a la vez; sentidor del misterio y sin fe verdadera, comprendiendo la necesidad de religión para los hombres, poco después —en 1758— comenzó a escribir la *Profesión de fe...* El propio Rousseau nos habla de esta obra al final de las *Confesiones,* y en la III *Promenade* de sus *Rêveries,* donde dice que no queriendo adoptar la "désolante doctrine" de los filósofos (Voltaire, Diderot...), pero inquieto, sin saber a qué atenerse, se propuso fijar "une bonne fois mes opinions... pour le reste de ma vie", y que "après les recherches les plus ardentes et les plus sincères", escribió la *Profession...*

Pero no duda que "les préjugés de l'enfance et les voeux secrets de mon coeur" hubieran hecho inclinar "la balance du côté le plus consolant pour moi". A pesar de ello, si en la *Profesión...* se habla de consolar, como en *San Manuel...,* para el lector de la obra resulta ésta casi tan poco consoladora como la de Unamuno. Poco consoladora a pesar de que Rousseau insista en ella, y fuera de ella, en su creencia en Dios.

A principios de abril de 1762 escribía al editor de *Emilio,* que expresaba temores en cuanto a la publicación de las ideas religiosas contenidas en la *Profession...*: "...dans un siècle où toute religion est sapée par les fondements, il importe pour conserver l'essentiel, d'abandonner l'accessoire et de garantir le tronc aux dépends des branches..." (*Correspondance*, Paris, 1927, VII, 170). Y el 7 de junio del mismo año, acabada de salir la obra, cuando empezaban en efecto las persecuciones, escribía Rousseau con orgullo en otra carta (*ibid*, pp. 282-283): "Le seul homme en France qui croit en Dieu doit être victime des défenseurs du christianisme... Ma carrière est finie, il ne me reste plus qu'à la couronner" *.

Tanto Rousseau como Unamuno expresan, a través de sus obras respectivas, miedo y repugnancia hacia el materialismo triunfante, bien fuera el de los marxistas o republicanos y las masas que los seguían, o el de los enciclopedistas y sus muchos admiradores; antipatía y miedo hacia esa ola de ateísmo y revolución que ellos mismos, con sus predicaciones, habían contribuído a formar. Y los dos se defendían, atacando, contra la acusación que temían se les lanzara de ser desertores de una causa.

Los dos fueron instintivos, románticos, sentimentales, aunque ambos, sobre todo Rousseau, más apegados a la razón de lo que parecía. Los dos fueron exhibicionistas yególatras, destruc-

* Véanse en cuanto a Rousseau, además de la obra citada de Masson: A. Schinz, *La pensée de Jean-Jacques Rousseau*, 2 vols., Smith College, Northampton, Mass., 1929; y del mismo, *Etat présent des travaux sur J.-J. Rousseau*, New York-París, 1941; P. Seippel, "La personnalité religieuse de J.-J. Rousseau", *Annales...*, VIII; Daniel Mornet, *La Nouvelle Héloïse*, I (Introduction), Paris, 1925; G. Beaulavon, "La philosophie de Rousseau", *Rev. de Métaphysique et de Morale*, 1937, XLIV, 249 y ss.; A. Monglond, *Le préromantisme français*, Grenoble, 1930; J.-J. Rousseau, *Les confessions, éd. intégrale Van Bever, suivie des "Rêveries du promeneur solitaire"*, 3 volúmenes, Paris, 1931; etc.

tivos y confusos; ambos contribuyeron a reavivar inquietudes
espirituales, y los dos, en cierto modo, se arrepintieron de ello.
Existe, pues, un posible paralelo. Pero lo que es verdad sorprendente es el parecido entre esas dos novelitas a que nos referimos *. Fijémonos en algunas frases que pronuncian los respectivos sacerdotes o sus discípulos.

Lázaro, el discípulo de Don Manuel, cuenta que éste le había hecho confesión de su secreto en "aquellos paseos a las ruinas de la vieja abadía cisterciense" *(San Manuel..., p. 77)*. Y
el joven discípulo del vicario saboyano, cuenta que éste le hizo
una confesión análoga un día que "il me mena hors de la ville,
sur une haute coline" (*La Profession de foi du Vicaire Saboyard*, éd. crit. P. M. Masson, Paris, 1914, p. 33). Al acabar
su discurso aconseja el vicario al discípulo profesar públicamente la fe de la mayoría de la gente de su país (la calvinista),
pues "c'est une inexcusable présomption de professer une autre
religion que celle où l'on est né" (p. 441), aunque él públicamente profese la católica, aquélla en que cree la gente que a

* La semejanza entre la *Profession de foi du vicaire saboyard* y
San Manuel Bueno, mártir no ha sido advertida, que yo sepa, sino
por un crítico, que muy de pasada alude a ella, en una nota, diciendo
es Don Manuel "...párroco de aldea que recuerda al Vicario Saboyano
de Rousseau, aunque sólo por el lado sentimental práctico" (J. Iriarte,
"El biocentrismo de Unamuno", *Razón y Fe*, Madrid, julio-agosto
1940, p. 260). Mas ese "lado" es el fundamental de ambos personajes; y, además, el de Unamuno recuerda al de Rousseau en más de un
sentido, por diversos lados.

Antes de que Unamuno escribiera *San Manuel...*, ya otro crítico,
M. Gálvez, decía: "Rousseau me parece en cierto sentido un antecesor
de Unamuno; y tal vez ha influído sobre él por medio de su discípulo
De Sénancour..." ("La filosofía de Unamuno", *Síntesis*, Buenos Aires,
marzo 1928, p. 8).

él le rodea. Y en *San Manuel...*, el párroco agonizante dice a su discípulo: "Y tú, Lázaro... muere como yo... en el seno de la Santa Madre Católica Apostólica Romana, de la Santa Madre Iglesia de Valverde de Lucerna, bien entendido..." (página 97).

Al aconsejar el vicario al discípulo que volviese a la fe de sus mayores, le decía: "Ne craignez pas, non plus, la mauvaise honte d'un retour humiliant..." (p. 441). Y la hermana de Lázaro, discípula también, que es quien luego cuenta la historia, dice que cuando se supo en el pueblo que su hermano, antes ateo, "cumpliría con la parroquia, que comulgaría cuando los demás comulgasen" todos se alegraron, y "fué un regocijo tal, tan limpio, que Lázaro no se sintió vencido ni disminuído" (página 75). Lázaro, por piedad, fingió creer, como el párroco: "Me rendí a sus razones", confiesa a su hermana, explicando el milagro de su conversión. Y cuenta también que habiendo él alegado la necesidad de ser sincero, Don Manuel le respondió: "¿La verdad? La verdad, Lázaro, es acaso terrible, algo intolerable, algo mortal; la gente sencilla no podría vivir con ella" (p. 78). Por su parte, el vicario saboyano se adelanta al posible reproche de los que pudieran afirmar que "la vérité n'est nuisible aux hommes", respondiendo: "Je le crois comme eux, & c'est à mon avis une grande preuve que ce qu'ils enseignent [los filósofos enciclopedistas] n'est pas la vérité" (pp. 447-449).

En este punto, pues, del respeto a la verdad, la posición de ambos clérigos, es decir, la de Rousseau y Unamuno, no es al parecer la misma, si es que Rousseau era sincero cuando, al empezar la confesión, declara por boca del vicario haber amado "toujours la vérité". Pero si el vicario amaba la verdad, el hecho es que, independientemente de que los enciclopedistas estuvieran o no en lo cierto al afirmar que ésta no es perjudicial, él contrariaba ese amor al aconsejar que se mantuviese una mentira, o al menos una verdad en la cual él no creía.

La posición de Rousseau es en realidad muy parecida a la de Unamuno, pero mientras el primero, que se creía apóstol de la verdad, se ve obligado a hablar con timidez de la necesidad del engaño, Unamuno en cambio, que había leído a W. James, defendía sin rebozo el concepto pragmático de la verdad, es decir, renunciar a la persecución de la verdad objetiva y admitir como válida cualquier creencia que sirva a la vida.

La influencia de W. James en Unamuno es muy evidente en *Vida de Don Quijote y Sancho,* donde a menudo le alude y donde tanto se ensalza el subjetivismo. Decía W. James, que se posee una creencia cuando se obra de acuerdo con ella; y Unamuno, invirtiendo los términos, ve en Don Quijote un luchador por la fe, uno que obraba para creer; lo cual, por cierto, tal vez no esté tan alejado como suele pensarse de lo que el propio Cervantes indica. Pero al hablar de lucha por la fe, Unamuno recuerda sobre todo a Kierkegaard, como en otra parte he indicado. El punto de vista de Unamuno en esa obra no es en él, en general, el punto de vista práctico: no habla Unamuno de "lucha" o "duda" porque sean éstas útiles para la vida, aunque reconozca luego, alguna vez, que pudieran serlo, sino buscando y anhelando la otra vida, la eternidad. "Esa incertidumbre, y el dolor de ella, y la lucha infructuosa por salir de la misma", nos dice en *Del sentimiento...,* "puede ser y es base de acción y cimiento de moral. Y con esto de ser base de acción y cimiento de moral el sentimiento de la incertidumbre... quedaría, según un pragmatista, justificado tal sentimiento. Mas debe constar que no le busco esta consecuencia práctica para justificarlo, sino porque la encuentro... Y si alguien encontrándose en él, en el fondo del abismo, no encuentra allí

mismo móviles e incentivos de acción y de vida, y por ende
se suicida... no seré yo quien se lo censure" (*Ensayos*, II, 828).
Su punto de vista es, pues, el religioso y no el pragmático, y
por tanto, a pesar del influjo en él de W. James, difícilmente,
creo yo, podría hablarse del pragmatismo de Unamuno en sus
obras de ensayo. Mas en *San Manuel*... la cosa es diferente; lo
que el párroco —lo que Unamuno —se propone, es tan solo hacer más tolerable la vida en esta tierra para los habitantes de
Valverde de Lucerna, y puede ahí por tanto hablarse del pragmatismo de Unamuno, aunque éste sea tardío y triste —triste
digo, pues triste es, tal como él la pinta, esa vida amparada por
la fe de los ribereños del lago, ese vegetar; y, en todo caso, ya
que la obra toda respira gran melancolía—, pero pragmatismo al
fin y al cabo; como se ha hablado también del pragmatismo
de Rousseau en su historia del vicario saboyano.

La posición pragmática de Rousseau y de Unamuno en
cuanto a la religión, en las obritas que comentamos, es bien evidente, y expresada por cierto en términos bastante parecidos.
"Todas las religiones son verdaderas en cuanto hacen vivir es-
piritualmente a los pueblos que las profesan, en cuanto les con-
suelan de haber tenido que nacer para morir", dice el párroco
(p. 79). Y el vicario: "Je regarde toutes les religions particuliè-
res comme autant d'institutions salutaires qui prescrivent dans
chaque pays une manière uniforme d'honorer Dieu par un culte
public... le culte essentiel est celui du coeur" (p. 417). Rousseau, espíritu calvinista, no podía dejar de decir eso de que lo
esencial es el culto del corazón; pero por lo que él creía en
verdad que era "saludable" el culto, es porque ofrecía a los
hombres consuelo en esta vida. Poco más adelante dice el mismo vicario: "Fuyez ceux qui, sous prétexte d'expliquer la Nature, sèment dans les coeurs des hommes de désolantes doctri-

nes, & dont le scepticisme apparent est cent fois plus affirmatif & plus dogmatique que le ton décidé de leurs adversaires" (p. 445). Y luego insiste en rechazar a esos filósofos que "ôtent aux affligés la dernière consolation de leur misère" (p. 447). Y en cuanto a Unamuno, por boca de Lázaro, el ateo arrepentido, decía que hay "dos clases de hombres peligrosos y nocivos: los que... atormentan, como inquisidores que son ...y los que... no creyendo más que en este mundo... se esfuerzan en negarle al pueblo el consuelo de creer en otro" (p. 104).

Se ha dicho que Rousseau, al que perseguían enciclopedistas y jesuítas, buscó en la *Profession...* un término medio entre fanatismo e incredulidad, así como también entre sentimiento y razón. Y lo mismo podría decirse de Unamuno en su novelita. Ambos defienden la religión popular, cualquier religión, sin conceder demasiada importancia a formulismos. Todas las religiones, dice el vicario, tienen "leurs raisons dans le climat, dans le gouvernement, dans le génie du peuple" (p. 417); y, según Don Manuel, "para cada pueblo la religión más verdadera es la suya, la que ha hecho" (p. 79).

El pragmatismo de Rousseau parece en ocasiones de horizonte mucho más reducido que el de Unamuno. Siendo Rousseau más amante del orden, más temeroso de la anarquía, más racionalista en suma —como ha mostrado A. Schinz, *La pensée...*— de lo que pudiera sospecharse, nos dice, por boca del vicario, tras haber ensalzado el valor de las religiones: "En attendant de plus grandes lumières, gardons l'ordre public; dans tout pays respectons les lois, ne troublons point le culte qu'elles prescrivent, ne portons point les Citoyens à la désobéissance" (p. 429). Sin duda decía esto en parte por prudencia, pero también por convicción. Como Voltaire mismo, como tantos otros en el siglo XVIII, y después, creía Rousseau que la religión, entre otras cosas, era útil para ayudar a mantener el orden público. Unamuno en cambio, menos racionalista, que siempre habló con desdén de quienes consideran la religión desde el punto de vista policíaco, repite en 1930, por boca de su párroco, que "la religión no es para resolver los conflictos económicos o políticos de este mundo" (p. 91); y aunque en la misma página, glosando la famosa frase de Lenin, afirma que es necesario dar al pueblo opio "y que duerma y que sueñe", no quiere decir con ello, supongo, que deba hacerse dormir la conciencia política, sino la inquietud religiosa, despertando la esperanza en la otra vida. Sin embargo, pese al aparente desinterés que el párroco, como Unamuno, muestra por los conflictos sociales, insignificantes al lado de los otros, los religiosos e íntimos; a pesar de que Unamuno en esa obra reafirme su convicción de que la religión no ha de ponerse al servicio de la política, a mi entender, el temor de que se alterase el orden público y que creciese la desobediencia de los ciudadanos, no debió ser ajeno como ya indiqué, a ese radical viraje que Unamuno hizo en *San Manuel*..., donde ensalza la fe del carbonero, la fe adormecedora que siempre había criticado.

La defensa que en esa obra se hace de la fe del carbonero —sea ello por la causa o causas que fuere —coincide sorprendentemente con la que hace Rousseau, ya que al terminar la *Profession*... dice el vicario: "Tant qu'il reste quelque bonne croyance parmi les hommes, il ne faut point troubler les âmes paisibles, ni allarmer la foi des simples" (p. 431). En cambio aquellos que, como el discípulo, tienen "les consciences agitées, incertaines, presque éteintes... ont besoin d'etre affermies & réveillées". Como Unamuno, pues, Rousseau pensaba quiénes deberían ser inquietados, es decir a quiénes debía decírseles la verdad, y a quiénes debería dejarse dormir. Ambos, en verdad, tratan de justificarse, de explicar la paradoja de confesar públicamente, aunque fuese en una novelita, aquello mismo que dicen en ella debe ser callado. Y no es raro que, queriendo preservar la fe de los sencillos, aconsejen ambos poco menos que el embrutecimiento: Don Manuel dice a Ángela, la discípula, que no debe leer "ni siquiera a Santa Teresa", sino "el Bertoldo" (página 62); y por eso no es extraño fuera a "Blasillo el bobo", el que imitaba al sacerdote, a quien éste "más acariciaba" (p. 47). Y por su parte el vicario saboyano, que no cesa de declamar contra los filósofos, aconseja a su discípulo: "Sachez être ignorant, vous ne tromperez ni vous, ni les autres" (p. 457).

Pero si ambos sacerdotes cumplen del mismo modo, externamente, con sus deberes eclesiásticos, y por análogas razones, en cambio, en lo que se refiere a sus creencias íntimas hay una diferencia, como ya antes señalábamos. Don Manuel, como Unamuno, no creía en la realidad de una vida supraterrenal, y de la existencia de Dios nada dice; ello sin duda porque pensaba, como Unamuno, que poco importa haya Dios o no si Él no se manifiesta, si es que no hay otra vida para los hombres más allá de la muerte. El vicario, en cambio, como Rousseau, afirmaba la existencia de Dios, y esto con ciertas dudas, pero no pasa de ahí. En verdad bajo el teísmo de Rousseau —teísmo apasionado, distinto del frío deísmo de los *filósofos*— se escondía parecida angustia a la de Unamuno, aunque ésta no parezca tan aguda e insistente como en él. La fe verdadera de ambos románticos se expresa claramente a través de las palabras de sus respectivos sacerdotes.

De la *fe* de Don Manuel, poca duda puede haber. Su consuelo consistía, decía él, "en consolar a los demás, aunque el consuelo que les doy no sea el mío" (p. 79). Y cuando Ángela le pregunta si él cree "en la otra vida", responde sollozando:

"¡Mira, hija, dejemos eso!" (p. 83). El quería que todos viviesen en la ilusión de que todo esto tiene una finalidad" (página 91). En otra ocasión dijo que "el que le ve la cara a Dios... se muere sin remedio y para siempre. Que no le vea, pues, la cara a Dios este nuestro pueblo mientras viva, que después de muerto ya no hay cuidado, pues no verá nada" (p. 99). Y durante "la última comunión general que repartió nuestro santo", poco antes de morir, al dársela a Lázaro se inclinó hacia él y murmuró: "No hay más vida eterna que ésta... eterna de unos pocos años". Y al dársela a Angela: "Reza, hija mía, reza por nosotros... y reza también por Nuestro Señor Jesucristo" (página 94). Con esto último obviamente quiso decir que, para él, Cristo fué sólo un hombre, lo cual es lo que en realidad, aunque en forma disimulada, el propio Unamuno venía a decir en *La agonía del cristianismo*.

Identifica Unamuno en *San Manuel...* a Cristo con el párroco, a quien hace pronunciar palabras análogas a las de Cristo en la agonía; y por ello Angela, muerto ya Don Manuel, ante el crucifijo, y recordando el "¡Dios mío, Dios mío!, por qué me has abandonado?, de nuestros *dos Cristos...*" rezó piadosamente (p. 84). No se comprende, pues, después de todo esto, cómo algunos críticos se refieren a las *dudas* del párroco. Probablemente porque sienten que lo que el párroco dice es reflejo de los verdaderos sentimientos de Unamuno, y porque están ellos convencidos que en el fondo de éste lo que había era duda, no incredulidad, como es el caso.

En cuanto al vicario, que comienza su confesión por un largo discurso de tono racionalista, admite la existencia de Dios, e incluso la inmortalidad del alma; pero más bien como un postulado, suponiendo no puede dejar de ser cierto lo que tanto desea: "Puisque cette présomption me console, & n'a rien de déraisonnable, pourquoi craindrais-je de m'y livrer?" (página 207). Y más adelante aconseja a su discípulo: "Mon fils, tenez votre âme en état de désirer toujours qu'il y ait un Dieu" (página 441).

Por otra parte, en lo que se refiere a sus íntimas creencias, Rousseau fué bastante explícito para que podamos afirmar que su religión verdadera era el teísmo y no más. En el *Emilio,* acabada la *Profesión de fe* dice el propio Rousseau, a modo de resumen de las enseñanzas que se desprenden de cuanto el vicario predicó, que las luces de la razón no pueden por sí solas "nous mener plus loin que la Religion naturelle; et c'est à quoi je me borne avec mon *Émile"*. Y más explícitamente aún, diez años después, en una carta a M. de Franquières (incluída en la edición crítica de *La profession..., op. cit.,* p. 518), decía Rousseau que "el hombre razonable" se contenta con "savoir que l'Etre immense est dessous... Le reste n'est plus qu'une spéculation oiseuse". Y eso es lo que venía en verdad a decir el vicario. Por ello, con toda razón, el atento discípulo, oída ya gran parte del discurso del vicario, indica su ansia de oír más, pues hasta ese momento sólo ha podido advertir que lo que le predicaban era "à peu de choses près, le théisme ou la religion naturelle, que les chrétiens affectent de confondre avec l'athéisme ou l'irréligion" (p. 303), por lo cual ávidamente pide que se le hable "de la révélation, des écritures, de ces dogmes obscurs..." Mas de todo ello poco tiene que decir el vicario. La parte que sigue del discurso es precisamente aquella en que se expone la necesidad de dejar al pueblo en su ignorancia y su fe; pero en cuanto a lo que el discípulo le pregunta, él no ve sino "embarras, mystère, obscurité; je n'y porte qu'incertitude & défiance" (p. 303). En lo que se refiere concretamente a la religión cristiana, si bien asegura que "la majesté des Écritures m'étonne", si la muerte de Jesús le parece más impresionante que la de Sócrates, y sin duda el Evangelio tiene caracteres "frappants", a pesar de todo, "avec tout cela, ce même Évangile est plein de choses incroyables..." (p. 413), por lo cual no queda sino "respecter en silence". Y agrega entonces: "Voilà le scepticisme involontaire où je suis resté..." Mas esto, claro es, no afecta "à la pratique", pues está decidido, por el bien general, a fingir y cumplir así con sus deberes: "Je suis avec soin tous les Rites; je récite attentivement... je tâche d'anéantir ma raison devant la suprême intelligence" (p. 419).

Ese sometimiento de la razón del vicario, diríase era algo más que fingimiento, que era ya verdadera pasión religiosa, casi verdadera fe. Mas Rousseau en verdad sólo en raros momentos, si acaso, debió llegar a tal sometimiento, a tal humildad. En una carta de 3 de febrero de 1778 (*Correspondance...*, XX, 333-334), escribía al conde Duprat, que le ofrecía un alojamiento con tal de que se sometiese a ciertos fingimientos: "Je n'ai nulle répugnance à aller a la Messe: au contraire, dans quelque religion que ce soit je me croirai toujours avec mes frères, parmi ceux qui s'assemblent pour servir Dieu. Mais ce n'est pas non plus un devoir que je veuille m'imposer. Encore moins de laisser croire dans le pays que je suis catholique. Je désire... ne pas scandaliser les hommes, mais je désire encore plus de ne jamais les tromper". Al final de su vida, pues, Rousseau seguía pensando como el vicario, seguía siendo si acaso teísta, y sólo teísta, pero no quería imponerse la obligación de fingir que había impuesto a su personaje, lo cual es comprensible, ya que él tenía un público especial, y para ese público tenía obligaciones especiales, sobre todo la de la sinceridad.

En alguna ocasión debió Rousseau sentir crecer su fe, y por tanto su razón disminuída ante la viveza de su anhelo, justamente como alguna vez sucedió también a Unamuno. "La raison prend à la longue le pli que le coeur lui donne", escribía en 1769, en la carta ya citada a M. de Franquières. Mas en esa misma carta es en la que decía que debemos contentarnos con saber que Dios existe, y que lo demás es especulación ociosa. Por eso no podemos dar demasiada importancia a que años después, en su última obra, recordando la *Profesión...*, en la tercera *Promenade* de las *Rêveries du promeneur solitaire,* afirmara otra vez: "On se défend difficilement de croire ce qu'on désire avec tant d'ardeur". No se defienden algunos; mas en él la razón se imponía, y difícilmente pudo llegar a creer en lo que más anhelaba, en la inmortalidad. Y menos aun pudo llegar a creerlo Unamuno, el cual, además, ni siquiera creía en Dios. Fe era lo que faltaba, sobre todo, a ambos, aunque no el deseo de creer; y ese anhelar sin esperanza es precisamente lo que constituye el alma del romanticismo.

EL ROMANTICISMO DE UNAMUNO

En Unamuno no vemos sino, agravada, la enfermedad de Rousseau, cuyo origen habría que ir a buscarlo, dentro del mundo cristiano, en la época en que comenzó a debilitarse o desvanecerse la fe. Reformados o místicos respondían a un común deseo de afirmar una fe que se escapaba. Apagadas, tras puritanos y jansenistas, las últimas llamaradas de la gran hoguera religiosa de los siglos XVI y XVII, surgieron librepensadores y racionalistas, enciclopedistas, deístas y declarados ateos, y frente a ellos, pero hijos de ellos, los nuevamente inquietos, los que sentían la falta de Dios, los románticos. Desde los tiempos de Rousseau a los de Unamuno, racionalistas y sentimentales, ro-

mánticos y materialistas, positivistas y espiritualistas, han sido
siempre los mismos perros con diferentes collares; o, más bien,
ha sido siempre para seres diferentes el mismo collar inexorable
de la muerte, con el cual algunos se han conformado, o creído
conformarse, y otros no. Y los no conformes, los llorosos, los
anhelantes que nada esperaban: ésos fueron los románticos.

Anhelo y desesperación: eso parece ser, esencialmente, el
romanticismo. Ansia de un Dios intuído y no alcanzado. Lo
que sucedió es que en los románticos la tragedia no tardó en
convertirse en comedia, aunque no en todos, y no siempre totalmente. Romanticismo era la enfermedad de *René,* que se
desazonaba persiguiendo un "fantôme imaginaire"; y era romanticismo ese sentir iluminado un instante "ce vide où je
cherchais et où je n'ai rien trouvé", como, a principios del siglo XIX, decía *Obermann,* otro hijo de Rousseau, más verdaderamente desesperado, a quien consumía la tristeza y en quien
la esperanza moría, pues "tout m'appelle et tout m'abandonne"
(Sénancour, *Obermann,* éd. crit. G. Michaut, Paris, 1912, I, 91).

De Rousseau muy especialmente habían partido esas dos
corrientes de romanticismo que mezcladas y confundidas llegan hasta Unamuno: la del romanticismo a lo Chateaubriand,
el "literario"; y la del romanticismo más grave y menos colo-
reado, menos falso, a lo Sénancour; corriente esta última más
escondida y opaca, pero más profunda y durable, que a través
de Kierkegaard, Dostoievski o Leopardi, llega hasta nuestros
días.

La diferencia que hay entre Chateaubriand y Sénancour es
la misma que, hace más de un siglo, indicó Sainte-Beuve existía entre los dos famosos personajes de éstos, los dos famosos
románticos de los que tantos otros nacieron, *René* y *Obermann*:
"Il y a une haute coquetterie dans *René*: il n'y en a aucune

dans *Obermann*" (*Chateaubriand et son groupe littéraire sous l'Empire*, nouv. édit. Calmann-Lévy, Paris, s. a., I, 350). Y que ambos proceden de Rousseau muchas veces se ha repetido, y lo dijo también Sainte-Beuve al afirmar que Obermann era "le vrai René", y que la enfermedad de René, tan contagiosa en la primera mitad del XIX, "était dejà la maladie de Rousseau" (*ibid.*, p. 109). Y también: "René est bien venu à sa date... il n'a été précedé... et annoncé chez nous que... par Jean-Jacques; j'ajouterais, par les *Rêveries* de Sénancour" (*ibid.*, página 346).

El propio Unamuno nos dijo que "la famosa *maladie du siècle* que se anuncia en Rousseau y acusa más claramente que nadie el *Obermann*, de Sénancour, no era ni es otra cosa que la pérdida de la fe en la inmortalidad del alma" (*Ensayos*, II, 976). Unamuno, que participaba de los recelos, no injustificados, que suelen tenerse en cuanto a la sinceridad religiosa de Chateaubriand, no nombra aquí al autor de *René*, pero otras veces incluye a éste, a pesar de todo, entre los "grandes desesperados", citándole al lado de Rousseau y Sénancour; y ello también no sin razón, pues lo que luego fué sobre todo, tal vez, farsa y literatura, hermosa literatura, había comenzado por ser drama religioso en el corazón del joven vizconde, lector de Rousseau. Un eco de ese drama, con mucho de hojarasca romántica, es lo que se percibe en *René*.

Pero lo típico de Chateaubriand es lo que éste confiesa ingenuamente a través de su personaje (*René*, éd. crit. A. Weil, Paris, 1935, pp. 69-72): "Je trouvai même une sorte de satisfaction inattendue dans la plénitude de mon chagrin, et je m'aperçus, avec un secret mouvement de joie, que la douleur n'est pas une affection qu'on épuise comme le plaisir... Mes larmes avoient moins d'amertume lorsque je les répandais sur les rochers et parmi les vents. Mon chagrin même, par sa nature extraordinaire, portait avec lui quelque remède: on jouit de ce qui n'est pas commun, même quand cette chose est un malheur".

Este descubrimiento que hizo el vizconde no sólo debió, en gran parte, librarle del verdadero dolor, sino garantizarle la gloria y una muchedumbre de discípulos, que encontraban más remunerador seguirle a él en eso de esparcir lágrimas que en seguir a románticos de otro tipo.

"Ce que René a surtout de propre", decía ya Sainte-Beuve (*op. cit.,* p. 380), "c'est de se mettre en présence de sa tristesse, de la regarder en l'admirant et en la chérissant, de la revêtir, comme un beau fantôme, d'harmonie et de blanche lumière". Y lo mismo repetiría, mucho después, Jules Lemaître (*Chateaubriand,* Paris, 1912, p. 132), al escribir: "Voici peut-être la grande invention de Chateaubriand: il a fait de la mélancolie une parade contre la douleur".

Pues bien, ese hacer orgullo de la tristeza, y de la exhibición del dolor un antídoto contra éste, fué también lo propio de Unamuno, cuyo romanticismo sin duda tenía mucho de chateaubrianesco, aunque tuviera al mismo tiempo no poco de la gravedad, del drama verdadero propio de un Sénancour. A ambos los había leído y por ambos se había dejado influir, así como se dejó influir por los muchos hijos de éstos, nietos todos de Rousseau.

Repugna a Luis Cernuda en Unamuno esa "exhibición persistente de su personalidad", que él considera fenómeno de nuestro tiempo, y cree tiene como causa un apartamiento de Dios ("Tres poetas metafísicos", *BSS,* 1948, XXV, 113). Mas es bien sabido que esa exhibición es típica del romanticismo, y arranca sobre todo de las *Confesiones* de Rousseau.

En cuanto al chateaubrianismo de Unamuno, a ese deleitarse en el dolor a que el propio Unamuno se refería en alguna ocasión, dice Julián Marías (*Miguel de Unamuno,* Madrid, 1943, p. 148): "¿No será que Unamuno busque el deleite de la lucha, de la propia agonía, con un afán de elogio...?" La misma sospecha han tenido otros; como muchos han tenido parecidas sospechas, y más que sospechas, con respecto a Chateaubriand. El propio Unamuno se refería en uno de sus primeros ensayos, *La dignidad humana,* al "repugnante y anticristiano René, que se esfuerza en salir de la oscuridad y llamar a sí las miradas". Pero al decir eso se acusaba a sí mismo. El no hizo otra cosa toda su vida, y muy especialmente desde 1898, desde que se convenció que no podía creer. A partir de entonces el "erostratismo", la búsqueda de la gloria terrenal aun a costa de la propia destrucción, sustituyó en él a la búsqueda de la gloria eterna.

Según Salvador de Madariaga, Unamuno "no es romántico", pues los románticos "se creaban una imagen de sí mismos para exhibirla en las tablas" (*Semblanzas literarias contemporáneas,* Barcelona, 1924, p. 157). Mas por eso mismo Unamuno es romántico; es decir, por lo que tenía de Chateaubriand, que tenía mucho. Ya señaló Ortega y Gasset: "Toda su generación conservaba el ingrediente de juglar que adquirió el intelectual en los comienzos del romanticismo, que existía ya en Chateaubriand y Lamartine" (*La Nación,* Buenos Aires, 4 enero 1937). Aunque esto, exactísimo referido a Unamuno, es del todo inexacto aplicado a otros hombres de su *generación,* como Antonio Machado o *Azorín.*

Desde muy joven había leído Unamuno a Chateaubriand, y posiblemente éste influyó, como ya vimos, en esa re-conversión suya al catolicismo en 1884.

En cuanto a Sénancour, lo leyó en 1897, si no antes, pues en un artículo de junio de 1900, "Mi bochito", incluído en *De mi país*, dice Unamuno que solía ir a leerlo en cierto paraje cercano a Bilbao, de donde faltaba hacía "tres años". Quizás lo había leído desde mucho antes, pero si lo leyó en 1897 no sería a ello ajeno su crisis de marzo de ese año, y quizás tampoco el libro de J. Levallois (*Un précurseur. Sénancour...*, París, 1897).

Desde principios de siglo comienza Unamuno a referirse con frecuencia a Sénancour, a "mi íntimo Obermann". Lo cita repetidamente en el ensayo de 1902 *Ciudad y campo*. Lo cita muchas veces luego como paisajista, y a veces como desesperado. En "El sentimiento de la Naturaleza", de 1909, incluído en *Por tierras...*, escribía: "¿No conoce usted el estupendo *Obermann*, de Sénancour, sobre quien acaba de escribirse un libro interesantísimo... La terrible tragedia íntima de Obermann..." El libro a que se refiere es el de M. J. Merlant (*Sénancour, poète...* (Paris, 1907). Y es curioso que uno de los últimos artículos que escribió Unamuno, si no el último, "Excursión", de 19 de julio de 1936, acaba con una cita del final de *Obermann*, en que éste habla de su muerte.

En *Del sentimiento...* varias veces se refiere al "más hondo y más intenso de los hijos espirituales del patriarca Rousseau... Sénancour". Pero esa cita en la que tanto énfasis pone, pues la repite varias veces, eso de que si hemos de perecer perezcamos *en résistant*, no me parece a mí de lo más típico del *Obermann*. En ella debió él fijarse después de haber leído a Kierkegaard. Antes de eso debió impresionar a Unamuno sobre todo el tono pesimista, como de solo de órgano, que él decía, de la obra; y frases como éstas, que se encuentran diseminadas a lo largo de todo el libro: "Un vide inexprimable est la constant habitude de mon âme altérée" (p. 24); o, en la carta XVIII: "Il est en moi une inquiétude qui ne me quittera pas. Que m'importe ce qui peut finir... je n'existais pas, je n'existerai pas" (pp. 74-75).

La influencia de Sénancour, como otras tantas que se señalan en Unamuno, no ha sido estudiada todavía. M. Gálvez, en su artículo "La filosofía de Unamuno", que es de los más explícitos en lo que se refiere a esta influencia, dice que Unamuno no era, como Sénancour, "un espíritu negativo". Y añade: "Entre las opiniones de Sénancour y las de Unamuno existe gran semejanza, si bien aquél siente sus ideas como poeta y Unamuno como hombre. De Sénancour, lo mismo que su maestro Rousseau, no razona casi sus ideas metafísicas o religiosas. Se limita a exponerlas y contemplarlas, sin sacar de ellas consecuencias fuertemente eficaces para su acción individual. Unamuno razona sus ideas y las vive". Pero todo esto es fuertemente inexacto e impreciso. Lo que quiere decir sin duda, y en ello creo hay mucho de verdad, es que Sénancour no hace de la "lucha" salvadora eje de su pensamiento; que el dolor es en él pleno y total, sin animaciones. Y es que Sénancour tenía poquísimo de Chateaubriand, poquísimo de farsante; hasta el punto de que esto pudiera llegar a ser, literariamente, un defecto. Como decía Sainte-Beuve (*op. cit.*, p. 350): "A force d'être ennuyé, Obermann court risque à la longue de devenir ennuyeux. Quant à René il est loin de ce danger..." Y en cuanto a Unamuno, podría decirse que, teniendo mucho de Chateaubriand y mucho también de Sénancour, se encuentra en todo, con relación a ellos, incluso en esto de aburrir, a mitad de camino *.

---

* Sobre Chateaubriand, véanse, de V. Giraud, *Nouvelles Études sur Chateaubriand*, París, 1912, y *Le Christianisme de Chateaubriand*, 2 vols., Paris, 1925. V. Giraud es de los que creen en la sinceridad

Rousseau es en más de un sentido el gran padre del romanticismo, de diferentes corrientes del romanticismo, y Unamuno un hijo legítimo suyo en el que vienen a fundirse todas esas corrientes. Si el parecido que hemos señalado entre *San Manuel Bueno, mártir* y la *Profesión de fe del vicario saboyano*, que son los testamentos religiosos de Unamuno y de Rousseau respectivamente, fuera sólo un parecido casual, el hecho no dejaría de ser, como ya dijimos, en extremo curioso: es decir, sería notable que el nuevo romántico hubiera acabado por adoptar frente a la religión una actitud muy parecida, y expresada en términos muy parecidos, a la que adoptó su antecesor, sin sufrir un influjo de éste. Pero ya hemos dicho que Unamuno conocía esa obra, y muy probablemente la recordó, y hasta la releyó, al ir a escribir la suya. Por otro lado, ya que *San Manuel...*, como hemos visto, respondía a una íntima necesidad de su autor y es expresión verdadera del alma unamunesca, sería imposible hablar de un plagio. Que el lector, pues, resuelva la cuestión a su gusto. Mas no se olvide que el parecido entre las dos obras, pese a las diferencias, es sin duda alguna grande. Quien lo dude que relea con atención ambas historias, después de haberse informado de lo que movió a ambos autores a escribirlas. Y para muestra de semejanza, un botón más, el que cierra ambas novelitas. Al acabar *San Manuel...* dice el párroco

religiosa del vizconde, así como también Marie-Jeanne Durry, que en *La vieillesse de Chateaubriand* (Paris, 1935, I, 596), nos dice al acabar: "Le temps est passé où l'on suspectait la sincérité religieuse de Chateaubriand..." Pero leyendo esta obra, excelentemente documentada, llega más de un lector a la conclusión de que las viejas sospechas son fundadísimas, como también leyendo a otros críticos, o simplemente hojeando las *Mémoires d'outre-tombe* o la *Correspondance Générale de Chateaubriand*, 5 vols., París, 1912-1924.

moribundo estas últimas palabras: "Sed buenos, que eso basta". Y el último consejo del vicario saboyano, en la última página de la *Profesión de fe...*, es éste: "Faites ce qui est bien; ce qui importe à l'homme est de remplir ses devoirs sur la terre".

LA NOVELA DE DON SANDALIO

En "Salamanca, diciembre 1930, "un mes después de *San Manuel...*, fecha Unamuno *La novela de don Sandalio, jugador de ajedrez*. El callado Don Sandalio parece una figura imaginada para hacer juego con el atormentado Don Manuel: se complementan esos dos personajes brotados de la misma obsesión por el problema de la personalidad. Mas podría decirse que si al escribir la primera obra Unamuno verdaderamente sufría, al escribir la segunda jugaba ya un poco, otra vez, con el tal "problema".

En el prólogo, de 1932, a *San Manuel Bueno, mártir y tres historias más,* se pregunta Unamuno: "¿Por qué he reunido en un volumen... tres novelas de tan distinta, al parecer, inspiración? ¿Qué me ha hecho juntarlas?... ¿Habría algún fondo común que las emparentara?... Poniéndome a pensar, claro que a redromano, o *a posteriori,* en ello, he creído darme cuenta de que tanto a Don Manuel... como a Don Sandalio... lo que les atosigaba era el pavoroso problema de la personalidad". No me parece a mí tan claro que fuera sólo *a posteriori* cuando pensó que entre esas obras había una cierta relación. En todo caso, si el párroco parece reflejar el Unamuno íntimo, diríase que Don Sandalio es como un doble del Unamuno externo, visible, y ello pese a las diferencias que entre ambos pueda haber. Era Don Sandalio silencioso, y en ese silencio se basa la "novela" que de él hacían los que le contemplaban; mientras que la "novela" encubridora de Unamuno estaba hecha a base de sus propios gritos y confesiones. Pero de todos modos me parece indudable que Unamuno debió pensar en sí mismo, en la engañosa impresión que él debía producir en los otros, al imaginar ese jugador de ajedrez al que no se conocía sino superficialmente, del que no se conocían sino sus actividades en el casino. Como el propio Unamuno nos dice en el citado prólogo, es Don Sandalio "un personaje visto desde fuera, cuya vida interior se nos escapa, que acaso no la tiene". Y en el epílogo a *La novela de Don Sandalio* dice se había propuesto con esa obra "escribir la novela de una novela —que es algo así como sombra de una sombra—, no la novela de un novelista". Se comprende, pues, que para que sea más novela de "novela", esto es, narración de una vida vista desde fuera, Unamuno haga a su personaje silencioso, ya que así no cabe error al interpretar sus palabras, como sucedía con la "novela" del propio Unamuno, tomando por expresión de interioridad lo que no lo es, o sólo lo es a medias. Unamuno quiso en Don Sandalio presentar un caso puro de "novela", de caparazón, de exterioridad, y en este sentido viene a ser dicho personaje como una proyección ideal del Unamuno externo, mientras que Don Manuel lo era del verdadero, del íntimo, del de dentro. Ese tipo del silencioso jugador de ajedrez, probablemente lo había encontrado Unamuno alguna vez en el casino de Salamanca. Pero fijémonos que si el personaje Don Sandalio puede ser asociado, en cierto modo, al personaje Don Manuel, ese extraño nombre de "Don Sandalio" se asociaba en la mente de Unamuno al de Iturribarría, ya que con éste, él nos dijo, había acudido "a la escuela de don Higinio y de don Sandalio después". Ese maestro don Sandalio debió ser para el niño Unamuno, y luego también en su recuerdo, un caso típico de persona vista sólo desde fuera, cuya interioridad no se conoce. Es curioso que en sus *Recuerdos de niñez...*, donde hace un excelente retrato de don Higinio, no mencione al otro maestro, a don Sandalio.

Había escrito Unamuno *San Manuel...* en un momento de crisis, tocando el fondo de su conciencia; pero aun antes de acabar esa obra debió sentir que él no podía desprenderse de su "novela"; debió comprender que era el Unamuno de la leyenda, el externo, el que los demás seguirían viendo, y por eso imaginó a Don Sandalio, el personaje visto desde fuera, pues le obsedía ese contraste entre lo que las personas parecen y lo que son en realidad. Y escribió lleno de dudas en cuanto a lo que él en realidad escondía, es decir, preguntándose si él sería sólo un farsante. Esas preocupaciones son las que se reflejan en *La novela de don Sandalio,* donde el propio Unamuno dice que "el problema más hondo de la novela, o sea del juego de nuestra vida... es un problema de personalidad... si somos más que ajedrecistas" (pp. 185-186). Unamuno quería saber si era algo más que jugador (jugador con las palabras, que no silencioso jugador de ajedrez), pero se tranquilizaba descubriendo, insinuando más bien, en la misma obra, que bajo la máscara de Don Sandalio, como bajo su propia cerrada novela, había un verdadero drama íntimo. Sin embargo, la duda pronto vuelve otra vez. El tiene que reconocer que hay personas, y quizás él fuera una de ellas, que son sobre todo "novela", exterioridad, apariencia; que son fundamentalmente eso. Mas reacciona pronto diciendo que si hay "esfinges sin enigma... hay también enigmas sin esfinge" (p. 186). Y poco después, en el epílogo, vuelve a repetir su frase tranquilizadora, la frase favorita en sus últimos años, eso de que la leyenda es fatal, que "no hay más verdadera historia que la novela". Escribe Unamuno en ese epílogo a *La novela de don Sandalio* (pp. 191-192): "... toda autobiografía es nada menos que una novela. Novela las *Confesiones,* desde San Agustín, y novela las de Juan Jacobo Rousseau... Goethe... vió... que no hay más verdad verdadera que la poética, que no hay más verdadera historia que la novela. Todo poeta, todo creador, todo novelador —novelar es crear—, al crear personajes se está creando a sí mismo..., incluso Dios, que al crear la Creación, el Universo, al estarlo creando de continuo, poematizándolo, no hace sino estarse creando a Sí mismo en su Poema, en su Divina Novela."

Quizás haya en esto último de crearse Dios a Sí mismo un recuerdo de Hegel. Pero lo que nos interesa destacar es que, una vez más, haciendo de todo "novela", lo que Unamuno quiere es encontrar excusa para la que él hacía de su vida. Que toda autobiografía sea *novela* —tanto porque se lee como novela como en el sentido de que ninguna confesión llega a tocar el fondo de la verdad—; por otro lado, que novelar sea crear; y, por otro, que el creador, incluso Dios, se crea a sí mismo en su creación, todo esto —una serie de afirmaciones que poco tienen que ver entre sí, aunque Unamuno las hile con la palabra "novela"— nada tiene que ver, en realidad, con el hecho de que Unamuno sintiera que había hecho demasiado literatura de su dolor; que había mucho de "novela", de mentira, en lo de su lucha y duda. Nada tiene que ver, en suma, con el verdadero problema de la personalidad en él, aunque parezca él creer otra cosa. Es éste un ejemplo, entre muchos que pudieran citarse, de esa tendencia a la confusión que es en él tan acusada; ese sacar ideas de palabras, mezclar todo, y todo para encubrir confusos sentimientos; restos de sentimientos, más bien, secados ya por la repetición en frío, por el juego literario con ellos. "No todo lo que se nos ocurre brota de nuestras entrañas estadizas...", dijo en cierta ocasión el propio Unamuno, con muchísima razón (*Ensayos,* I, 839).

En cuanto a que haya enigmas sin esfinge, es bien cierto, y un ejemplo sin duda puede encontrarse en el propio Unamuno, que si a veces da la impresión de ser sólo máscara, de haber dejado que el enigma se esfumase, otras da la impresión de encerrar un verdadero sufrimiento, un auténtico "enigma", para el cual, pese a sus muchas palabras, no podía acabar de encontrar expresión.

Podrá comprenderse ahora la relación que, por vaga que sea, tiene con las dos obras ya citadas, la tercera de esas cortas novelas que escribió "en poco más de dos meses", y que se incluye en el mismo volumen (la cuarta es diferente, y había sido publicada en 1911), esto es, *Un pobre hombre rico o el sentimiento cómico de la vida,* fechada en diciembre de 1930. Las dudas que Unamuno tenía en cuanto a su sinceridad, y por tanto en cuanto al valor de su obra toda, le hicieron adoptar una postura irónica en cuanto al título de su obra más nombrada, en cuanto a esas palabras siempre a él asociadas: "Sentimiento trágico de la vida". En la misma novela, *Un pobre hombre...,* dice un personaje: "Sí, Celedonio, hay que cultivar el sentimiento cómico de la vida, diga lo que quiera ese Unamuno..." Esto puede relacionarse, además, claro es, con ese cambio de actitud (no inquietar, dejar soñar, etc.) que ya señalamos él manifiesta en *San Manuel...* Y en el prólogo, de dos años después, se pregunta Unamuno por qué agregó al título de esa obra lo de "el sentimiento cómico de la vida". Y él mismo se responde: "No sabría decirlo a ciencia cierta. Desde luego, acordándome de la obra que me ha valido más prestigio... ¿Es que yo suponía que esta novelita iba a ser como el sainete que sigue a la tragedia...?" (página 19).

Al terminar ese prólogo de 1932 escribe (pp. 28-29) lo siguiente: "Precisamente ahora, cuando estoy componiendo este prólogo, he acabado de leer la obra: 'O lo uno o lo otro' (*Enten-Eller*) de mi favorito Soeren Kierkegaard, obra cuya lectura dejé interrumpida hace unos años —antes de mi destierro— y... me he encontrado con un pasaje que me ha herido vivamente y que viene como estrobo al tolete para sujetar el remo —aquí pluma— con que estoy remando en este escrito."

Debe tratarse de una relectura, pues Unamuno probablemente había leído ese libro ya a principios de siglo, cuando se "chapuzó" en Kierkegaard, y en todo caso alude a él ya en 1907, en el ensayo *Ibsen y Kierkegaard*. Sea como fuere, leyendo con atención el pasaje que él cita, podrá comprenderse por qué le había herido vivamente, y por qué lo incluye en ese prólogo. Una vez más encontraba expresados en el teólogo danés sus propios sentimientos e ideas. Ahora que sabemos que Unamuno no tenía fe, sin duda alguna, y cómo le atormentaba no poder decidir si su "novela", su farsa, era excusable o no; ahora que sabemos en qué consistía el "problema de la personalidad", y de qué modo se refleja éste en las novelas para las cuales escribía ese prólogo, especialmente en *San Manuel*..., no podrá extrañarnos que le asombrara encontrar en Kierkegaard estas líneas que venían a resumir cuanto él estaba diciendo y, aún más, que no llegaba del todo a decir:

"... y no es impensable que nadie pueda exponer la verdad positiva tan excelentemente como un dudador; sólo que éste no la cree. Si fuera un impostor, su burla sería suya; pero si fuera un dudador que deseara creer lo que expusiese, su burla sería ya enteramente objetiva; la existencia se burlaría por medio de él; expondría una doctrina que podría esclarecerlo todo, en que podría descansar todo el mundo; pero esa doctrina no podría aclarar nada a su propio autor. Si un hombre fuera precisamente tan avisado que pudiese ocultar que estaba loco, podría volver loco al mundo entero."

A Unamuno debió impresionarle (pensando tanto en sí como en su Don Manuel) lo de ese "dudador" que no cree lo que expone, aunque anhela creerlo; lo de ese expositor que nada se aclara a sí mismo; y debió impresionarle sobre todo que Kierkegaard distinguiera entre éste y un impostor.

Unamuno en verdad fué un ateo, pero tan anheloso de Dios, de eternidad, por un lado, y tan farsante y ansioso de fama, por otro; tan desesperado a veces y tan retórico otras muchas; y, sobre todo, tan avisado, tan cuidadoso de ocultar su verdadero problema, esto es su verdadera falta de fe, que encubriendo ésta en un mar de palabras, y con toda su confusión, estuvo a punto de volver loco a medio mundo. Quizás lo más noble en él, lo que más le engrandece, aparte sus momentos de verdadera angustia religiosa, sea el arrepentimiento que frente al Unamuno de la "leyenda" sintió en sus últimos años; aunque le faltara valor para juzgarse durante mucho tiempo con severidad excesiva.

DIFERENCIA ENTRE UNAMUNO Y KIERKEGAARD

Unamuno se compadecía demasiado de sí mismo, incluso cuando se sentía pecador. Quizás lo que más le diferencia de Kierkegaard sea que a él le faltó ese sentimiento de culpa que tan vivamente tenía el danés, quien pensaba, por otra parte, que sólo gracias a él llega el hombre a ahondar en sí mismo, y quizás de ese modo a encontrar el camino de la verdadera fe.

En varias de sus obras, y de diversos modos, repitió Kierkegaard que "la conciencia del pecado es el único camino de entrada a la Cristiandad." Si esto es cierto, podría entenderse bien por qué Unamuno no llegó nunca a ser verdadero cristiano, a alcanzar verdadera fe, salvo en su niñez. Si en alguna ocasión, muy rara, él parece aceptar la culpa, identificando ésta con el dolor, es más bien que acepta esa identificación que otros han hecho, no que él la sienta. "Acepto este dolor por merecido, / mi culpa reconozco, pero dime, / dime, Señor, Señor de vida y muerte, ¿cuál es mi culpa?", escribía en sus *Poesías* (Bilbao, 1907, p. 126). Mas no creo haya respuesta posible a esa pregunta desde fuera, fuera del sentimiento de esa culpa. Y ese sentimiento, más protestante que católico, ciertamente, él no lo tenía.

En *Del sentimiento*..., donde tanto se cita el más importante libro de Kierkegaard, sus *Notas finales*..., y donde puede señalarse una influencia grande de él—en la idea central, en los detalles, en el plan, incluso; y esto pese a diferencias también grandes—se pasa por alto algo que es básico en el pensamiento de Kierkegaard, y ello es precisamente todo cuanto, al final de las *Notas*..., se refiere a la conciencia de culpa o del pecado. Si Unamuno se refiere, en el capítulo IV, a la "preocupación del pecado", es sólo para rechazar ésta como manía protestante.

Llega Kierkegaard a la conclusión de que nadie se prepara para llegar a ser verdadero cristiano, sino "by immersing oneself deeper in existence". Y en la misma página: "In proportion as the individual expresses the existential pathos (resignation-suffering-the-totality of guilt-consciousness), in that same degree does his pathetic relationship to an eternal happiness increase" (*Kierkegaard's Concluding Unscientific Postscript*, translated... by D. F. Swenson and W. Lowrie, Princeton University Press, 1941, p. 497). Un real sufrimiento es "the essential expression for existential pathos", pero lo *decisivo* es la conciencia de la culpa:

"... the decisive expression for the pathetic relationship of an exister to an eternal happiness, and this in such a way that every exister who has not this consciousness is *eo ipso* not related to his eternal happiness... Precisely because it is an exister who is to relate himself, while guilt is at the same time the most concrete expression of existence, the consciousness of guilt is the expression for the relationship... The totality of guilt comes into being for the individual when he puts his guilt together with the relation to an eternal happiness. He who has no relation to this never gets to the point of conceiving himself as totally or essentially guilty... So, the essential consciousness of guilt is the first deep plunge into existence, and at the same time it is the expression for the fact that an exister is related to an eternal happiness" (pp. 470-473).

Distingue aún Kierkegaard entre sentimiento de culpa y de pecado, que corresponde a dos grados, a dos tipos de religión, que él llama A y B, la inmanente y la paradójica. Pero de todo esto nada hay en Unamuno; nada del factor *decisivo*, aunque sí del factor esencial, del sufrimiento. "Sufre, para que creas...", decía en *Vida...* (*Ensayos*, II, 293).

En *Del sentimiento...*, capítulo VI, "En el fondo del abismo" (donde varias veces nombra "al hermano Kierkegaard", y le cita; y piensa otras veces en él, aunque no le cite), nos dice Unamuno que "en el fondo del abismo se encuentran la desesperación sentimental y volitiva y el escepticismo racional, frente a frente, y se abrazan como hermanos. Y va a ser de este abrazo, un abrazo trágico..., de donde va a brotar manantial de vida..., escepticismo salvador..., la duda, sí, pero es mucho más que duda" (*Ensayos,* II, 808-809). Y luego: "De este abismo de desesperación puede surgir esperanza..." (p. 827).

Era idea, sentimiento de Kierkegaard, eso de hundirse en el dolor, en "la infinita resignación", para levantarse a la esperanza; mas ello era también —fué una vez al menos, en 1897— una íntima experiencia de Unamuno. Hay evidencia de que en la página de *Vida...* en que escribe "sufre para que creas" recordaba él dicha experiencia. En cambio el sentimiento de culpabilidad, del que Kierkegaard tenía tan viva experiencia, era algo que Unamuno ni conocía ni aceptaba. Y tal vez por ello su obra resulte fría y desmayada al lado de la de Kierkegaard, aunque éste haga un análisis minucioso, stendhaliano diríamos, de sus pasiones, y exponga técnica y objetivamente, y Unamuno, por el contrario, se desborde a cada instante cual novelista romántico.

El sufrimiento, quizás por no estar alimentado por el sentimiento de culpa, se le borraba, se le secaba, convertido en literatura. En una carta sin fecha (de hacia 1910, probablemente) hablaba del "consuelo que hay para los espíritus fuertes en el escollo mismo de la desesperación y el desconsuelo" (cf. *Repertorio Americano,* 10 julio 1949). Pero en la misma, refiriéndose a Salamanca, decía: "Aquí cultivo mi tragedia y mi combate con Dios". Y muchas veces, en efecto, por honda que fuera la raíz, parece la suya tragedia de cultivo. A fines de 1910 escribía en su *Rosario de sonetos líricos* (Madrid, 1911, p. 227):

No amor a la verdad, sino lujuria
intelectual fué siempre el alimento
de tu mente, lo que dió esa furia

de perseguir a la razón, violento;
mas ella se vengó de tal injuria
haciendo estéril a tu pensamiento.

Se llama el soneto "Don Juan de las Ideas", e indica uno de los momentos en que Unamuno más duramente se condenó a sí mismo. Lo malo es que no hubiera en él verdadera enmienda tras el arrepentimiento.

Claro es que esa benevolencia que Unamuno tenía para sí mismo, esa rapidez para excusar sus propios defectos, es cosa diferente a la carencia de sentimiento de culpabilidad ante Dios, sentimiento del pecado original, que también puede señalarse en él; mas seguramente el endiosamiento de Unamuno, su envidia, su orgullo luciferino tenían mucho que ver en ambos casos. "Hay que decirlo, en su obra se oculta algo así como un orgullo sombrío, quizás hasta cierta complacencia en lo trágico, que le lleva a rebuscar lo peligroso, contradictorio y paradójico... La lucha más profunda desencadenada dentro de Unamuno no es acaso entre el intelecto y el sentimiento, sino entre Cristo y Lucifer", decía P. L. Landsberg, en su excelente ensayo "Reflexiones sobre Unamuno" (publicado en *Cruz y Raya,* Madrid, y reproducido en *Presente,* Santiago de Chile, 1936, núm. 19).

En los años que siguieron hasta su muerte, el último día de 1936, Unamuno cambió poco, o más bien nada, aunque debió ensombrecerse cada vez más; triste al pensar en su destino, en la muerte que se acercaba; poco seguro en cuanto a la duración de su fama y al valor del mensaje que él había traído; y afligido, además, por desgracias personales —la muerte de su esposa, en 1934, muy especialmente— y al ver que su patria se iba hundiendo en la desesperación y la violencia.

El problema de la personalidad debió seguir preocupándole, aunque en las alusiones que a él hace, repitiendo lo ya dicho, se sienta más el eco de un drama que el drama verdadero. El 8 de febrero de 1932, aniversario de la muerte de Joaquín Costa, en un discurso en el Ateneo, decía "que es una de las tragedias, en parte dolorosas y en parte consolatorias, la de la vida de un hombre que ve cómo el que es se va sintiendo borrado por el que de él hacen todos los demás" (de *El Sol*, reproducido en *Repertorio Americano*, 2 abril 1932). Más de dos años después, el 18 de octubre de 1934, en una carta a José Bergamín, al enviarle unos sonetos para la revista *Cruz y Raya*, escribía: "No sé si encajan en el mito que me quieren hacer..." Encajan bastante (véanse, reproducidos, con la carta, en *Revista Nacional de Cultura*, Caracas, noviembre-diciembre 1946, p. 23).

También en 1934, en el prólogo a una segunda edición de *Amor y pedagogía*, escribió que todas sus obras, incluso *Del sentimiento...*, son novelas, pues "todo, y sobre todo la filosofía, es, en rigor, novela o leyenda". Filosofar era, pues, para Unamuno —y esto es cosa que él había dicho o insinuado otras veces— sólo un modo de encubrir la verdad trágica. En dicho prólogo incluye entre las *novelas* la *Crítica de la razón pura* y la *Lógica* de Hegel, "y desde luego los Evangelios de la historia de **Cristo**".

Aun ese mismo año de 1934, en su "Ultima lección", dada en Salamanca, es cuando rectifica "el mal sentido" que en 1895, al escribir *En torno al casticismo,* "daba, erradamente, a lo histórico". Interesado ahora como estaba en convencerse de que todo es novela, todo exterioridad, no quiere ya admitir la diferencia que, estimulado por el sentimiento de una dualidad en su persona, había antes hecho entre historia e "intrahistoria". Ahora, en 1934, se decía que la intrahistoria "es la historia misma, su entraña", es decir que la intimidad suya era su novela, que su novela era su verdad (cf. "Ultima lección", en *Obras selectas de Unamuno,* ed. Pléyade, Madrid, 1946, p. 1044). Dos meses después, en un discurso pronunciado el 23 de diciembre, decía: "Yo nunca he podido saber lo que es el fondo. Todo son formas, enchufadas unas en otras, como en aquel juguete japonés... se abre y dentro hay otra caja y luego otra, y otra, y la última está vacía" (*Ahora,* Madrid, 25 dic. 1934). Lo cual no era sino repetición de viejas ideas y viejas impresiones, pero con lo que remachaba el fondo pesimista, negativo, de todo su pensamiento, ya que agregaba: "Yo creo que el mundo no tiene finalidad... somos los hombres quienes le damos un sentido y una finalidad que no tiene". Y justificándose de nuevo, aun decía: "Pero hay que darle finalidad a las cosas". El discurso a que me refiero, que fué pronunciado en un banquete ante los redactores de *Ahora,* se halla reproducido, con el título de "Palabras recientes", en *Repertorio Americano,* 16 febrero 1935.

Lo de las "formas enchufadas" es algo que muchos años antes le había quizás sugerido la lectura de Hegel. Al comenzar *En torno al casticismo* se refiere a "Hegel, el último titán", y agrega: "Comprendió que el mundo de la ciencia son formas enchufadas unas en otras, formas de formas..." Y como Unamuno no perdonaba expresión feliz, repetía en *Niebla* (Madrid, 1914, p. 212) que "en última instancia todo es forma, forma más o menos interior, el universo mismo un caleidoscopio de formas enchufadas las unas en las otras".

De "esas cajitas de laca japonesa... y al último una final cajita... vacía", ya hablaba en *Cómo...*, agregando: "Pero así es el mundo, y la vida... Todos son las cajitas, los ensueños" (página 55).

Unamuno, pues, sirvió en ese banquete un discurso lleno de refritos, pero lo notable es eso de que damos al mundo "una finalidad que no tiene". Estas palabras son la mejor respuesta a los que aun se refieren a la "fe" de Unamuno en los últimos años de su vida.

Al morir Valle-Inclán, a principios de 1936, Unamuno desde Salamanca transmite un comentario, por teléfono, y entonces se le escapa esta muy sincera exclamación: "¡He estado siempre tan solo!" Pero poco después, el 25 de febrero de 1936, dió una conferencia en Oxford, tal vez la última, y allí no sólo debió mostrarse ante ese público de la "Taylorian Institution" como el Unamuno típico de la leyenda, sino también sentirse muy satisfecho, otra vez, del papel que representaba, de la admiración y confusión que sus divagaciones quizás despertaron. "System, he told his Oxford audience, is for carpenters... No one will ever classify me, he exclaimed triumphantly", nos cuenta alguien que le escuchó (Juan B. Ortega, "Quixotism in the Spanish revolution: Don Miguel de Unamuno", *Colosseum*, London, 1937, III, 130-142). Esto parece indicar que Unamuno hasta sus últimos días, con su sincero dolor, pero también con sus muchas bufonerías, siempre fué el mismo.

No creo hay motivo para suponer, pese a lo que algunos han indicado, que en los últimos años, o en los últimos meses de su vida, su fe fuera mayor de lo que fué antes. Algunas poesías últimas de Unamuno, extraídas del *Cancionero,* tampoco prueban esa fe, creo yo, ni siquiera esas dos que publicó Hernán Benítez y con las que acaba éste su estudio *El drama religioso de Unamuno* (Buenos Aires, 1949, pp. 192-194). Una de ellas, de 29 de octubre de 1936, "Al cumplir mis setenta y dos años", dice:

> *Un ángel, mensajero de la vida,*
> *escoltó mi carrera torturada;*
> *y desde el seno mismo de la nada*
> *me hiló el hilillo de una fe escondida.*

Pero se agrega:

> *Volvióse a su morada recogida,*
> *y aquí, al dejarme en mi niñez pasada,*
> *para adormirme canta la tonada*
> *que de mi cuna viene suspendida.*

Se retiró, pues, el ángel, y ahora de lejos le canta melodías que evocan sus años de inocencia. Y esto es evocar, no poseer, la fe de la niñez; es *querer* volver a ser niño, algo a lo que toda su vida, y sobre todo en sus últimos años, muchas vueltas había dado. Claramente se ve ello en la otra poesía publicada por H. Benítez, que éste dice fué escrita "poco antes" de su muerte: "Agranda la puerta, Padre,/porque no puedo pasar;/la hiciste para los niños,/yo he crecido a mi pesar./Si no me agrandas la puerta/achícame, por piedad,/vuélveme a la edad bendita/en que vivir es soñar..." Y en la estrofa siguiente Unamuno dice algo que no me parece probable fuera dictado por súbita conversión, tras golpe de gracia, al pasar de verso a verso: "Gracias, Padre, que ya siento/que se va mi pubertad,/ vuelvo a los días rosados/en que era hijo no más". Lo que hace aquí Unamuno es imaginar poéticamente, soñar que se realiza lo que tanto deseaba. Y todo ello, como siempre en Unamuno, es a lo más anhelo de fe, no la fe misma; aunque, como otras veces, parezca él desear que el lector piense otra cosa.

EL PENSAMIENTO DE
ANTONIO MACHADO
EN RELACION CON SU POESIA

OSCURIDAD DE LOS ESCRITOS FILOSÓFICOS DE A. MACHADO

Los lectores de las *Poesías completas* de Antonio Machado suelen pasar por alto el apéndice —ese desconcertante "Cancionero apócrifo"— que aparece agregado a las poesías a partir de la edición de 1928. Esas pocas y enigmáticas páginas en prosa y verso, contienen, sin embargo, las principales ideas filosóficas de Machado, las mismas que él repetiría luego, aclarándolas a veces un poco, en ciertos fragmentos de su libro de prosas *Juan de Mairena* *. De esas ideas, en modo alguno insignificantes, como vamos a ver, y de la relación de éstas con su poesía nos vamos a ocupar en este estudio.

* El apéndice tiene dos partes; *De un cancionero apócrifo* (*Abel Martín*) y *Cancionero apócrifo. Juan de Mairena*. La primera, antes de aparecer junto a las *Poesías completas,* se publicó en los números 35 y 36, mayo y junio de 1926, de la *Revista Occidente* (t. XII, páginas 189-203 y 284-300). Interesa hacer constar, por la razón que luego se verá, que al menos la primera parte se había escrito antes de que, en 1927, se publicara *Sein und Zeit* de Heidegger.

Juan de Mairena es una obra de dos volúmenes. El primero, aparecido en 1936, estaba formado por artículos publicados en *Diario de Madrid* y *El Sol*, de fines de 1934 a principios de 1936. El segundo volumen se ha formado después de la muerte de Machado con los artículos que éste publicó en la revista *Hora de España,* en Valencia y Barcelona, de enero de 1937 a fines de 1938, es decir, hasta poco antes de su

La oscuridad de los escritos filosóficos de Machado —en contraste con la honda claridad de *Campos de Castilla* o *Soledades*— es sin duda la causa de que no hayan sido hasta ahora más leídos o comentados. En los últimos años no han faltado críticos que se refirieran a la importancia del escondido pensamiento del poeta, pero nadie ha osado decir en qué consistía éste. No se ha intentado hasta ahora trazar con algún rigor, siquiera sea en esbozo, sus líneas principales. A menudo se ha citado de aquí y de allá, pero sin esclarecer casi nunca el sentido de esas citas, y, sobre todo, sin tratar de hallar una conexión entre éstas, el hilo de un verdadero pensamiento. Se ha estudiado algo el indudable influjo en Machado de Bergson, y se ha aludido a la relación entre su pensamiento y el de Husserl, Scheler o Heidegger, pero se ha precisado muy poco. Los que se refieren al parecido con este último —algo que el propio Machado insinúa— olvidan siempre algo importantísimo: que Machado se adelanta definitivamente a Heidegger en algún punto esencial, y no ya con sus poesías, como suele decirse, sino con lo que escribe en el apéndice, con sus prosas filosóficas. La verdad es que de lo que Machado dice en esas prosas poco se ha entendido. Explícitamente declaran no entenderle los mismos críticos que más han contribuído a que se le comprenda, a

muerte. En este estudio no nos ocupamos sino de los fragmentos de carácter filosófico de *Juan de Mairena*.

Hemos usado la edición de *Obras* (México, Séneca, 1940), que es la más completa. Todas las citas en el texto, cuando no se indique otra cosa, y el número de la página, que va entre paréntesis, siguiendo a esas citas de Machado, se refieren a dicha edición, que incluye las poesías (pp. 37-353), la primera parte del apéndice (pp. 353-385), la segunda (pp. 386-411), algunas poesías sueltas (pp. 411-439), el volumen I de *Juan de Mairena* (pp. 443-721), y el segundo, más alguna obra suelta de sus últimos años (pp. 725-901).

la vez que reconocían que un muy necesario estudio de su pensamiento está todavía por hacer.

Yo no creo haber hecho un estudio definitivo, ni mucho menos; pero sí creo poder explicar casi siempre lo que Machado dice y por qué lo dice. Esto no quiere decir que todo esté claro. En Machado, como en otros pensadores, hay, creo yo, dos formas de oscuridad: una externa, que puede llegar a disiparse, con paciencia y esfuerzo, hasta llegar a saber lo que el pensador dice; y otra íntima, que resulta insuperable, pues parece inherente a aquello mismo que se dice. Claro es que bien pudiera suceder, y de hecho ocurre a menudo, que lo que parece oscuridad íntima sea tan solo oscuridad externa, de la apariencia, un velo más que el crítico no ha podido arrancar. La oscuridad última puede estar desde luego en la cabeza del crítico o comentarista; mas es indudable qua a veces está en la idea misma, desvelada, tal como aparece; bien porque ésta es oscura de por sí o porque el filósofo que se estudia no ha acabado de pensarla con toda claridad. Se dirá que ambas oscuridades, externa e íntima, van siempre juntas, que el que piensa claramente expone con claridad. No lo niego. Pero es evidente, por otra parte, que en Machado la oscuridad externa parece casi siempre voluntaria, fruto de su humorismo, así como del desorden consciente con que expone sus ideas. Fruto de su escepticismo, diríamos, de ese "apasionado escepticismo" que Mairena siempre predicaba. "Yo os aconsejo, más bien, una posición escéptica frente al escepticismo", decía Mairena (p. 526). Y más adelante: "...no toméis demasiado en serio nada de cuanto oís de mis labios, porque yo no me creo en posesión de ninguna verdad que pueda revelaros" (p. 689). Y al comenzar el vol. II de *Juan de Mairena:* "Aprende a dudar, hijo, y acabarás dudando de tu propia duda" (p. 726). La duda que él recomendaba, como aun veremos, no era la duda "metódica", sino la "duda poética, que es duda humana" (p. 737).

Cabe preguntarse: ¿Por qué el constante tono humorístico en esas prosas, que en modo alguno tratan de cosas banales o risueñas? Tal vez proceda, en parte, de la conciencia que Machado tenía de la oscuridad propia de los problemas a los cuales se enfrentaba. Diríase que él contemplaba siempre a distancia, irónicamente, sus propias ideas, a menudo entrañables ideas, como si no acabara de creer en ellas. Su humor parece proceder de su escepticismo. Sus ideas filosóficas las expone casi siempre como en broma, o al menos con un dejo de humor; y generalmente habla por boca del pintoresco filósofo Martín, o del discípulo de éste, el profesor Mairena, por boca de esos personajes por él inventados, lo cual le permite agregar a veces un comentario irónico, y en todo caso librarse de la posible acusación de dogmatismo. Pero además de escéptico, Machado era modesto, tímido, y el humor en él es también una como defensa contra el pudor. Muy al contrario de Unamuno, a quien él tanto admiraba, a toda costa rehuía el tono grandilocuente al hablar de aquellos problemas que en verdad tanto le preocupaban. Y como por otra parte, por su misma modestia sin duda, no osaba expresar su pensamiento sino por medio de simples notas o comentarios, en modo alguno quería presentar esos apuntes —tan llenos de atisbos magníficos, sin embargo— en forma que pudiera parecer solemne o pretenciosa, y por ello ironizaba también.

Procedía, pues, su humor, creemos, de la oscuridad misma de los problemas que trataba, o al menos de un sentimiento de incapacidad para ver algunos de éstos con completa claridad; de su escepticismo y de su modestia. Tres causas que en el fondo no son, seguramente, sino tres aspectos de lo mismo.

Pero sea por lo que fuere, existe ese humor, y éste es sin duda la causa principal de esa oscuridad chocante y como buscada de sus escritos filosóficos; oscuridad externa, voluntaria, que es independiente de esa otra oscuridad última que pudiera haber, y que yo creo hay en ellos en algún momento, sobre todo, cuando se trata de la "metafísica" de Abel Martín y de Mairena. Con esa oscuridad última ya no toparemos, a nuestro pesar. Pero en cuanto a la otra, la debida al humor, así como la debida al desorden en que aparecen a veces expuestas sus ideas, hemos tratado en lo posible de eliminarla, y por ello ni de humor ni de desorden hablaremos ya demasiado al intentar precisar *cuáles son los temas centrales de su pensamiento y qué relación puede haber entre ellos, así como entre éstos y su poesía.* Y a la vez señalaremos también la relación de ese pensamiento de Machado con ciertas importantes ideas y tendencias del pensamiento filosófico contemporáneo —lo cual sólo podemos hacer, claro es, en la medida que alcancen nuestros conocimientos— pues sólo de este modo, creemos, se advierte la importancia del contenido del apéndice y de los apuntes posteriores que "para entretenimiento de los desocupados del porvenir" nos dejó el gran poeta.

EL IMPULSO HACIA "EL OTRO" Y HACIA "LO OTRO"

Machado era un solitario inconforme con su soledad. Su pensamiento, y a menudo su corazón, se dirigían hacia "lo otro", el mundo fuera de él tanto como el más allá; hacia "el otro" y hacia Dios. Creía él que sólo gracias al "otro" puede uno llegar a ser uno mismo, a adquirir plena conciencia de sí. Esta idea constituye, como vamos a ver, uno de los temas centrales de su pensamiento. Ya en *Soledades* cantaba:

> *Moneda que está en la mano*
> *quizá se deba guardar;*
> *la monedita del alma*
> *se pierde si no se da.* (p. 98).

Casi treinta años después escribía en el apéndice que una de las obras del supuesto Abel Martín era *De lo uno a lo otro,* título que expresaba muy bien la tendencia de la filosofía toda del extravagante sevillano, así como sin duda expresa la del propio Machado. Al disponerse a exponer esa filosofía martineana, Machado nos advierte: "Su punto de partida está, acaso, en la filosofía de Leibnitz" (p. 354). Esto ha de ser tomado en serio. No pocas oscuras líneas de ese apéndice, y otras, se entienden mucho mejor teniendo en cuenta al filósofo de las mónadas.

Concebía Leibnitz las almas como unidades, o mónadas, solitarias, sin contacto alguno con lo exterior: "Las mónadas no tienen ventanas por las que algo pueda entrar o salir" (*La Monadologie,* 8). Una mónada no ejerce influencia sobre otra, ya que "una substancia *particular* no obra nunca sobre otra substancia *particular*" (*Discours de Métaphysique,* 14). Cada una de nuestras ideas, y aun cada una de nuestras percepciones, se encuentra ya de modo latente dentro de nosotros, pues "Dios ha creado originariamente el alma... de tal suerte que todo nazca en ella de su propio fondo". Esto no quiere decir que se niegue la existencia del mundo exterior. Leibnitz parte de la idea de que el mundo, cada una de las mónadas, ha sido creado por Dios. Lo que pasa es que, gracias a una "armonía preestablecida", existe una "concordancia" entre las percepciones de cada una de las mónadas, percepciones internas y sólo internas, y lo que ocurre fuera de ellas, y así "llegando al alma las percepciones de las cosas exteriores en el momento preciso... habrá un acuerdo perfecto entre todas esas substancias, que produce los mismos efectos que se advertirían si comunicasen unas con otras" (*Syst. nouv. de la nature*, 14). Mas, aparte esta "hipótesis de las concordancias", el énfasis lo pone Leibnitz en la soledad de las mónadas, que sólo comunican con Dios; y en el dinamismo de éstas, ya que, como dice en su *Teodicea*, cada una lleva consigo "no solamente una simple facultad activa, sino lo que pudiera llamarse *fuerza, esfuerzo, conato*" (cf. *La Monadologie*, ed. C. Piat [París, 1900], p. 101, nota). Cada mónada tiene "apetición", ansia de más y más claras percepciones.

Esta idea de la soledad y de la actividad interna de la mónada es lo que interesa a Machado. Un eco indudable de Leibnitz (y a la vez, según luego se verá, también de Bergson, quien concebía el *ser* como algo cambiante, fluyente) hay en estas líneas del apéndice: "El ser es pensado por Martín como conciencia activa, quieta y mudable, esencialmente heterogénea, siempre sujeto, nunca objeto pasivo de energías extrañas. La substancia, el ser que todo lo es al *serse* a sí mismo, cambia en cuanto es actividad constante, y permanece inmóvil, porque no existe energía que no sea él mismo, que le sea externa y pueda moverle" (p. 375).

Y más solitaria aun que la de Leibnitz es la mónada martineana, pues a ésta Dios no la ilumina. Para Leibnitz: "...no hay causa externa que actúe sobre nosotros, excepto Dios... no tenemos en nuestra alma la idea de todas las cosas sino en virtud de la acción continua de Dios sobre nosotros... Dios es el sol y la luz de nuestras almas" (*Discours*, 28). Como esas ideas, sin embargo, están en el fondo de nosotros, puede decirse que la razón es la fuente inmediata de ellas, aunque Dios sea la fuente última; y por eso se habla en Descartes, como en Leibnitz, de "racionalismo *inmanente*, en oposición al teológico y trascendente", es decir, en oposición a la "forma plotiniano-agustiniana del racionalismo" que consiste en "la teoría de la iluminación divina" (cf. J. Hessen, *Teoría del conocimiento*, trad. I. Quiles [Buenos Aires, 1940], p. 58). De todos modos, para Leibnitz las mónadas están a solas con Dios; mas para Martín las mónadas están solas consigo, completamente solas. Esto es fundamental, pues como veremos, todo el esfuerzo de Machado consistirá en tratar de encontrar escape de esta prisión, consuelo en esta soledad; y cuando desespera, tratar de adquirir, al menos, plena conciencia de esta trágica soledad.

Como para Martín "Dios no es el creador del mundo, sino el creador de la nada" (p. 374), es decir, como para él no hay verdadero Dios —punto éste del cual pronto nos ocuparemos más detenidamente— y como, por otra parte, él no trata de establecer un sistema, sino tan sólo situarse en el punto de vista de la mónada, no necesita recurrir a la extraña hipótesis de la armonía preestablecida. Para Leibnitz, teniendo que coincidir el mundo exterior con el de la mónada, y siendo internas las percepciones de ésta, la mónada ha de ser concebida como "espejo viviente o provisto de acción interna, representativo del universo, según su punto de vista, y tan arreglado como el universo mismo" (*Principes de la nature et de la grâce*, 3). Para Martín en cambio no hay tal espejo. La mónada no refleja nada, sino a sí misma. Y si trata alguna vez de concebir el universo, lo concibe, con rasgos definitivamente panteístas, como una gran mónada de la cual cada una de las individuales mónadas son parte. Y por eso escribe, al principio del apéndice:

"No sigue Abel Martín a Leibnitz en la concepción de las mónadas como pluralidad de substancias. El concepto de pluralidad es inadecuado a la substancia. "Cuando Leibnitz —dice Abel Martín— supone multiplicidad de mónadas y pretende que cada una de ellas sea el espejo del universo entero, no piensa las mónadas como substancias, fuerzas activas conscientes, sino que se coloca fuera de ellas y se las representa como seres pasivos que forman por refracción, a la manera de los espejos, que nada tienen que ver con las conciencias, la imagen del universo". La mónada de Abel Martín, porque también Abel Martín habla de mónadas, no sería ni un espejo, ni una representación del universo, sino el universo mismo como actividad consciente... Esta mónada puede ser pensada, por abstracción, en cualquiera de los infinitos puntos de la total esfera... pero en cada uno de ellos sería una autoconciencia integral del universo entero. El universo pensado como substancia, fuerza activa consciente, supone una sola y única mónada, que sería como el alma universal de Giordano Bruno" (pp. 355-356).

Poco tiene que ver, desde luego, esa "sola y única mónada", ese "alma universal", con el mundo de Leibnitz, mundo de mónadas diversas creadas todas por Dios. La diferencia es grande, y se basa en haber Martín eliminado a Dios. Pero, en todo caso, el objeto principal de la meditación de Machado no es en modo alguno el "alma universal", sino el alma individual. Lo que a él le interesa son esos "infinitos puntos" de la total esfera; y, sobre todo, naturalmente, ese insignificante punto aislado que resulta ser él. Lo que Machado, en suma, acepta de Leibnitz, esto es, la idea de la mónada, y lo que de él rechaza, la hipótesis de un Dios armonizador, más claramente que en el apéndice se ve cuando, años después, al comenzar *Juan de Mairena,* escribe: "El alma de cada hombre —cuenta Mairena que decía su maestro— pudiera ser una pura intimidad, una mónada sin puertas ni ventanas, dicho líricamente: una melodía que se canta y se escucha a sí misma, sorda e indiferente a otras posibles melodías —¿iguales?, ¿distintas?— que produzcan las otras almas. Se comprende lo inútil de una batuta directora. Habría que acudir a la genial hipótesis leibnitziana de la armonía preestablecida. Y habría que suponer una gran oreja interesada en escuchar una gran sinfonía. ¿Y por qué no una gran algarabía?" (p. 448).

Ahora bien, lo que Machado dice constantemente en el apéndice, y había dicho antes, y diría después, en *Juan de Mairena,* aunque no lo diga en las líneas que acabamos de citar, es que la mónada *no* debe ser "sorda e indiferente" a otras melodías, a otras almas. Y de hecho no lo es, porque la *mónada de Martín, aunque solitaria, aun más solitaria que la de Leibnitz, es mónada "fraterna" y ansiosa de lo otro.* Su actividad consiste en buscar "lo otro", lo que ella no es; aunque ese *otro* resulte luego ser una proyección del propio ser, un "reverso" del ser. Y en esto consiste el trágico "erotismo" de Martín, y en eso consiste la "heterogeneidad del ser". Lo que Machado hace es incitarnos a amar a ese *otro* que aparece ante nosotros, exista en verdad o no. Pruebas de esto que ahora decimos se darán en seguida. Sólo queríamos indicar por qué indica Machado, al comenzar a explicar la filosofía de Abel Martín, que "su punto de partida" está, acaso, en la filosofía de Leibnitz.

Y ahora se comprenderá, por qué después de haber hablado de la mónada de Abel Martín", diferenciándola de la de Leibnitz, y de haber nombrado a Giordano Bruno, a continuación se citan los primeros versos del libro de Martín *Los Complementarios,* que al parecer no vienen en modo alguno a cuento. Los versos son éstos:

> *Mis ojos en el espejo*
> *son ojos ciegos que miran*
> *los ojos con que los veo.*

El alma no es espejo; el espejo está fuera, porque al mirar hacia fuera no vemos, en realidad, sino a nosotros mismos. Por eso los ojos son "ciegos", y no ven más que los propios ojos. Con esto se alude a la mónada de Leibnitz, y a la de Martín, cuyas percepciones las extrae ésta de sí misma. A continuación Machado advierte que Martín hace constar publica esos "tres versos, los primeros que compuso", no obstante "su aparente trivialidad o su marcada perogrullez, porque de ellos sacó más tarde, por reflexión y análisis, toda su metafísica" (p. 356). Y luego, sin más explicaciones, se da "la segunda composición del libro", esa que más tarde Machado califica de "insondable solear". Y es que, en efecto, aun siendo versos muy malos, versos de metafísico, y aun más perogrullescos que los anteriores, contienen, en esencia, lo que es clave de un aspecto principal de la filosofía de Machado: la necesidad del amor. Son estos:

> *Gracias, Petenera mía;*
> *por tus ojos me he perdido:*
> *era lo que yo quería.*

En la página siguiente, como prueba de que Martín era un "hombre en extremo erótico" se citan algunos otros versos suyos, como los siguientes: "La mujer/es el anverso del ser"; o éstos en los que, reaccionando contra el frío intelectualismo en filosofía (lo que, como veremos, es típico del apéndice), y exaltando el amor como medio de conocimiento, escribe no que las cosas son, como en Platón, copias de las ideas, sino que

> *Sin el amor, las ideas*
> *son como mujeres feas.*

> *o copias dificultosas*
> *de los cuerpos de las diosas.*

Habla luego de un *otro,* "objeto, no de conocimiento, sino de amor", y agrega: "El amor comienza a revelarse como un súbito incremento del caudal de vida, sin que, en verdad, aparezca objeto concreto al cual tienda" (p. 359). En las páginas que siguen (359-366), donde se alude al libro de Martín *De lo uno a lo otro,* se hace aun una exaltación del amor, y no del amor místico, sino del amor al mundo sensible, aunque este mundo sea "a fin de cuentas, aparencial" (p. 363). El mismo sentido de invitación al amor tienen algunos otros poemas que se incluyen entre la prosa, como el soneto "Rosa de fuego", que tiene el mismo tema —*carpe diem*— del famoso soneto de Garcilaso *En tanto que de rosa y azucena...* El poema que sigue termina con estos versos:

> *¡Y cómo aquella ausencia en una cita,*
> *bajo los olmos que noviembre dora,*
> *del fondo de mi historia resucita!*

Abel Martín advierte: "No se interprete esto en un sentido literal". Y el propio Machado comenta: "El poeta no alude a ninguna anécdota amorosa de pasión no correspondida o desdeñada. El amor mismo es aquí un sentimiento de ausencia... El poeta, al evocar su total historia emotiva, descubre la hora de la primera angustia erótica. Es un sentimiento de soledad..." (página 364). Alude Machado, creo yo, a una particular experiencia: sentimiento de la imposibilidad del amor, sentimiento de irremediable soledad, al que aun nos referiremos *.

---

* Aunque se refiera, en este caso, a una particular experiencia,

Sigue luego el poema que empieza: "*Nel mezzo del camin* pasóme el pecho/la flecha de un amor intempestivo..." en el que, probablemente, se refiere a su esposa Leonor, si no alude a *Guiomar,* el otro gran amor de los últimos años de Machado, a quien debió conocer por la época en que escribía esas líneas, o poco después *.

Comentando los últimos, muy oscuros, versos de ese poema, trata de la posibilidad de que el amante renuncie "a cuanto es espejo en el amor", y así comience "a amar en la amada lo que,

no cabe duda que, además, se refiere a ese mismo sentimiento de que tantas veces nos habla en *Soledades*; a esos melancólicos atardeceres, uno igual a otro, que tantas veces recuerda: "Recuerdo que una tarde de soledad y hastío,/¡oh, tarde como tantas!... ¡Oh, el alma sin amores que el Universo copia/con un irremediable bostezo universal!" (p. 88).

* Véase Concha Espina, *De Antonio Machado a su grande y secreto amor* (Madrid, 1950), donde se reproducen los autógrafos de cartas de Machado a su amante *Guiomar*. Las cartas, sin fecha, están escritas en su mayoría desde Segovia, alrededor del año 1930. La última parece ser de 1935. De ese amor nada se sabía, aunque podía haberse sospechado por los poemas que a *Guiomar* dedicó Machado, ya en 1929, en *Revista de Occidente* (núm. 75). En una de las cartas escribe: "En mi corazón no hay más que un amor... Tu poeta no te miente, no podría hacerlo aunque quisiera... El secreto es sencillamente que yo no he tenido más amor que éste. Ya hace tiempo que lo he visto claro. Mis otros amores sólo han sido sueños... Solamente el recuerdo de mi mujer queda en mí, porque la muerte y la piedad lo ha consagrado..." (p. 34). Las cartas de Machado a *Guiomar,* llenas de candor y de pasión—diríanse cartas de adolescente, aunque cuando encontró a *Guiomar* debía él ya tener cincuenta años cumplidos—, si bien no sirven, claro es, para descifrar su pensamiento filosófico, sirven, y mucho, para ayudar a entender a Machado. El alma ansiosa de amor que en ellas se revela es la misma que se revela en el fondo del irónico apéndice.

por esencia, no podrá reflejar nunca su propia imagen"; es decir trata de la necesidad de amar verdaderamente, y no de amarse uno mismo en el otro. Y entonces termina toda esa aparente digresión sobre el amor comentado: "Toda la metafísica, y la fuerza trágica de aquella su insondable solear *Gracias, Petenera mía...* aparecen ahora transparentes o, al menos, traslúcidas" (p. 366).

La solear martineana, en efecto, aparece ahora bastante clara, y más si se tiene en cuenta la copla que se lee al final de la segunda parte del apéndice, esa que forma la "máquina de trovar", que es ésta:

> *Dicen que el hombre no es hombre*
> *mientras que no oye su nombre*
> *de labios de una mujer.*
> *Puede ser.* (p. 410.)

Esa máquina de trovar, invención de un tal Meneses, que la presenta a Mairena es, se nos dice, un aparato que en espera de los poetas del mañana, que no serán narcisistas ni barrocos como los poetas de hoy, reproduce el pensamiento dominante del grupo humano ante el cual se hace funcionar. La copla citada, que se ofrece como ejemplo de lo que el aparato puede hacer, es la que éste canta ante un grupo de borrachos andaluces, y obviamente tiene el mismo sentido, o muy parecido, que la solear martineana.

La mónada, pues, viene a decir Martín, aunque en forma pintoresca, es una mónada amante, necesitada del otro, de la otra, más bien, en este caso. Pero es además —lo cual, claro es, no contradice lo anterior— una mónada fraterna, o debe serlo. Era una obsesión de Machado desde principios de siglo que el poeta —la mónada que expresa sus sentimientos— debería expresar sentimientos compartidos; debería mirar a los otros, y no sólo a sí mismo. Dice Meneses, justificando la necesidad de la máquina de trovar:

"La lírica moderna, desde el declive romántico... es acaso un lujo, un tanto abusivo, del hombre manchesteriano... El poeta exhibe su corazón con la jactancia del burgués enriquecido..., el sentimiento ha de tener tanto de individual como de genérico, porque aunque no existe un corazón en general, que sienta por todos, sino que cada hombre lleva el suyo y siente con él, todo sentimiento se orienta hacia valores universales, o que pretenden serlo. Cuando el sentimiento acorta su radio y no trasciende del yo aislado, acotado, vedado al prójimo, acaba por empobrecerse y, al fin, canta de falsete... Un corazón solitario... no es un corazón; porque nadie siente si no es capaz de sentir con otro, con otros..., ¿por qué no con todos?" (pp. 404-405.)

Pero de acuerdo con esto, y aunque Martín coincida con Meneses en la importancia del otro, ¿no habrían de rechazarse como excesivamente subjetivas ciertas "rimas eróticas"? Y con más razón aún habrían de rechazarse no pocos de los mejores poemas de *Soledades*. Cierto que Meneses no condena la expresión del sentimiento individual sino cuando éste acorta su radio "y no trasciende". Mas no suele ser fácil decidir cuando esto ocurre y cuando no. En la duda, pensó Machado más de una vez, mejor abstenerse de lo íntimamente subjetivo; mejor dirigir la mirada hacia fuera, hacia la naturaleza, y contemplar a los otros. Por eso él, en cierta ocasión, rechazó sus *Soledades*. En el prólogo a la segunda edición de esta obra, en 1919, escribía refiriéndose a la época, hacia 1900, en que la compusiera, que por entonces "la ideología dominante era esencialmente subjetivista" y que él, como los demás poetas, "sólo pretendía cantarse a sí mismo"; e insinuando que había ya cambiado de propósito (había en verdad cambiado desde la época, hacia 1910, en que escribiera *Campos de Castilla*), agrega: "Amo mucho más la edad que se avecina... cuando una tarea común apasione las almas" (pp. 33-34).

Las poesías de *Soledades* evidentemente trascienden: son algo más, mucho más que un mero cantarse a sí mismo. Hechas de esenciales recuerdos de los cuales el poeta había olvidado lo anecdótico, como el propio Machado en otra ocasión decía, suponen la creación de un mundo poético objetivo —el jardín, la fuente, el limonero...— gracias al cual transmite la emoción contenida en su recuerdo. Y esa emoción, la del alma que asombrada se contempla a sí misma, que contempla sus recuerdos, es esencialmente humana. Machado ahí, en los mejores poemas de *Soledades,* no se canta sólo a sí mismo, sino que canta la melodía de todas las almas. El sabía esto. Pero lo que nos importa hacer constar es que si, a pesar de ello, en alguna ocasión condena esas poesías, lo hace tan sólo movido por un doble anhelo de fraternidad, por una viva ansia de comunión con otros hombres, que es algo característico de Machado, tan característico como su honda soledad.

No hay, pues, oposición verdadera entre ese "otro", objeto de amor, de que Martín habla, y ese "otro" concebido como ser fraterno, como el prójimo, con cuyos sentimientos hemos de comulgar, a que se refiere Meneses. Simplemente sucede que el objeto de amor erótico se transforma, a veces, en objeto de caridad, en el sentido cristiano; o, al menos, el sentimiento de amor, en el sentimiento de ir acompañado de otros, de comulgar con otros. Esto explica el interés que Machado, el hondo e íntimo poeta, el melancólico poeta, tenía por los problemas políticos y sociales; cosa que a no pocos ha extrañado, y que alguno ha creído, contra toda evidencia, era en él un interés circunstancial, ajeno a su verdadera personalidad.

En 1934, en un artículo no recogido aún, que yo sepa, en volumen, se refería Machado mismo, y no ya Meneses, a la posibilidad de una nueva lírica, y preguntaba: "¿Cabe una comunión cordial entre los hombres que nos permita cantar en coro, animados de un mismo sentir?" Para ello se necesitaría, agregaba, un "fundamento metafísico", ya que "una fe religiosa parece ser cosa difícil en nuestro tiempo", y ese fundamento, piensa él, bien pudiera ser "creer que existe el prójimo"—*creer* en el prójimo, como aún vamos a ver, en el sentido de tener a éste en cuenta, de adoptar con respecto a él una actitud moral—y no encerrarse en sí mismo concibiendo las almas como "mónadas cerradas". El "prójimo" podría llegar a ser, acaba diciendo, "una realidad espiritual trascendente..., en la cual éstas (mónadas aisladas) pudieran comulgar."

Meses después, en otro artículo, incluído éste en *Juan de Mairena*, escribía: "La concepción del alma humana..., como mónada cerrada y autosuficiente..., y la fe solipsista que la acompaña, se encontrarán un día en pugna con la terrible revelación del Cristo: 'El alma del hombre no es una entelequia, porque su fin, su *telos,* no está en sí misma. Su origen tampoco.' Como mónada filial y fraterna se nos muestra... el yo cristiano, incapaz de bastarse a sí mismo, de encerrarse en sí mismo..., como revelación muy honda de la incurable 'otredad de lo uno', o, según expresión de mi maestro, 'de la esencial heterogeneidad del ser' " (p. 655).

El espíritu fraterno de la mónada viene a ser, pues, como un aspecto de esa varia "otredad" que según Martín es propia de ella, un aspecto de la heterogeneidad que es propia del alma, o sea un aspecto *De la esencial heterogeneidad del ser,* que es el título de una de las obras suyas, a menudo citado por Machado. En una nota de *Los Complementarios,* de 1915, ya se refería Machado a "la radical heterogeneidad del ser", pues éste era "vario (no *uno*) cualitativamente distinto" (cf. *Cuad. Hisp.,* número 20, pp. 175-177). Habla ahí, sin duda por influjo de Bergson, como luego vamos a ver, de *heterogeneidad* en oposición a *homogeneidad,* esto es, de una concepción heraclitana del ser —como algo cambiante, fluyente— en oposición a la concepción de Parménides del ser como una "esfera maciza" e inmutable. Mas si al principio, antes de escribir el apéndice, ésa es al parecer la única significación que tiene lo de la "heterogeneidad del ser" a que él se refiere, luego, como se ve en la cita que acabamos de incluir en el texto, y se verá otras muchas veces, al hablar de "heterogeneidad del ser", sin negar el sentido anterior, se indica también, y sobre todo, la incurable "otredad de lo uno": el ansia de amor de la persona, que no es sino parte de una general corriente erótica, de una "otredad" o "heterogeneidad" del ser en general. "Heterogeneidad" indica, pues, tanto el carácter cambiante del ser como al *eros* que constante y hondamente agita a éste. "En el *'eros'* está el 'foco' (como dice felizmente Schopenhauer) de todo impulso vital..., impulso que muy falsamente identifica con una 'voluntad ciega' ", escribe Scheler en su obra *Esencia y formas de simpatía* que, como pronto vamos a ver, tiene cierta relación con lo que sobre el amor Machado escribe, y la cual él tal vez conocía antes de escribir el apéndice.

Obsérvese que Machado se refiere generalmente a la otredad del alma, al ansia de lo otro, al impulso hacia los otros, como un hecho, como a algo que es propio de la mónada; y, al mismo tiempo, constantemente se refiere a la *necesidad* de ese otro, para nosotros. Es decir, parece incitarnos a que nos comportemos de un modo que, según él, ya el hombre naturalmente se comporta. Pero no hay en esto tampoco, probablemente, inconsistencia alguna. El nos incita a practicar ese amor hacia el cual naturalmente tendemos, pero que a menudo, por una u otra causa, en verdad no practicamos, o no practicamos como debiéramos. Nos incita a alcanzar formas más altas y puras, más vivas de amor. Y este consejo no es nada superfino, sobre todo para el filósofo, para aquél que un día se siente preso en su soledad al descubrir que el otro, como toda percepción del mundo externo, independientemente de que en verdad exista o no, es un contenido de nuestra conciencia, algo que pertenece a nosotros mismos, que está dentro de nosotros. Este es el punto de vista de Leibnitz, en el fondo, y es el de Machado también —como ya hemos indicado y aún veremos— y no es, por tanto, superfluo decir que para ser nosotros mismos, para salvarnos de la soledad, hemos de estimular nuestra tendencia al amor, aunque ese objeto de amor lo descubramos en el fondo de nosotros, juntamente con nuestra ansia de él; esto es, aunque la existencia del otro sea en último término aparencial, y el amor, por tanto, en último término "imposible", como el propio Martín dice.

La otredad de la mónada, decíamos, se refiere no sólo al otro, sino también a "lo otro", a lo que ella no es. Para Mairena la "voluntad de vivir", en el hombre, "no es un deseo de perseverar en su propio ser". Y diciendo esto recuerda sin duda ese famoso "conato" de que habla Spinoza, y que tanto impresionó a Unamuno, es decir, se alude a esa "voluntad", según la cual "toda cosa, en cuanto es, tiende a perseverar en su ser" (*Eth.*, III, vi). Esa voluntad de vivir, dice Mairena (recordan-

do probablemente la *apetición* de la mónada de Leibnitz, esa
tendencia hacia más y más altas percepciones) es "más bien"
un deseo "de mejorarlo". Y entonces agrega: "El hombre quiere ser otro. He aquí lo específicamente humano..., su mónada
solitaria no es nunca pensada como autosuficiente, sino como
nostálgica de lo otro, paciente de una incurable alteridad" (páginas 688-689). Y vemos que ahí no se alude ya a la necesidad
del otro, del objeto de amor; o de los otros, del prójimo, del
objeto de caridad, sino a la nostalgia "de lo otro", entendida
como un querer ser lo que no se es, más de lo que se es. Y es
que ansia de amor, caridad o fraternidad no son, tal vez, sino
aspectos de un fundamental anhelo, de una "incurable alteridad" que a quien en último término se refiere es a Dios.

La mónada de Martín no es, a fin de cuentas, muy diferente de la de Leibnitz, pues si de la concepción de éste se su-
primió a Dios, supone luego Martín, en su mónada, una "otredad" que no es, al parecer, sino nostalgia de Dios. La mónada
de Martín, decíamos ya antes, es la mónada de Leibnitz sin
Dios, y todas las demás diferencias se derivan de esa diferencia
fundamental. Nos ocuparemos, pues, más detalladamente del
problema de Dios en Antonio Machado; pero antes queremos
indicar que esta preocupación por el otro, ese reconocer la necesidad que de él tenemos, y aun ese hablar de la otredad del
alma en general, acerca de su pensamiento al de varios conocidos filósofos contemporáneos, muy especialmente al de Jaspers,
a quien Machado se adelanta; y le acerca a Scheler, de quien
probablemente tenía él alguna influencia, así como también, en
cierto modo, a Husserl y otros.

Lo que Jaspers dice con respecto al "otro", puede verse en el volumen II de su *Philosophie*, el titulado *Existenzerhellung* (Berlín, 1932), especialmente el capítulo III que trata de la "Kommunikation" (pp. 50-117). Su punto de vista, en cuanto al tema que aquí nos interesa, lo resumen así unos autorizados críticos: "Sé el que eres. Pero yo no puedo ser yo mismo sino con el concurso de los otros: tal es la paradoja de la comunicación y su dignidad singular... En el seno mismo de mi libertad se halla inscrita la presencia del otro." Y también: "El problema de mi relación con otro adquiere una apariencia ética que no excluye en modo alguno su significación metafísica al advertir que yo tengo necesidad del otro para ser verdaderamente yo." Y más adelante: "La comunicación unirá a los solitarios..., por la soledad llego al fondo de mí mismo, mas por ella me convierto a la vez en ser disponible, tras haber adquirido suficiente profundidad para poder acoger el mensaje del otro... Es la libertad misma la que, en el momento en que se experimenta como soledad, aspira a la comunicación..., eludir la comunicación es perderme, tanto como renunciar al otro" (M. Dufrenne et P. Ricœur, *Karl Jaspers et la philosophie de l'existence* [París, 1949], pp. 153, 155, 162-163, y, en general, todo el capítulo III, "La Communication"). Y más se precisa aún la posición de Jaspers cuando los mismos autores la comparan con la de Sartre: Para ambos "la presencia del otro nos sume en el dilema de la objetividad y de la subjetividad; a cada instante nos exponemos a convertirnos en objeto para otro, o de tratar a otro como objeto." Pero donde Sartre usa "un lenguaje ontológico, Jaspers emplea un lenguaje ético". Y luego ambas doctrinas se bifurcan aún más: "Para Sartre la polaridad del sujeto y del objeto envenena mi relación con el otro: 'Mi constante cuidado es contener al otro en su objetividad; mis relaciones con el otro-objeto están hechas esencialmente de artimañas encaminadas a conseguir que permanezcan siendo objeto (*L'Etre et le Néant*, p. 358). Nada más, pues, para Sartre, que sadismo o masoquismo: el infierno, eso son los otros. Mas para Jaspers... la comunicación requiere un esfuerzo constante para transformar el conflicto en conflicto amoroso, y para eludir toda amenaza de degradación del sujeto en objeto, asociando ambos sujetos en una empresa común de afirmación de sí mismos" (op. cit., p. 154, nota).

Comparando a Jaspers con Heidegger, dicen los mismos autores que el primero no hace como el segundo, quien "para afirmar la solidaridad del yo y del otro define la realidad humana como un *Mitsein*", es decir, como un co-existir. Y es que Jaspers no trata como Heidegger de mostrar "la estructura ontológica de la realidad humana", sino "la relación óntica que une un yo concreto a un tú" (op. cit., p. 154).

Interesa precisar algo más lo que Heidegger dice en lo que se refiere al otro, aun siendo diferente de lo que Machado dice, justamente porque vamos luego a insistir en el parecido entre el pensamiento de ambos en otros puntos. Y, además, porque el propio Machado hizo una alusión a la diferencia entre él y Heidegger, en lo que respecta al "otro", la cual puede prestarse a interpretaciones torcidas.

Dice en efecto Heidegger en *Sein und Zeit* que el *Dasein*, la existencia que él analiza, "es esencialmente en sí mismo 'ser con'". Mas, por otra parte, según se desprende de todo su análisis, la tal "existencia" auténtica, ese *Dasein* que se siente como arrojado en medio del mundo, es un ente esencialmente solita-

rio. Los otros no cuentan mucho *para él,* aunque estén *con él.*
Por eso dice R. Jolivet (*Les doctrines existentialistes* [Rouen,
1948]) al tratar de Heidegger: "El yo es, pues, propiamente,
un 'ser con', y este *ser con* está en relación con otros *Dasein,*
que componen *mi* mundo circundante; en tanto que esos otros
aparecen integrados en mi mundo, se acercan a mí por la *preocupación* y, por así decirlo, los llevo conmigo, como la tierra a
través de los espacios transporta con ella su atmósfera" (pp. 93-
94). Y más adelante comenta en una nota que "el individuo
auténtico de Heidegger parece incapaz de toda verdadera comunicación con los otros" (p. 136). Ahora bien, si es cierto que
para Heidegger el individuo auténtico —esto es, ese que logra
descubrir lo que esencialmente él es, el que logra descubrir su
real y trágica situación en el mundo, tras apartar los engañosos
velos que encubrían ésta, el que se ha librado de la banalidad—
no parece ocuparse mucho de los otros posibles seres auténticos,
en ningún modo puede decirse que él denigre o desprecie a ese
otro. A quien denigra y desprecia es al "uno", es decir, al
hombre banal con el cual todos nos enmascaramos para descono-
cernos. El "otro" a que a veces Heidegger se refiere, en el sentido del "uno", nada tiene, pues, que ver con el *otro,* en el
sentido del otro auténtico. No debe olvidarse nunca que Heidegger hace una distinción entre hombre banal y auténtico, y
que repetidamente señala que el primero tiende a ahogar, a
disolver la autenticidad del segundo. Así escribe Heidegger en
la traducción de J. Gaos: "... en el empleo de la prensa, es todo
otro como el otro. Este 'ser uno con otro' disuelve totalmente
el peculiar 'ser ahí' (Dasein) en la forma de ser de 'los otros',
de tal suerte que todavía se borra más lo característico y dife-
rencial de los otros... Disfrutamos y gozamos como *se* goza;
leemos, vemos y juzgamos de literatura y arte como *se* ve y *se*

juzga; incluso nos apartamos del 'montón' como se apartan de él... El 'uno', que no es nadie determinado..., prescribe la forma de ser de la cotidianidad... Este término medio en la determinación de lo que puede y debe intentarse vigila sobre todo conato de excepción. Todo privilegio resulta abatido sin meter ruido. Todo lo original es aplanado... Todo misterio pierde su fuerza" (*El ser y el tiempo* [México, 1951], p. 147).

Puntualizado así lo que Heidegger dice con respecto al otro, veamos ahora cuál es el comentario de Machado. En un artículo que en 1937 consagró a exponer *Sein und Zeit* —y del cual, más adelante, aún hablaremos— se explica muy bien la opinión de Heidegger en cuanto a ese encubrirse del *Dasein* en los otros cuando se alude al camino de retirada que "bajo el influjo del *se* anónimo—*das Man*—tendemos a recorrer, huyendo de nosotros mismos" (p. 790). Y Machado agrega: "Sin buscarnos por ello en los demás." Ciertamente no es lo mismo perderse en los otros, disolverse, que buscarse y encontrarse en ellos. Heidegger nada dice de buscarse en los otros, sólo se refiere a perderse en ellos; pero a Machado le interesa hacer constar su punto de vista, y lo hace, aunque en forma tímida y por ello confusa. Por eso aún agrega, mezclando su pensamiento con el de Heidegger de modo que oscurece el de éste: "Cada cual deviene *otro*, y nadie *él mismo*, dice —si no recuerdo mal— Heidegger, con frase despectiva, que mi maestro no hubiera totalmente aprobado." Y ahí parece olvidarse lo que es evidente, y el propio Machado líneas antes indica, esto es, que la intención despectiva se refiere al 'uno', o a la pretensión de querer ser, huyendo de nosotros mismos, como otro cualquiera, y no realmente al *otro* o a la *otredad*, al ansia de lo otro y de ser otro. En una nota al pie, en la misma página, recalca Machado su diferencia con Heidegger, en lo que al *otro* se refiere, escribiendo: "Heidegger no repara en que pretender llegar a ser otro es el único hondo afán que puede agitar las entrañas del ser, según explicaba o pretendía explicar mi maestro Abel Martín." Heidegger no *repara* en ello, pero tampoco condena ese afán: simplemente no lo tiene en cuenta.

En suma, los comentarios de Machado, el esfuerzo por intercalar su propio pensamiento al exponer a Heidegger, desvirtúan por un instante el pensamiento de éste; pero la diferencia entre ambos queda establecida, y ésta consiste en que mientras Machado nos incita a "buscarnos... en los demás", Heidegger no, ya que para él toda relación entre individuos parece realizarse en el plano de la inautenticidad.

Veamos ahora si hay alguna relación entre el pensamiento de Machado y el de Husserl. En sus últimos años, después que Machado había escrito su apéndice, Husserl se refirió repetidamente a las otras mónadas o sujetos, al *otro;* pero ello sólo como una necesaria garantía de la objetividad del conocimiento logrado con su método fenomenológico. De ello trata en sus *Méditations Cartésiennes* (París, 1931), queriendo responder a aquellos que condenaban su filosofía considerándola un "solipsismo trascendental" (p. 126). Por la misma época escribía en el prólogo a la edición inglesa de sus *Ideas*: "... es dentro de la intersubjetividad... donde el mundo real se constituye como 'objetivo', como estando ahí para todos" (*Ideas: General Introduction to Pure Phenomenology,* trans. by W. R. Boyce Gibson [New York, 1931], p. 22). Y es que, como explica J. Xirau, las objeciones contra la fenomenología se disuelven, según Husserl, ya que "yo no me aprehendo sólo a mí mismo, sino que gracias a una forma peculiar de esta experiencia aprehendo al mismo tiempo al otro, y en él y por él al mundo que nos es necesariamente común (*La filosofía de Husserl* [B. Aires, Losada,

1941], p. 230). O, como dice otro expositor, Husserl arguye que el yo propio "no puede tener experiencia del mundo sin estar en contacto con otros yos. Debe haber una *sociedad de mónadas*" (cf. Marvin Farber, *The Foundation of Phenomenology* [Harvard Univ. Press, 1943], p. 533). Pero de todo esto se deduce que, pese a la similitud de términos en algunas ocasiones, el *otro* a que se refiere Husserl, las otras mónadas, de que él habla, tienen en su filosofía un papel muy diferente al que tienen en la de Machado. La diferencia entre ambos, a este respecto, es la misma que entre Husserl y Jaspers señalan los señores Dufrenne y Ricœur, ya que Jaspers "no trata de mostrar, como Husserl en las *Meditaciones Cartesianas,* que el otro está directamente implicado en el *cogito,* porque lo *cogitatum* no tiene significación objetiva si yo no lo pienso de acuerdo con él, con referencia a una pluralidad indefinida de conciencias. Y es que para Husserl el otro es sobre todo el garantizador de la objetividad del *noema,* y no en modo alguno una presencia concreta con la cual yo pueda tener una relación... El estudia la relación de conciencia a conciencia, Jaspers —y ahí su originalidad— la relación de existencia a existencia" (op. cit., pp. 153-154). Husserl, pues, un riguroso filósofo racionalista, necesita de los otros para conocer real y objetivamente; Machado, esencialmente un poeta, un existencialista, necesita de los otros para sentir, para sentirse, para conocerse.

Machado no debió leer a Husserl, si es que lo leyó, sino años después de escrito el apéndice. El mismo, al parecer, lo indica en estas líneas, que son de 1935: "Juan de Mairena es un hombre de otro tiempo... y no había alcanzado, o no tuvo noticia, de este moderno resurgir de la fe platónico-escolástica en la realidad de los universales, en la posible intuición de las esencias... de los fenomenólogos de Friburgo" (p. 600). Debió de todos modos interesarle ese "moderno resurgir", cuando tuviera noticia de él, ya que, como aún hemos de ver, desde 1915 por lo menos Machado añoraba una restauración de la antigua "razón helénica" como medio de salvar a la mónada de su soledad; como uno de los medios, pues otro sería, comenzó a decir poco después, el amor cristiano. Pero reaccionando contra esa primera tendencia, en el apéndice, que es donde expone su filosofía, Machado adopta una actitud esencialmente irracionalista, y, por tanto, difícilmente podría hablarse ahí de influjo alguno de Husserl. Ciertamente que irracionalismo hay en Scheler y en Heidegger, y éstos, sin embargo, tienen no poco de Husserl: tienen, al menos, el método fenomenológico que emplean en sus investigaciones, aunque sea aplicado en forma diferente a como Husserl lo empleara. El resultado de esos análisis, sobre todo en el caso de Heidegger, no será muy diferente de las conclusiones a que Machado llega, como luego vamos a ver; pero Machado *no emplea el método fenomenológico,* ni en verdad método alguno. Según el propio Husserl: "La explicación fenomenológica no hace sino poner de manifiesto los datos de la pura 'intuición', y no es sino una pura 'explicación del sentido' que la intuición ofrece de un modo original" *(Médit.,* pp. 128-129). Mas en verdad esa explicación, o descripción, fenomenológica, no es cosa tan sencilla como ahí parece, y supone un método riguroso para la captación de esencias, método del cual no hay ni rastro en el apéndice de Machado.

La idea de Machado en cuanto a ese impulso del yo hacia el *otro,* que resulta ser un otro inmanente a la conciencia, tiene, sin embargo, una cierta analogía con la idea de la *intencionalidad.* Sabido es que al hablar de intencionalidad Brentano aludía a esa "dirección hacia un objeto", a esa "referencia a un contenido" de todo fenómeno psíquico, es decir, al hecho de que todo pensamiento es pensamiento *de algo,* y sabido es que, partiendo de Brentano, Husserl desarrolló su método fenomenológico. Mas a Husserl lo que le interesa especialmente es la captación de las esencias de ese "objeto intencional", hacia el cual todo acto psíquico apunta; es decir, la descripción de las vivencias que de ese objeto haya alcanzado una conciencia "pura", purificada. Y por eso la *intencionalidad* de que se habla en fenomenología no es un mero tener conciencia de algo, sino que supone un poner "entre paréntesis" el objeto de la experiencia tanto como el sujeto, lo que se llama "reducción fenomenológica"; así como supone una reducción a la esencia, o "reducción eidética". Y claro es que de todo esto nada hay en Machado. Como el propio Husserl dice: "La peculiaridad de la experiencia intencional en su forma general se indica fácilmente: todos entendemos la expresión 'conciencia de algo'..., lo difícil es captar pura y correctamente las fenomenológicas peculiaridades de las correspondientes esencias" (*Ideas,* p. 255). Pues bien, si en Machado hay algo que recuerde la idea de la intencionalidad, sería concibiendo ésta sólo "en su forma general", o sea como "referencia" a otra cosa. De Brentano surgiría la idea, dice Julián Marías, del hombre como "algo intencional, excéntrico, y que señala a algo distinto de él" (*Historia de la filosofía* [Madrid, 1948], p. 355). Pero aun así existiría entre Brentano y Machado la diferencia, entre otras, de que Machado se refiere a un algo de que se tiene conciencia que resulta siempre ser un *otro,* es decir, un ser humano, un objeto de amor. El parecido mayor está sin duda en el hecho de que ese algo, ese objeto, persona o no, sea *en último término,* en Machado como en Brentano o Husserl, inmanente a la conciencia, algo que va con ella, y que no es considerado sino en tanto que ante ella aparece y como aparece. Nos volveremos a referir al parecido con Husserl, en este punto concretísimo, cuando nos ocupemos del idealismo o subjetivismo de Machado.

Grande o pequeño, el parecido entre la idea de Machado en cuanto al otro inmanente, objeto de amor, y el concepto de intencionalidad, es probablemente tan sólo casual. La idea de Machado proviene sin duda, sobre todo, de haber agregado la "otredad", el ansia de lo otro, a esa encerrada mónada de Leibnitz que extrae todas sus percepciones del fondo de sí misma; proviene de haber convertido en fraterna la mónada de Leibnitz; o, más bien, de haber reconocido en ella la fraternidad y el ansia de amor. Mas si, como parece probable, Machado (que no había podido leer a Heidegger o Jaspers en 1926, y seguramente tampoco había leído a Husserl o Brentano) había leído a Scheler, en éste pudo aprender la importancia que, después de Husserl, adquirió ese concepto de *intencionalidad* en la filosofía moderna; y no sería raro entonces que hubiera tratado de amoldar, en cierto modo, un pensamiento suyo a dicho concepto. Esto plantea el problema de la relación de Machado con Scheler, con lo que terminamos esta digresión, encaminada más que a buscar "influencias" a *situar* el pensamiento de Machado en el marco de la filosofía contemporánea, cosa que aún seguiremos haciendo a medida que se nos vaya revelando en qué consiste ese pensamiento.

A la muerte de Scheler aludió Machado con palabras que revelan una profunda estimación de su obra (p. 716). Y a él aludió otras veces. En el referido artículo sobre Heidegger, por ejemplo, dice que tanto éste como Scheler pertenecen a la "escuela de los fenomenólogos", y que la obra de Scheler consistió en extender "la esfera... de lo intencional, para hablar el lenguaje de la escuela, al campo de lo emotivo" (p. 794). Y, en efecto, eso es lo que Scheler hizo cuando, ya en 1913, escribió

Zur Phänomenologie und Theorie der Sympathiegefühle, obra que contenía, por cierto, un apéndice sobre "el fundamento para suponer la existencia de un yo ajeno". Dicha obra, corregida y aumentada, apareció en su lengua original, en 1923, con el título de *Wesen und Formen der Sympathie.* Esta segunda edición, o aún la primera, aunque ello resulte menos probable, bien pudo leerla Machado, que conocía el alemán, antes de 1926; es decir, antes de la fecha en que publicó la primera parte del apéndice. En dicha obra se hace una descripción fenomenológica de los fenómenos de la simpatía y el amor, y se nos descubre, en oposición a las tesis naturalistas, que "el amor es movimiento del ánimo y un acto espiritual", que "abre los ojos para valores más altos", pues gracias a ese amor todo "portador de valores" alcanza "los valores más altos posibles para él" (cf. *Esencia y formas de simpatía,* trad. José Gaos [Buenos Aires, Losada, 1943], pp. 191, 227, 231). El amor, pues, para Scheler resulta ser un modo de conocimiento, un modo de llegar a ser lo que se es. Claramente se ve la relación que esto tiene con lo que sobre el amor dice Machado, aunque él no emplee, como ya dijimos, para llegar a esa conclusión, el método fenomenológico, aplicado "al · campo de lo emotivo", sino que simplemente nos hable de la necesidad del amor. Ahora bien, no sería ese parecido base suficiente para sospechar que pudiera haber en Machado influjo de Scheler si no fuera porque, además de nombrarle con elogio, y más de una vez, hay otras ocasiones, como hemos aún de ver, en que lo que Machado dice en el apéndice, en relación con otros problemas, hace de nuevo pensar en Scheler, como en lo que se refiere a su planteamiento del problema de Dios, cosa que ya otros han señalado. El probar que Machado había leído a Scheler *antes de 1926* ayudaría además a explicar ciertos parecidos, a algunos de los cuales ya nos hemos referido y otros a que aún nos referimos, unas veces vagos y lejanos, pero otros concretísimos y sorprendentes, con Husserl, Jaspers, Heidegger y otros, ya que a través de él se acercaría al foco de la filosofía alemana contemporánea en sus diversas tendencias. Mas, por desgracia, yo no he encontrado prueba alguna definitiva.

Parece mucho más probable, como decíamos, que Machado leyera *Wesen...*, la edición de 1923, que la de 1913, pues antes de 1920 debía hablarse muy poco de Scheler en España. Pero ya en unos "proverbios y cantares", que se incluyen en las *Poesías completas,* y que están fechados en 1919, se refiere Machado a no pocos de los temas que trataría en el apéndice, aunque sea en forma en extremo condensada: "El ojo que ves no es / ojo porque tú lo veas; / es ojo porque te ve", dice el primero de esos proverbios; y el cuarto: "Mas busca en tu espejo / al otro que va contigo"; y luego aún escribe: "Un corazón solitario / no es un corazón" (pp. 301, 302, 315). Todo esto indica que su filosofía, sea ésta lo que sea, le andaba ya rondando en la cabeza por esa fecha. Y veremos que hay indicios, y más que indicios, de que en realidad el origen de sus ideas se remonta a años atrás, hacia la época en que escribió *Campos de Castilla,* y cuando, ya publicada esta obra, en 1912, se consagró a estudiar filosofía. Sería, pues, más que aventurado afirmar que fué Scheler quien le sugirió sus ideas, como lo es afirmar que fué Heidegger. En 1924, en un apunte de *Los Complementarios* escribía Machado: "El sentimiento no es una creación individual... Hay siempre en él una colaboración del tú, es decir, de otros sujetos... Mi corazón, enfrente del paisaje, apenas sería capaz de sentir el terror cósmico, porque aún este sentimiento elemental necesita para producirse la congoja de otros corazones." Y termina esa nota refiriéndose a "... ese tercer mundo en que todavía no ha reparado suficientemente la psicología del mundo *de los otros yos*" (cf., *Cuadernos Hispanoamericanos,* 19 [enero-feb., 1951], p. 28). Estas últimas líneas tal vez pudieran contener una alusión a Scheler, ya que la parte final de *Wesen*... trata "Del yo ajeno", con un capítulo dedicado a "La evidencia del tú en general" y otro a "La percepción del prójimo". Este leve indicio es el único que puedo mostrar para ayudar a probar que Machado había leído a Scheler antes de 1926; más claro es que al aludir a la "psicología del mundo *de los otros yos*" bien pudiera referirse a otro autor; y aún haría pensar esto el hecho de que él hable de "psicología", cuando Scheler reaccionaba contra el punto de vista de los psicólogos en lo que se refiere a los problemas que despierta la percepción del "yo ajeno". Mas, tal vez, precisamente por haber leído a Scheler, se refería con cierto desdén a esos psicólogos.

Indicaremos ahora, por último, que el tema del *otro,* que aparece con gran frecuencia en lós filósofos de este siglo, aunque no todos se ocupen de él de modo análogo, ni mucho menos, es un tema que arranca de los filósofos alemanes del romanticismo. Se encuentra ya en Fichte, y luego en Hegel. Dicen al respecto Dufrenne y Ricœur: "El problema del otro aparece en la historia como un descubrimiento y una adquisición de la filosofía moderna. Se podría decir que el advenimiento de dicho problema ocurre con Hegel. Hasta entonces, las agresivas paradojas del solipsismo no habían atraído la atención de los filósofos: la presencia del otro se daba por descontada, y el único problema que ésta planteaba era de orden estrictamente moral. Mas a partir de la *Fenomenología del espíritu* no es ya posible escamotear el problema de la realidad del otro y de la posibilidad de un diálogo con él..." *(Karl Jaspers et...,* p. 153).

Es la falta de Dios, decíamos, la causa verdadera de esa *otredad* del alma a que Machado se refiere. Es a Dios a quien en verdad buscamos estando en soledad.

Mas si Cristo, como Machado dice, reveló que el fin del alma no está en sí misma, reveló también que su fin, como su origen, está en el Padre. Lo triste es sentir esa "incurable alteridad" del alma, el ansia de Dios, y no creer en El. Quien cree en El cree en el prójimo, y ama a éste por amarlo a El. Ya Mairena decía que la fundamental enseñanza del Cristo es ésta: "Sólo hay un Padre, padre de todos, que está en los cielos." Y a continuación el mismo Mairena comentaba: "He aquí el objeto erótico, trascendente, la idea cordial que funda, para siempre, la fraternidad humana" (p. 520). Pero Machado era tan sólo un buscador de Dios:

> *Por los caminos, sin camino, como*
> *el niño que en la noche de una fiesta*
> *se pierde entre el gentío*
> *y el aire polvoriento y las candelas*
> *chispeantes, atónito, y asombra*
> *su corazón de música y de pena,*
>
> *así voy yo...*
> *siempre buscando a Dios entre la niebla* (p. 113).

Era Machado de los que piensan que, sin fe previa, las pruebas racionales de la existencia de Dios no prueban nada. Su Dios era tan sólo el Dios del corazón. Mas esto necesita ser explicado.

Al hablar del "Dios del corazón" no resulta siempre muy claro si se habla sobre todo de un Dios existente fuera del corazón, y revelado, manifestado en el corazón del hombre, o bien si se trata de un Dios *sólo del corazón,* es decir, tan sólo de un presentimiento o nostalgia de Dios en el hombre, de una postulación de Dios que, por sí misma, no constituye ni mucho menos, digan lo que digan ciertos teólogos, una prueba convincente de la existencia objetiva de El. En todo fideísmo tal equívoco queda a menudo latente. Y es que un Dios sujeto a nuestras palpitaciones, angustiosamente sentido, tiende a identificarse con el anhelo que de El se tiene; tiende a convertirse en un Dios inmanente al hombre, sólo inmanente, lo cual equivale a una negación del verdadero Dios. Por eso sin duda dice E. Gilson que fideísmo y escepticismo a lo largo de la historia fueron a menudo unidos *.

Pues bien, el Dios de Machado era el de los fideístas, pero de esos fideístas que empiezan por afirmar, no la existencia objetiva de Dios, sino el ansia de El sentida en el corazón. "Dios revelado... en el corazón del hombre..., una otredad inmanente", escribía el propio Machado hacia 1935 (p. 618). "Inmanente", dice, sí, y "revelado"; pero quiere decir sin duda revelado como una nostalgia. Sólo los místicos alcanzan, por especial gracia divina, una revelación directa, o lo que ellos creen tal, lo cual para el caso viene a ser lo mismo. Para Machado, por lo que él dice en numerosas ocasiones, como para tantos otros mortales, ese Dios revelado en el corazón, de que él habla, esa otredad inmanente, era sólo un *deseo* de Dios. Y claro es que un hombre que siente en su corazón ese deseo de Dios puede, ade-

* "La combinaison du scepticisme et du fidéisme est classique et de tous les temps" (*La philosophie au moyen âge,* 3a. ed. [Paris, 1947] página 655).

más, creer en El. Siempre hubo fideístas que empezaron por
creer en Dios, sin necesidad de pruebas, que sentían a Dios revelado en su corazón, aún sin ser místicos, y que precisamente
por creer sentían la nostalgia de Dios, el dolor de la separación,
y ansiaban un conocimiento más íntimo. Y algunos de éstos de
pura fe, de pura impaciencia, fueron arrastrados a una cierta
desesperación, al ansia expresada en el famoso *muero porque no
muero.* Pero hubo siempre también, y abundan hoy sobre todo,
fideístas que nunca estuvieron seguros de nada, salvo de su necesidad de Dios; fideístas que empiezan, diríamos, por el anhelo de Dios, no por la fe, y basándose en ese anhelo, y sólo
en él —ya que estos rechazaron siempre las pruebas, y mucho
más después de Kant— quieren llegar a creer. Mas no siempre,
ni mucho menos, lo consiguen. La fe, si es que llega a brotar,
lo que raramente ocurre, nace en ellos de la desesperación, como
en Kierkegaard, o como Kierkegaard quería, y no la desesperación de la fe, como sucede a los místicos, y como sucede a
otros creyentes, ansiosos de un más pleno conocimiento de
Dios, mientras se hallan en esta vida.

Pocas veces, decimos, esos fideístas que empiezan por el
anhelo de Dios, sólo por el anhelo, llegan a creer. Las más veces *dudan,* y muy frecuentemente, aun sintiendo mucho en su
corazón la necesidad de Dios, no creen en El. A menudo ocul-
tan, como Unamuno—creo yo—esa incredulidad bajo la *duda.*
Pero hay también quien deseando muy sinceramente a Dios,
definitivamente no cree en El. Tal era el caso de Machado, que,
como vamos a ver, creía sobre todo en la nada. Del sentimiento
de la nada brotaban, para él, metafísica y poesía. Era, pues, Machado de los fideístas que, más propiamente, o con más claridad al menos, podríamos llamar ateos, aunque ciertamente ateos
insatisfechos: hombres que sienten la falta de Dios.

La fe de Machado, si alguna vez existió, debió ser a lo más —salvo en la niñez— como en el caso de Unamuno, una momentánea fe a la desesperada, como esa a que alude cuando escribe:

> *Creo en la libertad y en la esperanza,*
> *y en esa fe que nace*
> *cuando se busca a Dios y no se alcanza* (p. 257).

Creer "en la esperanza" y en la "fe" —como esa "fe en la fe misma" que Unamuno aconsejaba hacia 1900— es cosa que tiene poco sentido. Unamuno, por su parte, así lo reconocería más tarde, al repudiar en *Del sentimiento trágico de la vida* su ensayo anterior *La fe*. Y Machado se refiere además, en los versos citados, y esto es lo que ahora nos importa, a una "fe que nace cuando se busca a Dios y no se alcanza", esto es, a una fe que nace de la desesperación, y que alguna vez quizás él en verdad sintiera, como la había sentido al menos una vez Unamuno —en 1897— aunque yo más bien creo que en éste como en otros casos, Machado se dejaba influir por Unamuno, a quien él admiraba ya a principios de siglo y siguió admirando hasta su muerte *. Pero de todos modos, esa fe a que Machado ahí se refiere suele ser, como fué en el caso de Unamuno, muy poco duradera; y, en general, puede decirse que es cosa tan

---

* En más de una página de *Campos de Castilla* se alude a Unamuno, y en otras se percibe un eco de él. "Siempre te ha sido, ¡oh Rector / de Salamanca!, leal / este humilde profesor / de un instituto rural. / Esa tu filosofía... / gran Don Miguel, es la mía," se lee en "Poema de un día" (p. 211), de 1913. En febrero de 1937, a raíz de la muerte de Unamuno, se refería a los cuatro "Migueles ilustres y representativos" de España, esto es, Cervantes, Servet, Molinos y Unamuno

vaga—apenas algo más que un simple no conformarse con la muerte—que a duras penas puede ser llamada fe. Por eso precisamente Unamuno, lo mismo que en los citados versos Machado, sentía la necesidad de afirmar la voluntad de sostenerla, voluntad de creer en esa esperanza, en esa "fe". No debió, pues, ser ese momento, como tampoco algún otro que en su obra pudiera señalarse, sino una muy remota y pasajera esperanza, a lo más; un fuerte *deseo,* más que verdadera fe, de que realmente existiera fuera del corazón ese Dios que su corazón ansiaba. Y en todo caso, es un hecho que, al contrario que Unamuno, Machado no insiste nunca en agarrarse a una tal dramática esperanza cuando ya ha perdido el impulso que la hizo nacer, y menos insiste en exhibirla y pavonearse con ella. Machado, más simple y honestamente, desesperaba sin alharacas. Y si algo insistió en afirmar, fué su incredulidad, su dolorosa negación. Eso hace en el apéndice, como aun veremos, y eso hacía diez años antes cuando escribía en *Profesión de fe*:

> el Dios que todos hacemos
> el Dios que todos buscamos
> y que nunca encontraremos (p. 247).

Era Machado ciertamente, como dice P. Laín Entralgo, un "menesteroso buscador de Dios" (*La generación del noventa y ocho,* [Madrid, 1945], p. 130). Pero no destaca Laín Entralgo lo bastante ni destacan otros que tras él se han referido al inmanentismo religioso de Machado, que su ansia de Dios se le-

(p. 743). Y por esos mismos días, y después, más de una vez, le oyó quien esto escribe, en conversación privada, manifestar hacia Unamuno el mismo respeto y admiración que había expresado en sus escritos, si no mayor.

vanta sobre la conciencia de la nada, que era en él lo fundamental; se levanta, en suma, sobre la base de una verdadera negación *. Esto resultará evidente cuando hablemos de su concepción, tan parecida a la de Heidegger, en cuanto al ser y la nada. Pero, además, se advierte en otras muchas ocasiones, como cuando escribe, al final del volumen primero de *Juan de Mairena:* "Mi maestro —habla siempre Mairena a sus alumnos— escribió un poema filosófico... cuyo primer canto, titulado *El Caos,* era la parte más inteligible de toda la obra. Allí venía a decir, en substancia, que Dios no podía ser el creador del mundo, puesto que el mundo es un aspecto de la misma divinidad; que la verdadera creación divina fué la Nada..." (página 698). Que Dios no es el creador del mundo, que el mundo es "un aspecto" de la divinidad —clara afirmación de panteísmo— es cosa que él repitió a menudo.

Poco después, en 1937, en el volumen segundo de la misma obra, se refería a una versión "heterodoxa", que era la suya, sobre la divinidad de Cristo, "el hombre que se hace Dios, *deviene* Dios para expiar en la Cruz los pecados más graves de la divinidad misma" (p. 741). Podría alguien pensar que, pese a su heterodoxia, creía él en la divinidad de Cristo. Mas en la misma página advierte, no sin cierta sorna, que tal divinidad está "a salvo" en todo caso, ya que o bien Cristo "fué el divino Verbo", que es la versión ortodoxa, o fué "el hombre que se hace Dios", que era lo que Mairena creía. Y así se comprende lo que quiere decir con eso de que Cristo *deviene* —subrayado

* En la misma página escribe Laín Entralgo: "Su idea de Dios —Dios como realidad ínsita en el hombre y como creación inmanente del espíritu humano que le busca—tiene tal vez una raíz en el pensamiento de Unamuno y coincide extrañamente con la concepción scheleriana de la divinidad".

por él— Dios, y por qué habla de los "pecados" de la divinidad, esos pecados que Cristo debió expiar. Lo que se quiere decir, me parece, es que ya que la nada es lo que está reservado al hombre —como se ve en el poema "Muerte de Abel Martín", publicado después del apéndice (pp. 434-438), y que es uno de los últimos que escribió— éste, inconforme con su destino, convierte a Cristo en Dios, y así Cristo *deviene* Dios, para expiar el pecado de la divinidad, que consiste en haber dado al hombre tan sólo la nada.

Ese llegar a ser Dios, ese *devenir* tiene también, podría decirse, un sello hegeliano. Pero no hay que olvidar que en la cita anterior no dice Machado que sea el hombre quien deviene Dios, sino *el Cristo*; y, en suma, lo que Machado hace, simplemente, es poner de manifiesto una vez más su incredulidad, aunque ocultando ésta con la ironía. Lo cual no quiere decir, claro es, que tomara a broma los sentimientos religiosos.

Ese pesimismo que se esconde tras su ironía, como tras su anhelo, es lo que verdaderamente se encuentra en el fondo del pensamiento de Machado, aunque él no quisiera aceptarlo. Nadie podría a él acusarlo de haberse "instalado" en la negación sin buscar a Dios. El no hizo sino buscar. Pero el pesimismo o la negación reaparecen a menudo, como cuando, en el mismo artículo, unas páginas antes, dice que él no aconseja la duda de los filósofos, duda metódica o cartesiana, "ni siquiera de los escépticos propiamente dichos, sino la duda poética, que es duda humana, de hombre solitario y descaminado, entre caminos. Entre caminos que no conducen a ninguna parte" (p. 737). *No conducen a ninguna parte,* afirmaba, pues, poco antes de morir; como muchos años antes había afirmado que *nunca encontraremos* a Dios.

Era la nada lo que sentía en el fondo de sí, y no es extraño que de ese fondo se levantara en él con frecuencia una apasionada nostalgia de Dios. Pasó la vida "buscando a Dios entre la niebla"; pero sólo admitiendo que el sentimiento de la nada era en él lo básico, el punto de partida, puede entenderse lo que en el apéndice se dice en cuanto a la "metafísica" de Martín y de Mairena, que es lo principal de su pensamiento y de la cual nos vamos a ocupar más adelante. Si lo que Machado dice en sus fragmentos filosóficos no se ha comprendido, ello se debe en gran parte, creo yo, a que no se ha comprendido ni querido comprender qué es lo que verdaderamente él dice en cuanto al problema de Dios

Algo bien significativo—y nada católico por cierto—es que él, como tantos otros buscadores de Dios, rechazara el apoyo de la razón como medio de conocimiento de lo divino. El fideísmo de Machado, decíamos, era sólo el de los anhelantes de fe. Pero coincidía él con otros muchos fideístas, de mayor o menor fe, en su antipatía hacia los teólogos racionalistas, los que empiezan por aceptar las pruebas, y "prueban" en efecto la existencia de Dios, acaso sin haber sentido jamás el ansia de Él dentro del corazón. Con poco respeto se refería Machado al "dios aristotélico", causa primera, dios que aunque todo lo mueve permanece inmóvil ya que, como hacía observar Mairena, "no hay quien lo atraiga o le empuje, y no es cosa de que él se empuje o se atraiga a sí mismo" (p. 667). Y más adelante, cuando habla de esa versión heterodoxa del Cristo que *deviene* Dios, decía creer "en una filosofía cristiana del porvenir, la cual nada tiene que ver —digámoslo sin ambages— con esas filosofías católicas, más o menos embozadamente eclesiásticas, donde hoy, como ayer, se pretende enterrar al Cristo en Aristóteles... Nosotros partiríamos de una total jubilación de Aristóteles... esto es para nosotros un acierto definitivo de la crítica filosófica, sobre el cual no hay por qué volver" (p. 742).

El "acierto definitivo" de la crítica, a que se refiere, y en general toda esa actitud suya en cuanto al "dios aristotélico", claro es que tiene mucho que ver con la crítica kantiana, bajo el peso de la cual se desarrolla el pensamiento de Machado, como el de tantos otros filósofos y teólogos contemporáneos. Bien sabido es que toda la *Crítica de la razón pura* no tiende sino a mostrar la imposibilidad en que la razón se encuentra de probar, o negar, la existencia de Dios. "El conocimiento nunca puede ir más allá de los límites del mundo sensible", repite Kant constantemente en esa obra (cf. Immanuel Kant's *Critique of Pure Reason,* tr. F. Max Müller, 2a ed. [New York, 1907], p. 201). Especialmente en el libro I de la "Dialéctica trascendental", en la misma obra, Cap. III, Sec. III-VII (loc. cit., páginas 471-516) se ocupa "De los argumentos de la razón especulativa para probar la existencia de un Ser supremo", y ahí reduce todas las pruebas —físico-teológica, cosmológica y ontológica— a una, la ontológica, que refuta cumplidamente, concluyendo: "Si, por lo tanto, trato de concebir un ser como la más alta realidad (sin ningún defecto), la cuestión permanece aun si dicho ser existe o no" (p. 484). Y también: "...cualquier existencia fuera de ese campo [el de la experiencia], aunque no pueda ser declarada en absoluto imposible, es sólo una suposición" (p. 485). En cuanto a la prueba por la aplicación del principio de causalidad, la prueba aristotélica, es también imposible, pues ese principio no tiene sentido sino aplicado "al mundo de los sentidos" (p. 491). En suma, "la necesidad de la existencia nunca puede ser conocida por conceptos" (p. 184).

Sin embargo, queriendo escapar del yugo de esa crítica, buscando un rayo de esperanza, Machado pensó a veces que, en último término, todo es cuestión de fe —fe religiosa o fe en la razón— ya que con fe podían resultar válidas esas pruebas que Kant refuta. En 1935 escribía: "Es muy posible que el argumento ontológico... no haya convencido nunca a nadie, ni siquiera al mismo San Anselmo... Descartes lo hace suyo y lo refuerza con razones que pretenden ser evidencias... Más tarde Kant, según es fama, le da el golpe de gracia". Y después de exponer brevemente el tal argumento y la crítica kantiana, agrega: "Reparad, sin embargo, en que vosotros no hacéis sino oponer una creencia a otra... El argumento ontológico lo ha creado una fe racionalista de que vosotros carecéis, una creencia en el poder mágico de la razón para intuir lo real... El célebre argumento no es una prueba; pretende ser —como se ve claramente en Descartes— una evidencia. A ella oponéis vosotros una fe agnóstica, una desconfianza de la razón... Porque todo es creer, amigos, y tan creencia es el *sí* como el *no*" (p. 512-515). Y más adelante por boca de Mairena aun llega a afirmar que algún día resurgirá "la fe idealista" y volverá a ser válido el argumento ontológico, y éste se podrá hacer extensivo a otras ideas, pues para ello "bastará con que se debilite la fe kantiana, ya muy limitada de suyo". Mas a continuación agrega: "Entonces nosotros, escépticos incorregibles, tendremos que hacer algunas preguntas. Por ejemplo: ¿creéis en la muerte, en la verdad de la muerte, por el hecho de pensarla...?" (p. 780). Con lo cual Machado recae a ese escepticismo al que, tras diversas piruetas, siempre va a dar; ya que, en efecto, si se deduce la existencia, la realidad de Dios, de la idea que de Dios tenemos, lo mismo podría deducirse la verdad absoluta de la muerte, pues como él en otra ocasión advierte, ésta es una idea que nos acompaña, y no una experiencia: "Es una idea esencialmente apriorística; la encontramos en nuestro pensamiento, como la idea de Dios... Hay quien cree en la muerte, como hay quien cree en Dios. Y hasta quien cree alternativamente en lo uno y en lo otro" (p. 711). Machado tenía en sí, obsesionantes, las dos ideas, pero es evidente que en él dominaba la creencia en la muerte, en la nada.

Cuál sería, con todo esto, esa "filosofía cristiana del porvenir" a que se refiere y cuyo advenimiento al parecer esperaba, es cosa que no sabemos, pero desde luego tendría poquísimo que ver con "esas filosofías católicas", como él dice. Mucho más tendría que ver, si acaso, con ciertas filosofías existencialistas de raíz protestante en las que, siguiendo a Kierkegaard, Dios se descubre en lo hondo de la conciencia, como fruto de la desesperación. El propio Machado insinúa a qué tipo de filosofía se refiere al escribir poco antes, poniendo como siempre sus palabras en boca de Mairena: "Imaginemos —decía mi maestro Martín— una teología sin Aristóteles..." Es decir una teología en que la existencia de Dios no quede garantizada mediante las pruebas racionales. En una tal teología Dios quedaría sujeto a los vaivenes de nuestro propio corazón, alimentándose, como Unamuno decía, del ansia que de Él tengamos. Por eso, un alumno protesta diciendo que un Dios "totalmente zambullido en el tiempo" es inaceptable. Y Mairena, desconcertado, responde: "La verdad es... que en toda concepción panteísta —la metafísica de mi maestro lo era en sumo grado— hay algo monstruoso y repelente; con razón la Iglesia la ha condenado siempre... Yo, sin embargo, os aconsejo que meditéis sobre este tema para que no os coja desprevenidos una metafísica que pudiera venir de fuera y que anda rondando la teología, una teología esencialmente temporalista" (pp. 658-660). Y así vemos que esa "filosofía cristiana del porvenir", sin Aristóteles, a que luego se refiere, que seguramente es esta misma que anda rondando una teología "temporalista", no le dejaba a él tampoco satisfecho, ni podía dejarle faltándole fe para afirmar la existencia, fuera de él, fuera del tiempo, de ese Dios sentido primero en el corazón. Una tal teología corre siempre el peligro de caer en inmanentismo, en panteísmo; esto es, corre el peligro de negar la existencia de Dios, de un Dios objetivo, fuera del mundo y de nosotros, un Dios que pudiera salvarnos. Así, sin duda, lo creía Machado, y por eso le parece insuficiente, "repelente". Pero claro es que *teniendo fe,* es posible concebir una teología como la que él indica, sin Aristóteles, en la que se comience por sentir la necesidad de Dios, y no se *pruebe* la existencia de Él, pero *se crea en Él*; se crea que, además de sentirlo dentro, Dios está fuera. Tal es modernamente, por ejemplo, la teología de Barth; y rondando una teología de este tipo se hallan ciertas filosofías, como la de Scheler, en ciertos momentos, y aun más la de Jaspers. "El advenimiento del hombre y el advenimiento de Dios se implican, pues, naturalmente, desde un principio... Se me dirá—y se me ha dicho en efecto— que no le es posible al hombre soportar un Dios imperfecto, un Dios que se está haciendo. Respondo que la metafísica no es una institución de seguros para hombres débiles..." (*El puesto...,* pp. 164-165). Jaspers por su parte, en su *Metafísica,* en el tomo III de su *Philosophie* (Berlín, 1932), habla de la Trascendencia, que se revela al hombre en la angustia, en las "situaciones-límite", a la vez que rechaza el concepto de Dios como *primer motor* y el valor demostrativo de las pruebas, ya que la Trascendencia "no se prueba: se testifica" (cf. p. 66 y siguientes y 22 y ss.). Y en cuanto a la teología de Barth, por lo que tiene de kierkegaardiana, podría ser también calificada de "temporalista" (y, según sus críticos, de inmanentista, de ser un "nuevo modernismo"); pero lo que él hace es incitarnos a que nos elevemos hasta ese Dios, a que creamos en ese Dios, que se revela en el corazón como "lo fundamentalmente Otro", lo que nosotros no somos, y a lo que aspiramos: "When we Christians speak of 'God', we may and must be clear that this word signifies *a priori* the fundamentally Other, the fundamental deliverance from that whole world of man's seeking, conjecturing, illusion, imagining and speculating" *(Dogmatics...,* página 36). Esto, que recuerda mucho a Kierkegaard —a quien tal vez Machado había leído— se parece bastante a lo que se lee en *Juan de Mairena,* después de una nueva andanada contra "el Dios aristotélico", de que "Dios revelado, o desvelado, en el corazón del hombre es una otredad muy otra, una otredad inmanente... Porque es allí, en el corazón del hombre, donde se toca y se padece esa otredad divina..." (pp. 617-618). La diferencia con Barth, y de ahí el extremo "temporalismo" de la teología de Machado, es que para él esa *otredad* era definitiva y únicamente *inmanente,* es decir, era sólo un deseo de lo Otro que no implicaba la existencia real, objetiva de eso Otro fuera de nosotros.

La filosofía "del porvenir" a que Machado se refiere, filosofía existencialista, temporalista, pero de la que falta esa fe que él añora, no es sino un inmanentismo a secas, es decir un deseo, una necesidad de Dios; un Dios en el corazón y *sólo* en el corazón; algo que él desea tener, pero que no tiene. Y así, por cualquier lado que las miremos, y pese a todas las apariencias, todas las palabras de Machado, en lo que a religión se refiere, van a dar lo mismo: a la nostalgia de una fe que no tenía.

Quienes a pesar de todo esto que hemos dicho, y mucho más que pudiera decirse (como, por ejemplo, sus ataques a esa España "devota de Frascuelo y de María", pp. 226-227, según escribía en 1913; o a esa España de las "fuerzas negras—¡y tan negras!", p. 892, según escribía desde Valencia, en 1937) hablen todavía de una robusta "fe cristiana" en Machado, como hace la romántica editora de las cartas de Machado a *Guiomar,* claro es que no se enteran de cuál era su religión, su filosofía o su poesía: no se enteran de nada. Críticos mejor informados, sin embargo, aun lamentando mucho que Machado no fuera católico, se han referido ya al inmanentismo religioso de éste, y a su desesperada necesidad de Dios, aunque no hayan reconocido ese fondo de negación, de *nada* que en él había, y que es lo fundamental; y aunque, bien sea por caridad o prudencia, o por ambas cosas juntas, no hayan sido suficientemente claros y explícitos *.

SUBJETIVISMO Y ÉTICA

Era, pues, Machado un buscador, sólo un buscador de Dios; y por ello no es extraño que en vez de pedir amor al prójimo por amor de Él, porque hay Dios, diga que es necesario amar al prójimo, *creer* en él, para así salvarnos, para que haya Dios: "Cuando... el hombre crea en su prójimo, el yo en el tú, y el ojo que ve en el ojo que le mira, puede haber comunión... Y para entonces estará Dios en puerta. Dios aparece como objeto

---

* "Dios se le vuelve una pura creación del hombre—'El Dios que todos hacemos', el Dios del primer Bergson y del último Scheler, el Dios de un cierto Unamuno...", escribe José Luis L. Aranguren en su artículo "Esperanza y desesperanza de Dios en la experiencia de la vida de Antonio Machado". Y al terminar el mismo: "Si por religiosidad se entiende la fe en un Dios trascendente, su peregrinar espiritual consistió en un fluctuar entre escepticismo e inconcreta creencia, entre desesperanza y esperanza" (cf. *Cuad. Hisp.* núms. 11-12, pp. 393 y 396).

de comunión cordial que hace posible la fraterna comunidad humana" (p. 616). Es claro que "creer" en el prójimo supone ahí no sólo admitir la realidad de su presencia física, sino también la realidad de su alma. Lo que Machado hace, en suma, es postular una actitud ética con respecto a ese prójimo, y ello como base para una postulación de Dios. Una vez recuperado, conquistado, Dios vendría a ser, a su vez, el "objeto de comunión cordial" que sostendría esa fraternidad. Pero meses antes, según ya vimos, en el artículo no recogido en volumen en que se refería a la posibilidad de "una comunión cordial entre los hombres", reconociendo que "una fe religiosa parece cosa difícil en nuestro tiempo", se limitaba a postular como "fundamento metafísico" de esa comunión una actitud ética, esto es, "creer que existe el prójimo". Tendiendo, pues, en último término a recuperar a Dios, o bien renunciando a él, Machado en todo caso pedía una actitud moral con respecto a nuestro prójimo, al otro, la cual cifraba en *creer* en él. Es quizá oportuno mencionar aquí la relación que tiene ese "creer" en el prójimo de Machado, con la *prueba moral* de Fichte en cuanto a la existencia de ese prójimo. El pensamiento de Fichte al respecto lo resume así Scheler en *Esencia...*: "Partiendo de una primitiva conciencia del deber, o de una pura conciencia de lo que debe ser... en cuanto núcleo y esencia del 'yo' puro, hay que 'exigir' la forzosa existencia de sujetos *extraños* con el carácter de un yo 'para los cuales' pueda 'yo' tener deberes" (p. 320). Y en cuanto al amor al prójimo como base del amor divino, escribe Scheler en la misma obra: "Es el universal amor a la persona una condición esencial para el amor a Dios". El mismo se refiere, más adelante, lo mismo que Machado, a la necesidad de fundar, a su vez, ese amor al prójimo en "Dios como el sujeto correlativo de una relación entre personas anterior por su origen a todas las demás" (op. cit., pp. 143 y 323). Ya dijimos que es posible, y aun probable, que Machado conociera esta obra de Scheler antes de escribir el apéndice; y muy probable es, en todo caso, que la conociera luego. En más de una ocasión, como vemos, el pensamiento de Machado parece tener cierta relación con el de Scheler. Pero es cierto también que, a veces, como en este caso, la coincidencia es en ideas que se pueden encontrar en otros muchos autores. Por ejemplo, en cuanto al amor al prójimo como base para la creencia en Dios, escribe Dostoïewsky, por boca del padre Zossima: "Esfuércese en amar al prójimo activamente y sin cesar. A medida que su amor aumente, se irá convenciendo de la existencia de Dios y de la inmortalidad del alma" (*Los hermanos Karamazov* [México, Nueva España, 1944], p. 77). Y ya en la primera epístola de San Juan se lee: "El que no ama, no conoce a Dios" (IV, 8).

Pero lo malo es que Machado, que no podía creer en la existencia objetiva de Dios, no podía tampoco creer con firmeza en la existencia real y verdadera, objetiva, de ese otro. Este idealismo no excluye en modo alguno, claro es, ese esfuerzo por *creer* éticamente en él, en el otro que ante nosotros aparece, exista en verdad o no. Al contrario, diríase que justamente por no acabar de convencerse de la objetividad del prójimo se esforzaba en comportarse de un modo decente ante él.

Para Machado ese *otro* que amamos y hacia el cual tendemos, ese otro que necesitamos, y del cual nuestra alma está llena, no existía en verdad sino con nosotros, en nuestro propio corazón. Con frecuencia se revolvía él contra esa creencia solipsista, y por ello podría pensarse que no era la suya. Sin embargo, leyéndole con atención poca duda puede caber de que esa "objetividad" que creía tan necesaria, y que por tantos caminos diferentes siempre trató de afirmar, en verdad era para él algo completamente ilusorio. Así lo dice en el apéndice: "Porque Abel Martín no ha superado, ni por un momento, el subjetivismo de su tiempo, considera toda objetividad propiamente dicha, como una apariencia, un vario espejismo..." Mas —y ésta es una idea en la que él ponía especial énfasis— esas apariencias tienen en nuestra vida, en la vida del poeta, que las ama, un papel análogo al que tendrían auténticas realidades. Y por ello agrega: "...apariencias, espejismos o proyecciones ilusorias, producto de un esfuerzo desesperado del ser o sujeto absoluto por rebasar su propia frontera, tienen un valor positivo, pues mediante ellas se alcanza *conciencia* en su sentido propio" (página 373). Ya veremos por qué él dice que gracias a dichas apariencias alcanzamos conciencia de nuestro propio ser. Lo que ahora queremos destacar es la afirmación tajante de que son sólo "apariencias" esos seres que conmueven nuestro corazón. Y así pudo escribir en unos versos dedicados a *Guiomar,* a esa mujer que hoy sabemos existía, y que él la amó muy verdaderamente, que "todo amor es fantasía", aunque "no prueba nada,/contra el amor, que la amada/no haya existido jamás" (página 430).

Al comienzo de la primera parte del apéndice escribía Machado que el título de una de las obras de Abel Martín era "Las cinco formas de la objetividad". Mas en seguida agrega que el propio autor se veía obligado a reconocer que de esas cinco formas cuatro de ellas —el mundo de la ciencia, el "mundo fenoménico", etc.— no eran sino "apariencias de objetividad". Y en cuanto a la última resultaba ser también "una quinta pretensión a lo objetivo... que parece referirse a un *otro* real, objeto no de conocimiento, sino de amor" (pp. 358-359).

Ese otro, pues, en tanto que objeto de amor, es "real"; pero en verdad no resulta ser sino una "pretensión" de objetividad.

Y hay, como aun veremos, un momento trágico en la filosofía de Machado, cuando el hombre descubre el carácter inmanente de lo otro todo, la ilusoria realidad de esos que él llama "reversos del ser" o proyecciones de nuestra conciencia. Entonces, en el mismo momento en que se descubre dicha inmanencia, se advierte el impulso que nos mueve hacia esos "reversos", hacia lo que no se halla sino dentro de nosotros mismos. En esa tensión consiste en último término la famosa "heterogeneidad del ser"; esto es, no sólo en el impulso hacia el otro, o lo otro, hacia Dios, sino en la conciencia que alcanzamos de la irrealidad de ese otro; conciencia de la imposibilidad de que se realice nuestro anhelo de solitarios. Por eso dice Machado que es el "fracaso del amor" lo que revela nuestra intimidad, nuestro ser. Es al descubrir que el otro no existe cuando ocurre el fracaso.

Hacia 1934, al comenzar *Juan de Mairena,* Machado decía: "*De lo uno a lo otro* es el gran tema de la metafísica... *Lo otro no existe*: tal es la fe racional... Abel Martín, con fe poética, no menos humana que la fe racional, creía *en lo otro,* en 'La esencial Heterogeneidad del ser', como si dijéramos, en la incurable *otredad* que padece lo *uno*" (p. 453). Aquí podría parecer que se contradice lo que en cuanto a su idealismo hemos afirmado, pero no se contradice. Lo que él afirma es que Martín creía en lo otro con "fe poética", y ésta, como Machado aclara más de una vez, es la del poeta que "como tal, no renuncia a nada, ni pretende degradar ninguna apariencia" (p. 376), esto es, la del que toma por realidades las apariencias, la del que se comporta ante ellas como si no fueran apariencias. Pero obsérvese, además, que si se dice que Martín creía en lo otro, con fe poética o como fuese, inmediatamente ese otro es identificado con la "esencial Heterogeneidad del ser", lo cual es "como si dijéramos" identificarlo con la *otredad* del alma, con la nostalgia de lo otro. En lo que Martín pues cree, en definitiva, es en su anhelo de lo otro, no en la objetividad de éste. Por algo califica Machado de "metafísica intrasubjetiva" (p. 374) esa de Martín, que era la suya.

En 1935 decía refiriéndose a Berkeley: "El solipsismo podrá responder o no a una realidad absoluta, ser o no verdadero; pero de absurdo no tiene un pelo. Es la conclusión inevitable y perfectamente lógica de todo subjetivismo extremado" (página 650). Y claro es que ese solipsismo, para quien tanta importancia daba al prójimo, al amor, no deja de plantear un grave problema. Así el propio Mairena dice en la misma página: "El problema del amor al prójimo... nos plantea agudamente otro... el de la existencia real de nuestro prójimo. Porque si nuestro prójimo no existe, mal podremos amarle... la cuestión es grave. Meditad sobre ella". Un alumno de Mairena objeta que para el amante "prácticamente no hay problema", y se apoya en el mismo razonamiento que Machado expone otras veces, esto es, que obrando las apariencias como realidades, siendo todo apariencia, es como si todo fuera realidad, y la cuestión de la objetividad del mundo externo carece de sentido. Pero a Machado no debía convencerle del todo ese argumento, ya que siempre a él volvía, y a la vez, siempre recaía en ese subjetivismo del cual quería salir.

Escribía en la primera parte del apéndice, refiriéndose al "mundo sensible", que éste "aunque pertenezca al sujeto, no por ello deja de ser una realidad firme e indestructible, sólo su objetividad es, a fin de cuentas, aparencial" (pp. 362-363). Y así vemos que Machado habla repetidamente del mundo "aparencial", es decir, de las representaciones que en nuestra mente tenemos de las cosas del mundo, existan en verdad éstas o no. En último término no se trata de una negación de la realidad del mundo externo, sino tan sólo del hecho de que de ese mundo sólo conocemos la idea que tenemos de él en nuestra mente: la representación. "¿Qué sentido metafísico puede tener —decía mi maestro— el decretar la mayor o menor realidad de cuanto, más o menos descolorido, aparece en nuestra conciencia, toda vez que, fuera de ella, realidad e irrealidad son igualmente indemostrables? Cuando los filósofos vean esto claro... tendremos esa metafísica para poetas con que soñaba mi maestro" (página 498). Y claro es que ahí no se niega que todo sea representaciones, que todo sea algo que "aparece en nuestra conciencia", sino lo que se indica es que *prácticamente* es como si todo existiera realmente, pues lo que importa es el hecho de que aparece. Y por ello se revolvía él a menudo contra el concepto de las "representaciones". Poco antes escribía que "una imagen en un espejo plantea para su percepción igual problema que el objeto mismo". Y por eso asegura que "la palabra *representación*... ha viciado toda la teoría del conocimiento" (p. 451). Mas si el objeto y la imagen de éste plantean para el observador analítico los mismos problemas, en cambio para quien siente la necesidad de *lo otro,* la necesidad de salir fuera de sí, es desazonador descubrir que ese otro lo hallamos sólo como imagen en el espejo de nuestra conciencia, y que la soledad es, por tanto, irremediable. Por ello en verdad no es tan ocioso hablar de representaciones. El mismo nos dice que es inevitable la angustia al descubrir que lo otro hacia lo cual tendemos es sólo parte de nosotros. Perdida "la inocencia" en la cual vivía confiado, el hombre se esfuerza en pensar "lo otro inmanente... como trascendente, como objeto de conocimiento y de amor", y entonces la "soledad y angustia es inevitable" (p. 377).

Mas de una vez, desde sus años juveniles, debió quedar Machado absorto ante la irreductibilidad de dos creencias contradictorias: creencia en el carácter inmanente de todo contenido de conciencia, por un lado, y en la realidad del mundo externo, que se presenta como evidente incluso al más idealista, por otro. En un conocido prólogo, en 1917, refiriéndose a la época en que escribiera *Campos de Castilla,* decía: "Somos víctimas —pensaba yo— de un doble espejismo. Si miramos afuera y procuramos penetrar en las cosas, nuestro mundo externo pierde en solidez, y acaba por disipársenos cuando llegamos a creer que no existe por sí, sino por nosotros. Pero si, convencidos de la íntima realidad, miramos adentro, entonces todo nos parece venir de fuera, y en nuestro mundo interior, somos nosotros mismos lo que se desvanece" (p. 27). Veinte años más tarde, en el II volumen de *Juan de Mairena,* escribía: "Que todo, a fin de cuentas, sea uno y lo mismo es creencia racional de honda raíz... Y esto parece tan cierto como... lo contrario, a saber: que sin *lo otro*... toda la actividad racional carecería de sentido. De modo que todo el trabajo de nuestra inteligencia va acompañado de dos creencias contradictorias: en la existencia y en la no existencia de lo otro... Algunos hondos atisbos, en esta cuestión esencialísima, encontramos en la filosofía romántica, desde Fichte a Hegel, pero en estos dos pensadores triunfa la primera de las dos creencias, como claramente se ve... en Hegel (concepto de espíritu absoluto). Les faltó escepticismo para acercarse ansiosamente a la verdad y plantearse agudamente el problema" (pp. 780-781).

A Machado no le faltó ciertamente escepticismo ni pasión para plantear el problema en forma de paradoja, ya que Martín por un lado cree en la "substancia única" y, por otro, en "la heterogeneidad del ser", y llega así a referirse a la "heterogeneidad de la substancia única" (p. 360), como a una especie de universal "corriente erótica" de la cual la *otredad* del alma es sólo una parte. Hay, pues, un universal anhelo hacia lo *otro*, hacia un otro que no se encuentra sino dentro de lo *uno*, y así la sed es insaciable. Machado era un idealista que, inconforme con su soledad, buscaba en vano escapar del solipsismo. Era en último término un idealista, aunque se resistiera a admitirlo. Y en esto, una vez más, la posición de Machado no es muy diferente de la de otros filósofos contemporáneos suyos.

En lo que se refiere a Husserl, el parecido mayor consiste en que la realidad del "objeto intencional" no queda para éste en modo alguno garantizada. Todo ente que "está ahí para mí en el mundo de las cosas", nos dice Husserl, sólo tiene "una presunta realidad", aunque mi experiencia, en relación con él, sea una "absoluta realidad" (cf. *Ideas,* p. 145). El, sin embargo, niega, y con razón, que sea el suyo "un idealismo como el de Berkeley" (op. cit. p. 168). Y basándose en un razonamiento análogo al de Machado, rechaza como perturbador el concepto de representación, pues con él nos conduce a un "interminable regreso", es decir, resulta con él que todo viene a ser representación de representación. Por ello aconseja atenerse a "lo que nos es dado en la pura experiencia", aceptándolo tal como "llega a nuestras manos" (op. cit., pp. 263-264). En el "Prefacio a la edición inglesa" de la misma obra, advierte que su idealismo fenomenológico "no niega la positiva existencia del mundo real", pues su objeto consiste sólo en "clarificar el sentido de ese mundo", mundo comúnmente aceptado como real, aunque en última instancia que éste no exista sea siempre algo "imaginable" (página 21).

A pesar de todas esas reservas y salvedades, el idealismo fenomenológico de Husserl, como dice M. Farber *(The Foundation...,* p. 554), "aunque no sea berkeleyano en su carácter, de todos modos hace uso del principio cardinal del idealismo".

Pero es muy cierto también que en lo que Husserl se empeña sobre todo es en descartar como inútil la discusión en cuanto a la realidad del "mundo externo". Esto en su filosofía —descripción de esencias de lo *dado* a la conciencia— carece de sentido. Como explica J. Xirau en *La filosofía de Husserl* (p. 69) en el análisis fenomenológico "la conciencia se halla en presencia inmediata del Ser. Y el Ser que me es de esta manera dado es el único ser del cual es posible razonablemente hablar. Toda su trascendencia se realiza en la inmanencia. Carece en rigor de sentido hablar de un ser 'dentro' de la conciencia y de un ser 'fuera' de la conciencia".

No es muy diferente la opinión de Heidegger, que dice: "La cuestion de si un mundo es y de si puede probarse su ser... es una cuestión sin sentido", como cuestión planteada por el *Dasein* (Cf. *El ser...*, p. 233), ya que "*creer* en la 'realidad', del 'mundo exterior', con derecho o sin derecho, *probar* esta 'realidad', satisfactoria o insatisfactoriamente... presuponen un sujeto que empieza por *carecer de mundo* o no estar seguro del suyo" (op. cit., p. 237). Y luego agrega: "Frente al realismo tiene el *idealismo*... una fundamental ventaja, salvo que no se entienda... como idealismo 'psicológico'... Si el título de idealismo quiere decir el hecho de comprender que el ser no será explicable jamás por ningún ente, sino que es en cada paso ya para todo ente lo "trascendental', en el idealismo está la única y la justa posibilidad de desarrollar los problemas filosóficos... Pero si idealismo significa la reducción de todos los entes a un sujeto o una conciencia..., este idealismo no es menos ingenuo metódicamente que el más grosero realismo" (op. cit., páginas 238-239).

Por su parte Scheler escribe en *Esencia...* que "la simpatía está ligada por *ley esencial* con el *tener por real* al sujeto con quien se simpatiza. Desaparece, pues, cuando en lugar del sujeto tenido por real aparece un sujeto dado como ficción, como 'imagen'. La plena superación del autoerotismo, del egocentrismo timético, del solipsismo real y del egoísmo, tiene lugar precisamente *en el acto* de simpatizar" (op. cit., pág. 138), lo cual no deja de tener relación con lo que Machado escribe.

Y en cuanto a Bergson, de acuerdo éste con su propia filosofía, habla de una "percepción pura", muy diferente del recuerdo, mediante la cual "la realidad no sería ya construída o reconstruída, sino tocada, penetrada, vivida". Y de este modo, gracias a la intuición, quedaría superado "el problema pendiente entre el realismo y el idealismo" (*Matière et Mémoire* [París, 1908], pp. 62-63). Machado también trataba de eliminarlo, como Husserl o Heidegger (si bien inclinándose, y aun más que éstos al idealismo).

Interesaba recordar aquí la posición de Bergson al respecto, ya que éste tuvo sobre Machado una influencia indudable y decisiva, aunque a menudo, y en no pocos puntos esenciales, se apartara luego de él, como a continuación vamos a ver, antes de entrar, por último, en la "metafísica de poeta" de Martín y de Mairena, que es lo principal del apéndice, y lo más hondo y original del pensamiento de Machado, en estrecha relación con su poesía.

BERGSONISMO Y NOSTALGIA DE LA RAZÓN

Machado, el solitario, buscaba salida en ese "laberinto de espejos" en que encontraba su alma encerrada. Creía él —nos dice en el apéndice— que la salida debería hallarse por el camino del amor; pero buscó además, muchas veces, salida por otro camino: el de la razón. Razón y amor a veces en Machado se oponen —sobre todo en el apéndice— pero en más de una ocasión se refirió él a la necesidad de razón y de amor, conjuntamente.

Quería encontrar una realidad superior en la que pudieran comulgar las diferentes mónadas, y esa realidad —pensó a menudo, con nostalgia del platonismo— bien pudiera ser descubierta por la razón. Un claro indicio de esa nostalgia se advierte ya en un poema de 1915, aproximadamente, según vamos en seguida a ver. Pero antes ya de esa fecha, la preocupación por la objetividad en el arte, que le llevó a escribir *Campos de Castilla,* entre 1907 y 1912, tiene ya el mismo sentido que la añoranza de razón: quiso salir de sí, de su prisión, y miró hacia el mundo de fuera, primero; y, poco después, reconocía la necesidad de una objetiva razón. En un prólogo de 1917, refiriéndose a *Campos...,* dice que se había propuesto en esa obra escribir "poemas de lo eterno humano", historias que, siendo suyas, "viviesen, no obstante, por sí mismas" y que por esa causa le había parecido el romance "suprema expresión de la poesía" (p. 28). Apenas aparecida esa obra advirtió Azorín lo que otros han visto luego: que lo original, lo característico de *Campos...* es "la objetivación del poeta en el paisaje que describe... paisaje y sentimiento... son una misma cosa; el poeta se traslada al objeto descrito y en la manera de describirlo nos da su propio espíritu" *.

Muerta su esposa y trasladado Machado a Baeza, después de publicar en 1912 la primera edición de *Campos...,* aun escribiría algunos buenos poemas, sobre todo en los primeros años de su estancia en ese poblachón; pero, sin embargo, puede afir-

* Cf. "El paisaje en la poesía", *Clásicos y modernos* (Madrid, Renacimiento, 1913), pp. 123-124.

marse, y el propio Machado así lo indica, que al quedar de nuevo a solas su vena poética se fué secando. En 1915, en un poema dedicado a su amigo Valcarce (pp. 252-253), lamentaba haber perdido "la voz que tuve antaño", y se preguntaba si ello sería porque le tentó "el enigma grave", y abrió con diminuta llave "el ventanal de fondo que da a la mar sombría", o bien sería porque murió "quien asentó mis pasos en la tierra", su esposa Leonor, y le espantaba la soledad. Y él se responde: "No sé, Valcarce, mas cantar no puedo/se ha dormido la voz en mi garganta..." Y que ello es así, se ve sobre todo en los años que siguen, y muy especialmente en *Nuevas canciones,* aunque de vez en cuando, y hasta su muerte, publicara aun algunos excelentes poemas. Tal vez pudiera decirse que el poeta fué en él muriendo mientras encerrado y triste, solitario en Baeza, o en Segovia luego, estudiaba filosofía y soñaba en una nueva sociedad y con una nueva poesía que no estaba aun en su mano. Quizás pueda decirse que el filósofo mató en él al poeta, aunque más probable parece que el filósofo naciera cuando el poeta, por alguna razón, había en él empezado a morir. Pero lo cierto es que, en todo caso, poesía y filosofía respondían en él a una misma angustia y a un mismo anhelo, que tenían en él una misma raíz. Esto lo insinúa el mismo Machado cuando escribe en *J. de Mair.,* más de una vez, cosas como ésta: "Hay hombres, decía mi maestro, que van de la poética a la filosofía; otros que van de la filosofía a la poética. Lo inevitable es ir de lo uno a lo otro, en esto, como en todo" (p. 537). Y más adelante: "Se nos dirá que nuestra posición de poetas debe ser la del hombre ingenuo, que no se plantea ningún problema metafísico. Lo que estaría muy bien dicho si no fuera nuestra ingenuidad de hombres la que nos plantea constantemente esos problemas" (p. 599).

En cuanto a la decadencia de Machado como poeta, escribe Eugenio de Nora: "La escisión entre lo que él se sentía capaz de escribir y lo que creyó debería escribirse (junto con la repugnancia a la repetición de lo ya hecho), le lleva a un agotamiento cada vez mayor. En sus últimos años las dos vertientes, poética y teórica, van por caminos completamente distintos. Machado aboga por una nueva épica y sutiliza más que nunca las muestras escasísimas de su lirismo; insiste en que el sentimiento intuitivo de lo individual y fluyente es sustantivo al poeta, y, por el contrario, cerebraliza su obra hasta lo aforístico y alegórico" (cf. "Machado ante el futuro de la poesía lírica", *Cuad. Hispanoam.*, sep-dic. 1949, p. 591). En cierto sentido esto es verdad. Pero es que muchas de sus poesías de *Nuevas canciones,* o del apéndice, y otras, deben ser consideradas como parte de su filosofía; expresión, más o menos velada, de su pensamiento, y no poesía lírica. "Poética y teórica" son esos últimos años, pues, la misma cosa, muy frecuentemente: teórica. Y esa "teórica" no implica nada diferente a su verdadera poesía sino que, como tiendo a probar en este estudio, es sólo un comentario sobre ésta. Ello se verá con claridad más adelante.

Cuando el poeta comienza a transformarse en filósofo, poco después de 1912, comienza el humor, el escepticismo y la pasión. Y los temas que entonces comienzan a preocuparle no son, en esencia, sino los mismos que ya cuando poeta le preocupaban.

Apenas empieza a dar muestras de su interés por asuntos filosóficos, lo primero que indica es sentirse incómodo dentro de la prisión del subjetivismo kantiano (como antes se había sentido incómodo en la prisión de sus *Soledades,* mirando sólo a su propia alma). A Kant califica en un poema, escrito hacia 1915, de "esquilador de las aves altaneras" de la filosofía, ya que cortó el vuelo de la razón, trocando así el "ave divina" en "pobre gallina". Pero entre burlón y esperanzado, Machado continúa entonces en el mismo poema:

> *Dicen que quiere saltar*
> *las tapias del corralón,*
> *y volar*
> *otra vez, hacia Platón.*
> *¡Hurra! ¡Sea!*
> *¡Feliz será quien lo vea!* (p. 239).

Unos diez años después aun escribiría en su cuaderno de apuntes *Los Complementarios* que "Kant, con su crítica de la razón teórica, corta las alas al pensar metafísico...", abriendo así el camino del irracionalismo *. El no se conformaba con ese irracionalismo; y devolver las alas al ave divina, hacer de nuevo posible el pensar metafísico, era sin duda lo que él soñó durante esos años; hasta que, en 1926, al escribir el apéndice, imaginara una nueva "metafísica" de poeta, cayendo a su vez en irracionalismo.

Pero ese anhelo suyo de razón a que nos referimos, mantenido durante años, y al que aun volvería luego, como veremos, después de haber escrito el apéndice, ese racionalismo suyo, mal concuerda con el bergsonismo que en él ya otros han reconocido, y que es sin duda evidente.

Bergson, como Machado, buscaba salida de la prisión kantiana, pero por medio de la intuición. La razón quedaba completamente eliminada como medio de conocimiento metafísico. Escribía Bergson, en 1896, en *Matière et mémoire*: "L'impuis-

---

* Cf. *Cuad. Hispanoam.*, marzo-abril 1951, p. 172.

sance de la raison spéculative, telle que Kant l'a démontrée, n'est peut-être, au fond, que l'impuissance d'une intelligence asservie à certaines nécessités... La relativité de la connaissance ne serait donc pas définitive. En défaisant ce que ces besoins ont fait, nous rétablirions l'intuition dans sa pureté première et nous reprendrions contact avec le réel" (p. 203). Y años después, en el ensayo de 1903 "Introduction à la méthaphysique" repetía: "Les doctrines qui ont un fond d'intuition échappent à la critique kantienne dans l'exacte mesure où elles sont intuitives..." (cf. *La Pensée et le mouvant*, ed. A. Skira [Genève, 1946], p. 214). Y al terminar *L'Évolution créatrice* (ed. Alcan [París, 1908], pp. 388-390) insiste en establecer una distinción "que Kant ni quería ni podía admitir" entre intuición sensible, la única que Kant concebía, y con la cual no se alcanza sino "el fantasma de una inasible *cosa en sí*" y una "intuición intemporal", que nos pondría en contacto con la "durée" y nos permitiría captar los hechos desde dentro, "dans leur jaillissement même au lieu de les prendre une fois jaillis". Machado en cambio buscaba, como muchos otros después de Husserl, una restauración de la "razón helénica". Esta tendencia al racionalismo —en contradicción a veces, desde luego, con otras tendencias suyas— supone evidentemente una insatisfacción con el puro intuicionismo bergsoniano que, al señalar la influencia en él de Bergson, no se ha tenido en cuenta lo bastante. La influencia de Bergson en Machado es, por otra parte, indudable, pese a esa contradicción que supone la tendencia al racionalismo de Machado en ciertas ocasiones. Sobre esa influencia trata Carlos Clavería, quien dice, con mucha razón, que "un estudio detenido de los problemas metafísicos planteados por los apócrifos Abel Martín y Juan de Mairena demostraría hasta qué punto las ideas de Bergson estaban en la raíz de todos ellos"; y vecon claridad que casi todas las ideas de Machado en lo que se refiere a la poesía lírica son "como reminiscencia de lo que el bergsonismo tiene de *philosophie du changement*". Mas por no haber penetrado el señor Clavería —pese a las muchas e interesantes sugerencias que su trabajo contiene— en los "problemas metafísicos" planteados por Martín y Mairena, no hace, al señalar el influjo de Bergson, las necesarias distinciones, separando ése de otros influjos, o mostrando la originalidad de Machado donde la hay. Cómo Machado, partiendo de Bergson, se aleja luego de él, en el mismo apéndice, es algo que se verá con claridad cuando, más adelante, nos ocupemos de la "metafísica" de Martín y de Mairena.

Algunas indicaciones en cuanto a dicho influjo (que procuro sean complementarias a las que Clavería ofrece, bien por ser otras o por presentar el texto de Bergson) son éstas: "Il est incontestable que l'esprit s'oppose d'abord à la matière comme une unité pure à une multiplicité essentiellement divisible, que de plus nos perceptions se composent de qualités hétérogènes alors que l'univers perçu semble devoir se résoudre en changements homogènes et calculables. Il y aurait donc l'inextension et la qualité d'un côté, l'étendue et la quantité de l'autre", se lee en *Matière*... (p. 199). Ya dijimos anteriormente que la primitiva concepción de Machado sobre la "heterogeneidad del ser", en oposición a homogeneidad, procedía seguramente de Bergson, y que luego se superpone al primero el nuevo concepto de "heterogeneidad", como equivalente a *otredad,* según se ve en el apéndice. Pero en el mismo apéndice, que es donde Machado más antirracionalista —y por tanto más bergsoniano— se muestra, aunque no sólo bergsoniano, en el apéndice, sobre todo en la primera parte, al tratar de la poesía, se percibe como un eco de la cita anterior u otras análogas de Bergson, ya que incluso se usan las mismas palabras. La "pura unidad heterogénea", se llama a la conciencia (p. 378); y luego se opone (igual que en Bergson la intuición a la razón, el espíritu a la materia, lo *heterogéneo y cualitativo* a lo homogéneo y cuantitativo) la poesía a la lógica: "...el poeta pretende hacer de ella [la palabra] medio expresivo de lo psíquico individual, objeto único, valor cualitativo". Las "formas de objetividad", lo racional, lo lógico son "ante todo homogeneidad, descualificación de lo esencialmente cualitativo... Pero... la poesía... no puede ser sino una actividad de sentido inverso al del pensamiento lógico... urge devolverle [al ser] su rica, inagotable heterogeneidad. Este nuevo... pensar poético... se da entre realidades, no entre sombras; entre intuiciones, no entre conceptos" (pp. 379-381).

En el ensayo de Bergson, "Introduction à la métaphysique", se lee: "... il n'y a aucun moyen de reconstituer, avec la fixité des concepts, la mobilité du réel" (*La pensée...*, p. 203). Y Machado, en el apéndice: "Los conceptos o formas captoras de lo real no pueden ser rígidos, si han de adaptarse a la constante mutabilidad de lo real" (p. 367).

Las distinciones de Machado entre *movimiento y mutabilidad,* que se leen al principio del apéndice, y que él repite en otras ocasiones, no parecen sino reflejo de lo que sobre el mismo tema se lee en *Matière...*, especialmente las páginas 207-243. Análogas ideas repite Bergson en su conferencia, "La perception du changement", donde dice: "Il y a des changements, mais il n'y a pas sous le changement, des choses qui changent... Il y a des mouvements, mais il n'y a pas d'objet inerte, invariable, qui se meuve" (*La Pensée...*, p. 159). Y Machado: "Sólo se mueven —dice Abel Martín— las cosas que no cambian... Su cambio real, íntimo, no puede ser percibido—ni pensado—como movimiento..., pero sí intuído... No hay, pues, razón para establecer relación alguna entre cambio y movimiento" (pp. 354-355). Que esta distinción entre cambio, entendido como cambio sustancial, y movimiento, o sea desplazamiento, proceda de Aristóteles, no quita a las especulaciones de Machado al respecto su carácter típicamente bergsoniano.

En la nota que precede a la selección de poesías de Machado, en la antología de Gerardo Diego, *Poesía española* (Madrid, 1932), de nuevo, repitiendo lo dicho en el apéndice, aparece bergsoniano al decir que "las ideas del poeta no son categorías formales, cápsulas lógicas, sino directas intuiciones del ser que deviene, de su propio existir." Y ahí él habla también de la "onda fugitiva" del "río de Heráclito". En esa misma nota recuerda Machado que asistió "a un curso de Henry Bergson en el Colegio de Francia". Ello debió ser en 1910. No es seguro que Machado leyera a Bergson antes de esa fecha. Sin embargo, en *Soledades* hay muchas poesías que parecen tener relación muy directa con lo que escribe el autor de *Materia y memoria.* Aunque tal vez hay que suponer que fué precisamente el "bergsonismo" *a priori* de Machado en esos poemas lo que le llevó a interesarse tanto, posteriormente, por la filosofía de Bergson. Una prueba de que Machado no era tan fiel discípulo de Bergson como ha podido pensarse está ya en el *Poema de un día,* de 1913, donde precisamente le nombra diciendo que éste "ha hallado el libre albedrío / dentro de su mechinal" (pp. 211-212). Y termina diciendo:

> *Sobre la mesa* Los datos
> de la conciencia, *inmediatos.*
> *No está mal*
> *este yo fundamental,*
> *contingente y libre, a ratos,*

creativo, original;
de este yo que vive y siente
dentro la carne mortal
¡ay! por saltar impaciente
las bardas de su corral (p. 214).

Unas páginas más adelante (pp. 237-238) se refiere, en otro poema, al contraste entre razón e intuición (*Hay dos modos de conciencia: / una es luz, y otra paciencia...*), y entonces, escéptico, se pregunta qué es más inútil, ese "ir arrojando a la arena, / muertos, los peces del mar" (que es lo que, según Bergson, viene a hacer la razón, ya que ésta solidifica y mata cuanto toca) o esa bergsoniana "conciencia de visionario", esa intuición que nada firme capta, "que mira en el hondo acuario / peces vivos, / fugitivos, / que no se pueden pescar."

En 1925, en las "Reflexiones sobre la lírica", publicadas en *Revista de Occidente,* se muestra Machado muy bergsoniano, en efecto, con su distinción entre imágenes conceptuales y otras intuitivas, que son las "específicamente líricas". Mas en el mismo ensayo, sin dejar lugar a dudas en cuanto a esa nostalgia de razón y objetividad a que nos estamos refiriendo, agrega: "Volverá a ser lo humano definido por lo racional..., el intuicionismo moderno, más que una filosofía inicial parece el término... del antiintelectualismo del pasado siglo... Para refutarlo habrá que volver de algún modo a Platón." Y hablando del "hombre nuevo", hombre del futuro, escribe proféticamente: "Su mundo se ilumina, quiere poblarse no de fantasmas, sino de figuras reales", pero "los poetas del mañana" aspirarán a la "objetividad", pues ya "el espejo de Narciso ha perdido su azogue". Contra el narcisismo, desde años, nos venía él poniendo en guardia *. El mejor remedio contra el narcisismo es mirar a los otros, es el amor; y amor es lo que aconsejaba él en el apéndice, en el cual con signo distinto —bajo el signo del irracionalismo— no haría sino continuar sus meditaciones anteriores. Razón y objetividad, y amor, no eran para él sino medios distintos, y a veces coincidentes, de aspirar a un mismo objeto: la comunicación de las almas.

Si en el apéndice habla sobre todo de amor, en las "Reflexiones...", un año antes, muestra sobre todo su aspiración a la objetividad y a la razón. Y por ello, una vez más recuerda, aunque sea vagamente, a Husserl, al que no debía haber leído por entonces, como ya anteriormente indicamos y como lo probaría el hecho de que en ese mismo artículo de 1925 se refiera al "intuicionismo moderno", el de Bergson, como a "la última filosofía que anda por el mundo". Con Husserl, desde principios de siglo, se inicia esa corriente de la filosofía contemporánea, en cierto modo una reacción contra Bergson, que tiende a superar el puro intuicionismo y vuelve los ojos hacia Platón. Machado, bergsoniano, aspira, sin embargo, a la razón, a devolver a la razón sus alas. Y el propio Husserl nos indica que él se propone una síntesis de intuición y razón cuando se refiere al "método intuitivo concreto, pero a la vez apodíctico, de la fenomenología (*Médit.*, op. cit., p. 118). Método que consiste, escribía mucho antes en "fijar en forma teórica y controlar sistemáticamente a través de conceptos y formulación de leyes lo que brota de la pura

---

* Ya hacia 1914, en un poema, advertía "que en el inmenso espejo,/donde orgulloso me miraba un día,/ era el azogue lo que yo ponía" (p. 242). En uno de esos "Proverbios y cantares", fechados en 1919, se refiere al "feo y ya viejo vicio" del narcisismo (p. 302). Y en otro dice: "No es el yo fundamental/eso que busca el poeta,/sino el tú esencial" (p. 308).

intuición esencial" (*Ideas,* op. cit., p. 376). Esa intuición esencial, intuición de lo inmediatamente *dado,* es cosa diferente de la intuición de que habla Bergson, opuesta al pensamiento discursivo, pero es intuición de todos modos, y de lo que se trata, con el método fenomenológico, es de racionalizar ésta con objeto de que se puedan "pescar" los peces intuídos. Pero de ningún modo queremos, sin embargo, exagerar la similitud entre Husserl y Machado en este punto, que se limita a una analogía de las tendencias de ambos. Y aun así, aparte de que en Machado no haya método, y que su racionalismo consista sólo en un aspirar a la razón, éste no es nunca tan extremado ni consistente como en Husserl. Contra el extremado racionalismo de su maestro reaccionan Scheler y Heidegger. "La filosofía de Max Scheler y la de Heidegger han resultado en buena parte del intento de rectificar el intelectualismo de Husserl", escribe J. Xirau (*La fil. de Husserl,* p. 153). Se han negado ciertos discípulos, sobre todo, a aceptar esa suspensión de las creencias existenciales, es decir, en las palabras de Xirau, ese "acto mediante el cual la conciencia filosófica reduce la realidad y la pone 'entre paréntesis' para dejar de vivirla y hacerla objeto de pura contemplación desinteresada". Se han negado, ya que Husserl, acaso, dice Xirau, no tiene "suficientemente en cuenta que el acto mediante el cual realizamos la reducción es un acto contrario a la 'ingenuidad' de la vida... La meditación más ceñida de estos problemas ha dado lugar al nacimiento de la llamada Filosofía 'existencial' y a una nueva derivación heterodoxa de la Fenomenología llevada a cabo sobre todo por obra de Heidegger" (pp. 244-245). Y Machado, por su parte, que, como hemos dicho, en el apéndice reacciona contra sí mismo olvidando completamente sus anteriores —y posteriores— tendencias racionalistas, viene así a coincidir con ellos, sobre todo con Heidegger, como pronto vamos a ver.

Si Machado señala como caminos de salvación a veces el de la razón y a veces el del amor, en otras ocasiones se refiere a ambos conjuntamente. En una conferencia de 1922, prácticamente desconocida hasta hace pocos años (cuando se publicó en el número dedicado a Machado de *Cuadernos Hispanoamericanos,* en 1949) se trata de las peculiaridades de la novela rusa, de Dostoïewsky especialmente, donde los personajes actúan a menudo irracionalmente, pero movidos por el resorte de la caridad, y dice Machado que lo que sucede es que hay dos formas de "universalidad", una la razón y otra "que no la expresa el pensamiento abstracto, que no es hija de la dialéctica, sino del amor, que no es de fuente helénica, sino cristiana : se llama fraternidad..." Cosa parecida repetiría luego muchas veces. En 1931, pasado ese momento de acusado irracionalismo que muestra en el apéndice, escribía en unas notas que habían de constituir su discurso de ingreso en la Academia, las cuales se han publicado por vez primera en 1951, que el remedio de la crisis que sufre el hombre contemporáneo ha de hallarse en un retorno a la razón y a la vez al amor, a la fraternidad *.

Comienza en ese inacabado discurso afirmando que el siglo xix "marca una extrema posición subjetiva. Casi todo él milita contra el objeto. Kant lo elimina..." De Kant se derivan,

---

* Dicho discurso apareció en el número extraordinario dedicado a Machado de la *Revista Hispánica Moderna* (enero-diciembre, 1949), publicado en 1951. Aunque no va fechado, como Machado fué elegido académico en 1927, y comienza diciendo "Perdonadme que haya tardado más de cuatro años en presentarme ante vosotros...", por eso digo debió escribir esas notas, que creo nunca llegó a leer en la Academia, en 1931.

continúa, la soledad y el irracionalismo, cuyo extremo observamos en el arte contemporáneo (de 1931, claro es...). Pero al fin volverá a descubrirse "la maravilla de las cosas y el milagro de la razón". Y luego, en la parte que titula "El mañana" vuelve a hablar de la razón, que es "comunidad mental de una pluralidad de sujetos en las ideas trascendentes", y de la "más sutil dialéctica de Cristo, que revela el objeto cordial y funda la fraternidad de los hombres". El mañana, pues, acaba diciendo, bien pudiera ser: "Un retorno... a la objetividad, por un lado, y a la fraternidad por otro. Una nueva fe... se ha iniciado ya... Se torna a creer en *lo otro* y en *el otro,* en la esencial heterogeneidad del ser."

Y cuatro años después, en Juan de Mairena, repetiría: "La fe platónica en las ideas trascendentes salvó a Grecia del *solus ipse...* La razón humana es pensamiento genérico. Quien razona afirma la existencia de un prójimo, la necesidad del diálogo, la posible comunión mental entre los hombres... Para nosotros lo esencial del platonismo es una fe en la realidad metafísica de la idea... Pero no basta la razón, el invento socrático, para crear la convivencia humana; ésta precisa también la comunión cordial, una convergencia de corazones en un mismo objeto de amor. Tal fué la hazaña del Cristo..." (pp. 518-519).

No cabe, pues, duda que antes y después de escrito el apéndice Machado mostró una nostalgia de razón helénica, aunque no considerara ésta el medio único, ni siquiera el principal, de librar a la mónada de su soledad. Pero, repetimos, su racionalismo se limitaba a una "nostalgia de razón". En verdad tenía él mucha menos fe que la que solían tener los griegos, o tenía Husserl, en el poder de la razón. Mas se resistía casi siempre —salvo en el apéndice— a abandonar ésta y a caer en el subjetivismo, en el irracionalismo y la desesperación. Tal vez, precisamente porque de ahí había partido y de ahí quería salir, aunque no lo lograse. La falta de fe de Machado en la razón y, a la vez, su resistencia a abandonar ésta, se ve, por ejemplo, cuando en *J. de Mair.* escribe: "*Que el ser y el pensar no coincidan ni por casualidad* es una afirmación demasiado rotunda, que nosotros no haremos nunca. Sospechamos que no coinciden, que no pueden coincidir... Y esto, en cierto modo, nos consuela" (p. 707). Es decir, lo que "consuela" es que sea sólo *sospecha,* no seguridad. Más de una vez indicó él que en el verdadero "escepticismo" reside la última esperanza: en dudar tanto de lo positivo, y de lo negativo, como de la duda misma. Por otra parte, lo que en 1935 ó 1936 dice que "no haremos nunca", lo había ya hecho diez años antes, cuando, en la primera parte del apéndice, bajo el influjo del irracionalismo bergsoniano, afirma rotundamente: "Contra la sentencia clásica, el ser y el pensar (el pensar homogeneizador) no coinciden, ni por casualidad" (p. 380). No acaba nunca de aceptar completamente, con entusiasmo, el irracionalismo bergsoniano, que no le parecía a él una solución, aun estando tan influído por Bergson. Ese influjo por un lado y esta repulsa, esa nostalgia de razón por otro, da lugar a veces, en las prosas de Machado, a páginas en extremo confusas, así como a afirmaciones divergentes y aún contradictorias. Compárese, por ejemplo, eso ya citado de las "Reflexiones...", de 1925, de que "habrá que volver de algún modo a Platón", con lo que en la misma *Revista de Occidente* decía un año después, en la primera parte del apéndice, de que las ideas platónicas no tienen "realidad esencial, *per se,* son meros trasuntos o copias descoloridas de las esencias reales que integran el ser" (p. 374). Luego, en *J. de Mair.,* dice: "Conviene creer en las ideas platónicas... Sin la absoluta trascendencia de las ideas, iguales para todos..., la razón, como estructura común a una pluralidad de espíritus..., no tendría razón de existir" (p. 518). Y en cambio días antes, recayendo en el escepticismo, escribía: "Porque todo es creer, amigos, y tan creencia es el *sí* como el *no*. Nada importante se refuta ni se demuestra, aunque se pase de creer lo uno a creer lo otro. Platón creía que las cosas sensibles eran copias más o menos borrosas de las ideas..., para vosotros lo borroso y descolorido son las ideas..." (página 515). Y días antes aún, recayendo en el bergsonismo, repetía lo dicho en la primera parte del apéndice de que es necesario oponer el "pensamiento poético, esencialmente heterogeneizador" al "pensamiento lógico o matemático, que es pensamiento homogeneizador" (p. 513).

Y ahora vamos a lo que constituye la parte principal y más oscura de su obra, la "metafísica" de que se habla en el apéndice. Para acercarnos a ella, cuanto hemos dicho sobre el Dios de Machado, sobre su idealismo y ansia de *lo otro,* sobre su ansia de salvación, espero que nos ha de ayudar bastante.

Lo característico de esa metafísica, mucho más pesimista de lo que parece por el tono de guasa con que se expone, es que con ella dejan ya de buscarse *soluciones.* De lo que se trata ahora, renunciando a la razón, y en último término a la esperanza, es de *darse cuenta* de nuestra situación, o, como Machado dice, de adquirir plena conciencia de nuestro propio ser. Y es ahí sobre todo en lo que él se acerca, y mucho, a Heidegger.

Ya vimos que con las "rimas eróticas" que se incluyen en la primera parte del apéndice Machado tendía sobre todo a indicar la necesidad que del amor se tiene como medio de conocimiento, aunque no sea más que como medio de conocimiento de nosotros mismos. En el mismo apéndice, después de tratar de esas rimas, Machado escribe: "La conciencia —dice Abel Martín—, como reflexión o pretenso conocer del conocer, sería, sin el amor o impulso hacia lo otro, el anzuelo en constante espera de pescarse a sí mismo" (pp. 372-373).

Ahora bien, en la conciencia hay ese impulso hacia lo otro, ese amor: esto es lo que él dice constantemente, y de ahí las rimas eróticas. Mas como a causa del idealismo de Machado —del cual ya hemos tratado— resulta que "la amada es imposible", ya que el otro no tiene verdadera realidad fuera de la conciencia; como resulta que el amor "no encuentra objeto", así, tras el impulso hacia el amor, la conciencia ha de volver a sí, derrotada. Por eso Machado agrega, después de las líneas citadas: "Mas la conciencia existe, como actividad reflexiva, porque vuelve sobre sí misma, agotado su impulso por alcanzar el objeto trascendente. Entonces reconoce su limitación y se ve a sí misma como tensión erótica, impulso hacia *lo otro* inasequible... Descubre el amor como... su *otro inmanente,* y se le revela la esencial heterogeneidad de la substancia" (p. 373). Esto constituye uno de los puntos básicos de su pensamiento en la primera parte del apéndice. Adquirimos consciencia de la "heterogeneidad" del ser, de nuestro ser, a la vez que advertimos la imposibilidad del amor, el carácter inmanente, inasequible, de eso otro a que aspiramos. Y ese trágico sentimiento es el que nos revela "la esencial heterogeneidad de la substancia", el ansia de amor que todo padece, una sed nunca satisfecha.

Comprendido lo que ahí dice Machado, se entienden mejor ciertas frases hermenéuticas —cargadas de ironía— que aparecen sueltas en la primera parte del apéndice, como esa que define el amor como "autorevelación de la esencial heterogeneidad de la substancia única" (p. 360). El amor, o, con más exactitud, el fracaso del amor, como él dice luego, el amor "en el camino de vuelta", nos revela la heterogeneidad de nuestro ser y así, a la vez, se descubre la "heterogeneidad de la substancia única". Substancia "única", ya que para el panteísta Martín todo es uno y lo mismo.

Y se comprende también, teniendo en cuenta esa esencial heterogeneidad de la substancia, por qué se agrega, en la misma página antes citada, que la conciencia, al volver sobre sí misma, tras el fracaso del amor, supone una reflexión "más aparente que real, porque, en verdad, no vuelve sobre sí misma para captarse como pura actividad consciente, sino sobre la corriente erótica que brota con ella de las mismas entrañas del ser" (página 373).

Resulta, pues, que la heterogeneidad del ser propio no es sino parte de una universal corriente erótica: la heterogeneidad del ser, entendido "ser" como el ser de la persona, no es sino parte de la esencial heterogeneidad del ser, del *ser* en general. Y ese fracaso del amor, ese como viaje de vuelta de la conciencia, gracias al cual dicha heterogeneidad particular y universal se descubre, era para Machado, por tanto, una experiencia básica. A ella probablemente aludía al referirse a "la obra de la primera angustia erótica", a ese hondo "sentimiento de soledad" que él recuerda en los versos ya citados: "¡Y cómo aquella ausencia en una cita, / bajo los olmos que noviembre dora,

/ del fondo de mi historia resucita!" (p. 383). Versos del apéndice que él ya advirtió, según vimos al comienzo de este estudio, no aluden "a ninguna anécdota amorosa de pasión no correspondida", sino a "un sentimento de ausencia".

Mas Abel Martín, a pesar de su panteísmo, o precisamente por él, lo que quería es que la conciencia se capte a sí misma, es decir, lo que quería era separar de la universal corriente erótica su particular heterogeneidad. Por eso dice: "La conciencia llega, por ansia de lo otro, al límite de su esfuerzo, a pensarse a sí misma como objeto total, a pensarse como no es, a deseerse. El trágico erotismo de Espinosa llevó a un límite infranqueable la desubjetivación del sujeto. '¿Y cómo no intentar —dice Martín— devolver a *lo que es* su propia intimidad?' Esta empresa fué iniciada por Leibnitz —filósofo del porvenir, añade Martín—; pero sólo puede ser consumada por la poesía, que define Martín como aspiración a conciencia integral" (p. 376).

El propósito es, pues, devolver al ser, a la conciencia, su intimidad plena. Y esto habrá de conseguirse por la poesía, que es "hija del gran fracaso del amor" (p. 377). Machado, por influencia sin duda de Bergson, opone constantemente la poesía, el "pensar poético", que es el que descubre la heterogeneidad del ser, al pensar lógico "homogeneizador", que todo lo seca e iguala. Mas si es la poesía quien nos devuelve la intimidad, esa intimidad se alcanza, nos dice en la página siguiente, al volver sobre nosotros mismos, ya que sólo entonces "puede el hombre llegar a la visión real de la conciencia..., a verse, a *serse* en plena y fecunda intimidad". Y así "el pindárico *sé el que eres,* es el término de este camino de vuelta, la meta que el poeta pretende alcanzar" (p. 378). En ello, sin embargo, pese a lo muy confusas que son estas páginas, no hay, tal vez, contradicción alguna: se alcanza la intimidad *por la poesía* y *en el fra-*

caso del amor, ya que la poesía es hija de ese fracaso, nos dice él. Mas ¿por qué, se preguntará, surge la poesía de ese fracaso? ¿Y por qué nos devuelve ésta la intimidad? ¿Qué quiere decir con todo ello? Machado viene a decir, creo yo, lo siguiente:

Cuando la conciencia vuelve sobre sí misma, tras el fracaso del amor, es decir, cuando el hombre descubre la *otredad* sin objeto de su alma, cuando descubre su soledad, se siente angustiado, perdido, "arrojado en medio del mundo", como diría Heidegger. Este es el momento, dice Heidegger, y vamos a ver, viene a decir también Machado, en que el hombre descubre la nada, experimenta el sentimiento de la nada. Y es entonces cuando, asombrado, se pregunta por sí mismo por lo que él es y por las cosas que ante sí aparecen; es decir, es entonces cuando el hombre se plantea con toda su fuerza original la pregunta por el *ser,* la pregunta que es origen de la metafísica, tanto como de la poesía. Por algo Machado dice que la metafísica, tanto como la poesía, son hijas "del gran fracaso del amor". Esta es la situación básica. Tras ella el hombre puede adoptar una actitud especulativa, y entonces da en filósofo, o puede alargar, repetir esa emoción primera, recordarla constantemente, ser fiel a ella, y sólo a ella, es decir, adoptar una actitud lírica, y entonces da en poeta. Ahora bien, Machado cree, en el apéndice donde tan bergsoniano se muestra, que el razonamiento ahoga la emoción contenida en el primer asombro, es decir, que la filosofía nos aleja de la original cuestión, y por ello rechaza la "lógica", y con ella toda la metafísica tradicional, y se inclina hacia la poesía, que reproduciendo en cada instante la pregunta primera por el ser, el misterio primero, nos devuelve nuestra "propia intimidad". La actitud especulativa, dice, supone en cambio una "actitud teórica, de visión a distancia"; y las "ideas", ideas platónicas, aunque sean también "hijas del amor, y, en cierto modo del gran fracaso del amor", se convierten en "conjunto de signos..., meros trasuntos o copias descoloridas de las esencias reales que integran el ser" (pp. 373-374). Por eso él rechaza la metafísica y se inclina hacia la poesía; pero como ahí él no hace sino filosofía, es decir, como lo que hace en el apéndice es reflexionar sobre el carácter esencial de la poesía, de cierta poesía al menos, la que él llama poesía "temporal", por eso es la suya una peculiar "metafísica de poeta". No sólo una metafísica hecha por un poeta, sino también una metafísica basada en la poesía, basada en el valor revelador de la poesía, como medio de, alejándonos de la banalidad, recobrar nuestra intimidad y adquirir conciencia de nuestro propio ser.

Desde luego, al ofrecer esta explicación, vamos más allá de lo que Machado dice, explícitamente, en las páginas hasta ahora citadas. Pero ya veremos que todo cuanto él agrega, más adelante, lo confirma. Machado mismo reconoce la oscuridad de esas páginas, agregando que ello es "inevitable en una metafísica de poeta" (p. 375). Mas la oscuridad se debe también, creo yo, en este caso, a que esa metafísica nunca fué por él pensada sistemáticamente, y menos que nunca al principio, en la primera parte del apéndice. Ahí, a la metafísica tradicional, racionalista, se opone, como decimos, una "metafísica de poeta", de la cual aún vamos a hablar, de tono existencialista; pero se opone *además* a esa misma metafísica tradicional —y éste es uno de los mayores motivos de confusión en la primera parte— una "lógica temporal" de carácter bergsoniano, de la cual luego ya no vuelve a hablarse; una lógica que está sólo sugerida, apuntada, y "en la cual todo razonamiento debe adoptar la manera flúida de la intuición" (p. 366). Machado parte de Bergson, en el apéndice, pero pronto, en el mismo, se aleja de él, y su irracionalismo deja de ser el propio del intuicionismo bergsoniano. En relación con esa "lógica temporal" martineana, se dice también que es el "lenguaje poético" el más adecuado para intentar la captación de la mutable realidad, ya que él puede "sugerir la evolución de las premisas asentadas", creándose así una lógica "en que A no es nunca A en dos momentos sucesivos" (p. 367). Y más adelante: "Necesita, pues, el pensar poético una nueva dialéctica, sin negaciones ni contrarios, que Abel Martín llama lírica y, otras veces, mágica, la lógica del cambio sustancial o devenir inmóvil, del ser cambiando o el cambio siendo" (pp. 381-382). Pero en la segunda parte, de dos años después, ya no vuelve a tratarse de esa lógica temporal o dialéctica "mágica", y en cambio se desarrolla esa filosofía existencial, esa "metafísica de poeta" que en la primera parte aparece sólo muy confusamente esbozada. La "lógica temporal" y la "metafísica de poeta" sólo tienen en común el oponerse a la filosofía tradicional, intelectualista, y en volver los ojos hacia la poesía. Pero lo que empieza por ser sólo un eco de Bergson, acaba luego siendo un pensamiento precursor del de Heidegger y otros existencialistas, como en seguida vamos a ver.

Alguna relación sin duda existe (aunque ésta resulte oscura, y aunque no fuera la que hemos indicado) entre lo que Machado, al tratar de su metafísica, dice sobre el "fracaso del amor" y la "heterogeneidad del ser", gracias a lo cual se nos revela nuestra propia intimidad, y lo que dice de "la poesía" como medio también de alcanzar intimidad. La relación de todos modos no puede resultar clara sin ver antes más de cerca lo que él dice sobre la poesía "temporal", una poesía que tiene como base la angustia, el sentimiento de la nada. Antes, pues, de ir a ver, finalmente, el papel que en su "metafísica de poeta" tiene la poesía, veamos lo que en el mismo apéndice se dice en cuanto a la nada como fundamento de la pregunta por el *ser*.

Al final de la primera parte del apéndice, con el poema *Al gran cero*, Machado se refiere ya a la nada como causa de la revelación del *ser*, de la pregunta por el *ser*; es decir, trata Machado ya en 1926 de lo mismo que se ocuparía Heidegger en *Was ist Metaphysik?* en 1929.

Para Martín la verdadera creación de Dios no es el mundo, sino la nada, que por eso él llama "cero divino". Mas es claro que Machado creía mucho más en la realidad de esa nada, en la realidad de ese cero, que en su presunta divinidad. Asegurar que la obra de Dios es la nada, no es sino un modo de negar la clásica concepción cristiana, según la cual Dios creó el mundo extrayéndolo de la nada. Ya Tertuliano, al expresar cuál era su credo, escribía, a principios del siglo III, que no hay sino un solo Dios, creador del mundo, "qui universa de nihilo produxerit" (*De praescriptione haereticorum*, XIII). Santo Tomás dice que "*la creación, que es la emanación de todo el ser,* se hace del no-ser, que es la nada" (*Sum. Theol.* I, c.45, a.1). San Agustín, al comienzo del libro XII de *Las confesiones,* escribe igualmente que Dios creó el mundo "de la nada".

Leibnitz escribe: "On voit bien cependant que Dieu n'est pas la cause du mal... Et c'est à quoi se doit réduire à mon avis le sentiment de S. Augustin et d'autres auteurs que la racine du mal est dans le néant, c'est à dire dans la privation ou limitation des créatures, à laquelle Dieu remédie gracieusement" (*Discours de métaphysique,* XXX, ed. H. Lestienne [París, 1929], pp. 80-81). Y K. Barth, recientemente, escribió: "I am speaking... to make clear that this whole realm that we term evil—death, sin, the Devil and hell—is *not* God's creation, but rather what was excluded by God's creation" (*Dogmatics...*, página 57). Para los cristianos, pues, Dios no es el creador del mal, que es lo no creado, lo no iluminado por El, o bien lo degradado. Y tampoco pudo Dios crear la nada —si algún sentido tiene esto— ya que la nada se identifica con el mal.

Machado, por su parte, al comentar el poema *Al gran cero*, escribe en oposición a los cristianos, que "Dios, como creador y conservador del mundo, le parece a Abel Martín una concepción judaica, tan sacrílega como absurda. La nada, en cambio, es en cierto modo una creación divina..." (p. 383). Y en el volumen II de *J. de Mair.*: "Dios sacó la Nada del mundo para que nosotros pudiéramos sacar el mundo de la nada" (página 779).

Era para Martín esa nada como una negra "pizarra" sobre la cual el *ser* de las cosas se dibuja. Ello quiere decir que si no hubiera *nada* no hablaríamos del *ser,* no nos preguntaríamos por lo que las cosas en verdad sean, por su verdadera realidad; ni nos preguntaríamos por nosotros mismos, por nuestro propio *ser*. El pensamiento, escribe Machado en el apéndice, en 1926, "necesita de la nada para pensar lo que es" (p. 384). Es el temor de la muerte lo que hace entrañable nuestro pensar. Si no hubiera tiempo, tiempo que lleva a la nada, si las cosas no amenazaran a cada paso desaparecer, como nosotros mismos, no nos asombraríamos. La nada "asombra" al poeta, dice por eso Machado, en la segunda parte del apéndice (p. 402). Es, en suma, la nada lo que nos hace mirar con extrañeza, y dicha extrañeza es lo que constituye la pregunta por el *ser*. Que éste es el sentido verdadero de lo que Machado dice, se ve con más claridad en la segunda parte que en la primera, y se confirma luego en *Juan de Mairena*. Pero ya en la primera es muy significativo lo que se indica en el poema *Al gran cero*, poema humorístico y rarísimo que empieza así:

> *Cuando* el Ser que se es *hizo la nada*
> *y reposó, que bien lo merecía,*
> *ya tuvo el día noche, y compañía*
> *tuvo el hombre en la ausencia de la amada.*

Es decir, cuando Dios hizo la nada, el día tuvo su complemento en la noche. Gracias a la *noche* es posible percibir el día, lo creado, lo que es, pues si todo fuera *día*, sin el contraste necesario, no advertiríamos que era *día*, como no es posible pensar el ser sin la nada. Y que esa nada diera al hombre "compañía" en la ausencia de la amada, indica probablemente lo que antes ya dijimos: que la revelación de la nada coincide con el fracaso del amor. Sigue el poema:

> ¡Fiat umbra! *Brotó el pensar humano*
> *y el huevo universal alzó, vacío,*
> *ya sin color, desustanciado y frío,*
> *lleno de niebla ingrávida, en su mano.*

> *Toma el cero integral, la hueca esfera,*
> *que has de mirar, si lo has de ver, erguido.*
> *Hoy que es espalda el lomo de tu fiera,*

> *y es el milagro del no ser cumplido,*
> *brinda, poeta, un canto de frontera*
> *a la muerte, al silencio y al olvido* (p. 383).

El "pensar humano", el pensar sobre el "huevo universal",

sobre el mundo, brota gracias a la nada, gracias al "cero integral", a la "hueca esfera". Sólo gracias a esa nada se "ve" realmente el mundo: gracias al *no-ser*. Por eso Dios empieza por dar al hombre lo contrario del ser, el huevo "desustanciado y frío, lleno de niebla ingrávida". Esa nada, "el milagro del no ser", es lo que estando erguidos, al ser hombres, produce en nosotros el asombro del ser y da origen a la metafísica; y esa nada es también lo que hace al poeta cantar, cantar "a la muerte, al silencio y al olvido". Hace cantar porque las cosas van a desaparecer, como nosotros, hundiéndose en la muerte, el silencio y el olvido. Y cantar con "canto de frontera", pues el poeta canta sintiéndose al borde de la nada como a punto de desaparecer. Este canto sólo es posible cuando el hombre es plenamente hombre, cuando su espíritu despierta, esto es, cuando "el lomo" de la fiera se convierte en humana "espalda". De la nada, pues, brota la metafísica, en su raíz, y brota la poesía "temporal".

Quizás esta explicación, que me parece es la primera que se aventura en cuanto al significado de dicho poema, no parezca demasiado audaz teniendo en cuenta lo que más tarde dice Machado mismo; y lo que escribe incluso a continuación del poema, a modo de comentario de éste, que ahora resultará clarísimo: "La nada... es, en cierto modo, una creación divina, un milagro del ser, obrado por éste para pensarse en su totalidad. Dicho de otro modo: Dios regala al hombre el gran cero, la nada o cero integral, es decir, el cero integrado por todas las negaciones de cuanto es. Así, posee la mente humana un concepto de totalidad, la suma de cuanto no es, que sirva lógicamente de límite y de frontera a la totalidad de cuanto es" (página 383).

Pero es importante, antes de continuar con este análisis del papel concedido por Machado a la nada, hacer una aclaración. Si él estuviera refiriéndose tan sólo, como en ocasiones parece, al *no ser*, concebido éste como un artificio especulativo, como algo que se opone simplemente al *ser*, entonces ninguna novedad habría en su pensamiento. La novedad está en reconocer la *nada*, esto es, la experiencia de la *nada*, como fuente de la revelación del *ser*. Pero Machado identifica a veces la nada con el *no ser*; es decir, continúa por un lado refiriéndose al viejo concepto de *no ser*, mas a la vez percibe, probablemente por influjo de Bergson, que hizo, como vamos a ver, una crítica de dicho concepto, la falsedad de éste; y entonces, yendo más allá del propio Bergson, viendo lo que éste no llegó a ver, y adelantándose a lo que luego diría Heidegger sobre el ser y la nada, transforma ese *no ser* en *nada*, aunque siga en ocasiones llamándola todavía *no ser*, y aunque incluso, a veces, siga considerando el *no ser* según la clásica concepción de éste: como negación del ser.

Machado tiene, pues, una clara intuición en cuanto al papel ejercido por la nada; pero no separa siempre su hallazgo, lo nuevo, de las ideas tradicionales con respecto al *no ser*. Así, por ejemplo, escribe: "Del *no ser* al *ser* no hay tránsito posible, y la síntesis de ambos conceptos es inaceptable..., porque no responde a realidad alguna" (p. 382). Ahí, siguiendo probablemente a Bergson, decimos, rechaza como falso e inútil ese concepto del *no ser*, entendido como negación del ser. Mas, extrañamente, al parecer, agrega algo que diríase contradice lo anterior, aunque no lo contradice, pues está ahora considerando la nada, y no ya el *no ser*, a pesar de que así la llame: "No obstante, Abel Martín sostiene que, sin incurrir en contradicción, se puede afirmar que es el concepto del no ser la creación específicamente humana; y a él dedica un soneto..." El soneto que sigue a esas líneas es *Al gran cero,* que, como hemos visto, trata del papel revelador, creador, de la nada, más que del concepto negativo del ser, más que del *no ser.* Tiene él, pues, razón al asegurar que no se contradice; y es ya bien significativo ese "No obstante..." que indica un cambio de pensamiento. Mas claro es que induce a confusión —seguramente porque su pensamiento no era por entonces del todo claro ni aún para él mismo— llamar del mismo modo *no ser,* a cosas que son muy distintas. Y más confusión se crea aún cuando, en el comentario que sigue al poema, se dice que es la nada "el cero integrado por todas las negaciones de cuanto es", pues esto implica una concepción intelectualista de la nada que es algo muy diferente a esa nada experimentada en la angustia, como Heidegger dice, a ese sentimiento de la nada, que revela el *ser,* y que es a lo que en verdad Machado se ha referido en el poema.

Lo mismo que Machado dice en cuanto al ser y la nada, y con mayor, mucha mayor, precisión y claridad, es lo que en 1929 diría Heidegger. Este puntualiza con insistencia que esa *nada* a que él se refiere no es en modo alguno una simple suma de negaciones: "Nosotros afirmamos que la *nada* es más original que el *no* y la negación" (cf. "What is Metaphysic?", en *Existence and Being* [London, 1949], p. 361). Nosotros, sigue diciendo Heidegger, podemos pensar lo que es como una "idea" y luego "negar lo que hemos así imaginado". Pero de este modo "llegamos a un concepto formal de una imaginaria nada y no a la nada misma" (ib., p. 363). Es la angustia lo que nos "revela la nada" (p. 366). Y concluye: "La nada es la fuente de la negación, y no al contrario" (p. 372). Luego veremos aún con más detalle lo que Heidegger dice en cuanto a la revelación del ser en función de esa nada experimentada en la angustia. Pero recordemos, una vez más, que Machado no podía en modo alguno haber leído este ensayo cuando escribió su apéndice.

Lo que Machado había sin duda leído era lo que Bergson dice en *L'Évolution créatrice* sobre el mismo tema. De ahí debió partir Machado, que tan influído está por Bergson en el apéndice, para llegar luego a decir en cuanto a la nada algo que Bergson no dice, y que es lo verdaderamente original e importante. Bergson, como luego Machado, y como Heidegger, rechaza por artificioso e inútil el concepto de *no ser*: "Después de haber evocado la representación de un objeto", y después de haber supuesto a éste existente, "nos limitamos a agregar a nuestra afirmación un *no*, y esto basta para pensarlo inexistente" (cf. *L'Évolution créatrice,* ed. Alcan [París, 1908], p. 310). La crítica de Bergson se halla perfectamente de acuerdo con el carácter antiintelectualista de su filosofía, y es, en todo caso, admisible. Pero Bergson, después de rechazar la *nada,* entendida como *no ser,* la nada concebida como una abstracción, no advierte que hay una *nada* que no es sólo pensada, sino vivida, experimentada. Lo que a él le interesa hacer notar es sólo que así como siendo la realidad, según él, un "perpetuo devenir", cometemos el error de querer pensar lo móvil con lo inmóvil, así hay una segunda "ilusión" —de la cual él se ocupa en el capítulo IV, y final, de su obra— que consiste en servirse "del vacío para pensar lo lleno". Empieza diciendo: "Los filósofos no se han ocupado hasta ahora de la nada. Y, sin embargo, ésta es a menudo el resorte escondido, el invisible motor del pensamiento filosófico" (ib., p. 298).

Machado debió dar a estas palabras más importancia de la que realmente tienen en Bergson, que en último término piensa esa *nada* tan sólo como una "pseudoidea". Las palabras de Bergson tienen a veces una gran semejanza con las de Machado:

La existencia, nos dice, aparece como "una conquista sobre la nada. Yo me digo que podría, que debería incluso no haber nada, y me asombro entonces de que haya algo. O bien me represento toda la realidad como extendida sobre la nada, como si fuera sobre un tapiz... En fin, que no puedo desprenderme de la idea de que lo lleno es como un bordado sobre el lienzo del vacío, que el ser se sobrepone a la nada" (p. 399). Mas no se olvide que esto no es para Bergson sino una ilusión que necesita ser explicada, un error de enfoque que él trata de corregir. A Machado, sin embargo, debió impresionarle todo eso y no parecerle, en cambio, tan convincente la refutación; o, más bien, Machado debió ver que la nada seguía estando ahí, para él, a pesar de la refutación. Que Machado en todo caso recuerda, más o menos conscientemente, estas páginas de Bergson al escribir en la primera parte del apéndice sobre la nada, me parece muy probable, ya que incluso encontramos en Bergson la imagen del "círculo trazado con tiza sobre una pizarra", *cercle tracé à la craie sur un tableau* (p. 300). Bergson, establecido el problema, agrega: "Si pudiéramos probar que la idea de la nada, *en el sentido que la tomamos cuando la oponemos a la de existencia,* no es sino una pseudoidea, entonces los problemas que ella despierta se convertirían igualmente en pseudoproblemas" (p. 301). Y pasa a probarlo, y lo prueba: la idea de la nada, entendida como *no ser,* como suma de todas las negaciones del ser, es un falso concepto que deberíamos abandonar, un simple artificio especulativo. Pero todo ello nada dice en cuanto a la nada experimentada como posibilidad de la aniquilación del ser, de nuestro ser. Y en este sentido, que Bergson no tiene en cuenta, esa nada que no puede ser refutada, que no puede mostrarse sea una pseudoidea, porque tampoco es una idea, sigue viva y despertando problemas; el problema de la muerte, por ejemplo, y la pregunta por el *ser* de las cosas, la pregunta que da origen a la metafísica y a la poesía.

La idea de un objeto como "no-existente" es en verdad la idea del objeto "existente" al que se agrega "la representación de una exclusión de ese objeto" (p. 310), dice Bergson. Esto le permite afirmar que "la idea de la abolición no es una pura idea... Suprimid todo interés, toda afección: no queda entonces sino la realidad que fluye..." (p. 31). Y por eso, muy de acuerdo con toda su filosofía, termina diciendo que es preciso "habituarse a pensar el Ser directamente, sin hacer un rodeo, sin empezar por dirigirse al fantasma de la nada que se interpone entre ella y nosotros" (p. 323). Esto es lo que Bergson dice, que mucho debió servir a Machado. Pero él debió pensar, piensa desde luego, efectivamente, sobre todo más adelante, en la segunda parte del apéndice, que si "la abolición" no es una pura idea es una pura realidad. En suma, Machado, como Heidegger, adopta una posición existencial, y en ningún modo trata de suprimir "todo interés, toda afección", sino que es precisamente en su interés y su afección donde pone el énfasis: en su corazón. La concepción del Ser que Bergson propone, pese a todo su anti-intelectualismo, no deja de ser una abstracción más, una hipótesis. Muchos años después, Bergson escribía aun: "Nous avons montré jadis qu'une partie de la métaphysique gravite, consciemment ou non, autour de la question de savoir pourquoi quelque chose existe: pourquoi la matière, ou pourquoi des esprits, ou pourquoi Dieu, plutôt que rien? Mais cette question présuppose que la réalité remplit un vide, que sous l'être il y a le néant, qu'en droit il n'y aurait rien, qu'il faut alors expliquer pourquoi, en fait, il y a quelque chose. Et cette présupposition est illusion pure, car l'idée de néant absolu a tout juste autant de signification que celle d'un carré rond" (*Les deux sources de la morale et de la religion,* ed. A. Skira [Genève, 1945], página 240). Mas sea o no ilusión el presuponer que la realidad llena un vacío, el caso es que el hombre seguirá eternamente asombrándose ante lo que es, ante lo que aparece, y desaparece; preguntándose por el ser, e implicando en esta pregunta a la nada, aunque el concepto de *nada* resulte ser una "pseudoidea".

Lo que origina toda clase de confusiones, repetimos, es el hecho de que, alejándose como se aleja, esencialmente, de la posición que Bergson adopta, siga sin embargo Machado muy apegado al modo de pensar de éste, o así parezca. Cuando en el apéndice se refiere a un "nuevo pensar", a un "pensar poético", que sería "pensar cualificador", no cabe duda que en Bergson piensa. Y agrega Machado: "Este pensar se da entre realidades, no entre sombras; entre intuiciones, no entre conceptos. 'El *no ser* es ya pensado como *no ser* y arrojado por ende, a la espuerta de la basura'. Quiere decir Martín que una vez que han sido convictas de oquedad las formas de lo objetivo, no sirven ya para pensar lo que es" (p. 381). Todo esto no parece sino un eco de lo que Bergson decía de que hay que pensar el Ser directamente. Pero a continuación es cuando Machado escribe ese "No obstante...", reconociendo la importancia de la nada, y luego incluye el poema *Al gran cero* en el que no se alude ya tan sólo a un pensar lógico del ser, sino también a una revelación de la pregunta por el *ser,* gracias a la nada. El nos dice en el comentario que sigue al poema que es el "cero", esto es, el huevo desustanciado y frío, el no —ser, lo que hace brotar el "pensar humano", y nos advierte que este pensar es "pensar homogeneizador— no el poético, que es ya pensamiento divino" (p. 384), esto es, que es pensamiento lógico y no intuitivo; pero ya vimos que en el mismo poema ese mismo "cero" —que es ahora la nada— es lo que nos hace percibir con asombro el ser, cantar un canto "de frontera/a la muerte, al silencio y al olvido".

Se refiere, pues, Machado, en la primera parte del apéndice, a tres modos diferentes de "pensar lo que es". Uno el lógico, que se apoya en el no—ser, y que él rechaza, como Bergson, considerándolo un pensar "entre sombras"; un segundo modo que él imagina, por influencia de Bergson, del cual luego ya no vuelve a ocuparse en la segunda parte, y que supone una captación inmediata, intuitiva del ser, una "lógica temporal"; y un tercer modo que más que un pensar es un asombrarse ante el ser, sintiendo la nada, de donde nace la poesía. Este tercer modo es el que más nos importa, y del que aun nos ocuparemos.

En *Juan de Mairena* se advierte todavía, a veces, como un recuerdo de la crítica bergsoniana al concepto del *no ser*, como cuando Machado escribe que siempre que "interviene el no ser va implícita la contradicción", y así "el llamado principio de contradicción... lleva implícita una esencialísima contradicción" Esto porque él supone pensar que *una cosa es* y luego que la *misma cosa no es*; mas no es posible pensar una cosa sin pensar que "sea algo", como "dice la lógica en su famoso principio", y esto mismo ocurre "cuando pensamos que *una cosa no es*" (pp. 604-605). Y entonces agrega, alejándose ya de Bergson: "Este era uno de los caminos... el de la reducción al absurdo de la pura lógica, por donde mi maestro llegaba al gran asombro de la nada, tan esencial en su poética". Lo cual parece indicar que, como dijimos, partiendo de la crítica de Bergson al concepto del *no ser*, llegó él al "asombro de la nada" esencial en su poética, como en su metafísica existencialista. En la página anterior, aludiendo probablemente a Heidegger, al que debía estar leyendo por entonces, 1935, dice que la nada es "motivo de angustia" y que ella plantea problemas no sólo al intelecto sino también al "corazón". Heidegger le debió ayudar a ver más claro lo que él, por sí mismo, ya había intuído antes, en el apéndice; y no es raro lo intuyera porque, después de todo, una viva experiencia de la nada la tuvo él en su juventud, al menos, ya que de ella brotaron sus poemas de *Soledades*. El mismo Machado advertirá esto luego, al comentar a Heidegger, como veremos. Pero volvamos ahora al apéndice.

Como en él emplea indiferentemente las palabras *no ser* y *nada,* suele ser difícil precisar cuándo está refiriéndose a la idea tradicional de la negación del ser y cuándo está refiriéndose a esa nada por él presentida que es base de la revelación del *ser,* de la pregunta por el *ser.* Dice, por ejemplo, que las ideas platónicas, que ya vimos él las consideraba, siguiendo en su anti-intelectualismo a Bergson, como "copias descoloridas de las esencias reales que integran el ser", son como un "dibujo o contorno trazado sobre la negra pizarra del no ser" (p. 374). Y aquí, dado que al parecer él piensa que esas "ideas" son pura abstracción intelectual, podríamos creer que esa "pizarra del no ser" a que se refiere la considera tan sólo un artificio desdeñable. Mas en la misma página dice que es nuestro desesperado anhelo, el "conato del ser por superar su propia limitación, quien las proyecta sobre la *nada o cero absoluto*". Y ahí no sólo nombra ya a la *nada,* sino que bien se percibe que esa *nada* no es un simple y frío concepto, sino algo que toca nuestro corazón, algo que nos angustia, determinando ese "conato", esa ansia de eternidad que nos hace proyectar las "ideas" sobre la nada; es decir, que nos hace inventar ese inmutable "ser", las ideas, elevándolo sobre un fondo de nada.

Vamos a ver que la "metafísica" esbozada, aunque sea confusamente, al final de la primera parte del apéndice, es la misma de la que con alguna mayor claridad trata en la segunda parte; pero antes fijémonos en el significado del poema *Al gran pleno o conciencia integral* (pp. 384-385), que sigue al dedicado *Al gran cero,* haciendo juego con él, y con el que se termina la primera parte.

En ese poema *Al gran pleno,* el universo, "cuanto es", aparece cantando "en pleno día". El poema todo es una extraña fantasía. Es el mundo visto —imaginado— desde un punto de mira que no es el propio del hombre. No es el mundo tal como realmente se ve, desde la conciencia angustiada ante el pasar de las cosas y ante su propio e irremediable caminar hacia la muerte; no es el mundo mirado, como en verdad se mira, desde la frontera de la nada, de la noche, como el propio Machado dice en el poema *Al gran cero;* sino *como se veía* desde fuera de uno mismo, impersonalmente, intemporalmente; esto es, *como lo veía Dios:* a plena luz. El poema es una visión cósmica, panteísta, del mundo concebido como "gran pleno o conciencia integral", como un todo, serie de apariciones y desapariciones a través de las cuales la unidad permanece. Esas desapariciones, importantísimas desde el punto de vista de la conciencia individual, son insignificantes desde el punto de vista de la "conciencia integral" que es la que, no sin cierta sorna, aquí se considera. El poema comienza así:

> *Que en su estatua el alto Cero*
> *—mármol frío,*
> *ceño austero*
> *y una mano en la mejilla—,*
> *del gran remanso del río,*
> *medite, eterno, en la orilla,*
> *y haya gloria eternamente.*

A menudo Machado identifica lo creado con el Creador, al modo panteísta, como cuando dice, repetidas veces, que el mundo no es la creación divina sino tan "sólo un aspecto" de la divinidad. Y si Dios es todo, es como si Dios no fuera nada. Ya sabemos, por otra parte, que él de ningún modo creía en la existencia de ese Dios creador, causa primera. En este mismo poema claramente identifica a Dios con la nada al llamarle "el alto Cero". Mas por el asunto de este poema, que supone una visión desde fuera del mundo, necesita él imaginar a Dios, siquiera provisionalmente; un Dios que permanece a la orilla del "río", contemplando el pasar; un Dios que no hace nada, que se limita a decir que "sea" lo que ya es, "cuanto es". Y así sigue el poema:

> *Y la lógica divina*
> *que imagina,*
> *pero nunca imagen miente*
> *—no hay espejo; todo es fuente—,*
> *diga: sea*
> *cuanto es, y que se vea*
> *cuanto ve. Quieto y activo.*

El mundo, dicen los teólogos, es imagen de Dios, medio indirecto de conocer —a través del reflejo— su grandeza: a través del mundo conocemos a Dios como *en espejo*. Pero desde el punto de vista divino, en que Machado se sitúa en ese poema, claro es que "no hay espejo; todo es fuente", pues Dios desde "su estatua" contemplaría la obra continua de la creación, la obra de la naturaleza, la "fuente". Pero en quien Machado aquí probablemente piensa, más que en los teólogos, es en Leibnitz. Sabemos que para éste, extrayendo la mónada, cada una de las conciencias individuales, todas las percepciones del fondo de sí mismas, pero al mismo tiempo teniendo que coincidir estas percepciones con el mundo exterior, las almas son concebidas como "espejos". Y sabemos que Martín se oponía a esa concepción de las almas "a la manera de los espejos", como se lee en el apéndice (p. 355). Ahora bien, siendo su punto de vista, en el poema, el de la conciencia integral y no individual, visto el mundo desde fuera y no desde dentro del alma, no hay ya ni que hablar de los "espejos" de Leibnitz, pues todo es fuente, creación. Un eco bergsoniano de *La evolución creadora,* se podrá percibir, además, en esa concepción del mundo como vital fluir. Y sigue el poema, acentuando los tonos panteístas:

> —*mar y pez y anzuelo vivo,*
> *todo el mar en cada gota,*
> *todo pez en cada huevo,*
> *todo nuevo*—,
> *lance unánime su nota.*
> *Todo cambia y todo queda,*
> *piensa todo,*
> *y es a modo,*
> *cuando corre, de moneda,*
> *un sueño de mano en mano.*
> *Tiene amor rosa y ortiga,*
> *y la amapola y la espiga*
> *le brotan del mismo grano.*
> *Armonía;*
> *todo canta en pleno día.*
> *Borra las formas del cero,*
> *torna a ver,*
> *brotando de su venero,*
> *las vivas aguas del ser.*

Las cosas del mundo, al ser pensadas por el hombre, lógicamente, con la ayuda del *no-ser,* del cero, no son sino como figuras salidas de ese molde del cero, de esas "formas del cero", lo que llena ese hueco del cero. Mas desde el punto de vista de Dios, con la "lógica divina", ya no necesitamos ese molde, ni hay que pensar las cosas lógicamente, como lo opuesto al no ser: el ser es percibido directamente. Por eso invitándonos —por influjo de Bergson— a percibir el ser de un modo inmediato, poético, intuitivo y no lógico, dice: "Borra las formas del cero/torna a ver... las vivas aguas del ser".

El poema tiene, pues, raíces bergsonianas, anti-intelectualistas. Pero es al mismo tiempo, y en oposición al poema *Al gran cero,* una visión del mundo desde fuera, fuera de la lógica tanto como fuera de la conciencia angustiada que descubre la nada. Por eso es sobre todo una fantasía, una broma. Porque si tal vez es posible una visión directa, intuitiva del ser, al modo bergsoniano, al modo divino; es decir, si podríamos eliminar el *no-ser* en nuestra visión del mundo, nunca podremos eliminar la nada. Nosotros nos enfrentamos siempre al mundo desde nuestra temporalidad, desde nuestra propia conciencia solitaria y angustiada. Tal es al menos el punto de vista existencialista, heideggeriano, que más que una teoría sobre lo que el mundo sea, es, creo yo, un intento de describir la situación real del hombre en el mundo, ante el mundo; lo que el hombre realmente es cuando se libera de las máscaras con que a menudo encubre su verdadera situación. Y algo muy parecido, un darse cuenta de nuestra angustiosa situación, un adquirir conciencia, es lo que Machado pretende con su "metafísica de poeta", o con esa poesía "temporal" de que habla en la segunda parte del apéndice.

En dicha segunda parte, la pequeña sección que se titula

La metafísica de Juan de Mairena (pp. 401-403) no es sino un comentario filosófico al contenido de la sección que precede, la que trata de *El 'arte poética' de Juan de Mairena* (pp. 388-400), donde se habla de la temporalidad en la poesía, como luego vamos a ver. En cuanto a la "metafísica" de Mairena, es la misma que la "metafísica" de Abel Martín, de la primera parte, en lo que ésta tiene que ver con la nada, y de la cual nos hemos ocupado. Machado ya dice que "su punto de partida", el de Mairena, "está en un pensamiento de su maestro Abel Martín" (p. 401). Y a continuación comienza a hacer un breve resumen de esa metafísica mairenesca: "Dios no es el creador del mundo... No hay problema genético de lo que es... Cuanto es aparece; cuanto aparece, es... No hay, pues, problema del ser, de lo que aparece. Sólo lo que no es, lo que no aparece, puede constituir problema... el *no ser*... a que Martín alude en su soneto inmortal *Al gran cero,* la palabra divina que al poeta asombra y cuya significación debe explicar el filósofo" (páginas 401-402). El poeta, pues, se limita a asombrarse, y no se plantea el problema de la realidad del mundo externo, ya que acepta las apariencias como realidades. El problema para él está en que eso que percibe lo siente como milagrosamente sostenido sobre un fondo de nada. Por eso se agrega a continuación: "¿Cómo, si no hay problema de lo que es, puesto que lo aparente y lo real son una y la misma cosa... puede haber una metafísica? A esta objeción respondía Mairena: 'Precisamente la desproblematización del ser, que postula la absoluta realidad de lo aparente, pone *ipso facto* sobre el tapete el problema del *no ser,* y éste es el tema de toda futura metafísica'... Esta metafísica... de la pura nada... no pretende definir el ser (no es, pues, ontología), sino a su contrario" (pp. 402-403).

Dejando aparte el hecho de que, otra vez, se confunda o

parezca confundirse, el *no ser,* entendido como lo contrario del ser, con la "pura nada", bien se ve que es en verdad de esta última de lo que se trata, y que ella es la que, cuando se contempla el mundo ingenuamente, sin problema, "pone *ipso facto* sobre el tapete el problema", el problema de la aniquilación del ser, de lo que aparece. Es la pura nada quien causa el asombro del poeta, y de ese asombro nace la poesía.

Vimos que en la parte primera del apéndice se hablaba de dos medios diferentes, aunque seguramente relacionados entre sí, de adquirir conciencia del propio ser, intimidad. Uno era en "camino de vuelta", al descubrir, tras el "fracaso del amor", esa heterogeneidad trágica, sin objeto, de nuestro ser. Otro era por medio de la "poesía". Poesía que —se insinuaba ya en el poema *Al gran cero*— brota a causa del sentimiento de la nada. Los dos medios vienen a ser el mismo, decíamos, pues al descubrir esa heterogeneidad u otredad inmanente se descubre la nada. Pero el hecho es que si en la primera parte el énfasis se pone —salvo al final— en lo de la heterogeneidad, en la segunda de lo que se trata especialmente, como vemos, al ocuparse de la metafísica de Mairena, es de la poesía, esto es, de esa "metafísica... de la pura nada", esa nada que plantea el problema del *ser* y despierta la poesía. Y a esa misma metafísica mairenesca, de la pura nada, es a la que él seguiría refiriéndose años más tarde.

Todo poeta, dice también en la segunda parte, "supone una metafísica... el poeta tiene el deber de exponerla, por separado, en conceptos claros" (p. 401). Y esto es lo que Machado, que era sobre todo un poeta, trató de hacer, aunque no lograse hacerlo en términos del todo claros: exponer su metafísica, fundada en sus experiencias de poeta. En sus últimos años, Machado, el filósofo, no haría sino meditar sobre las experiencias del joven poeta de *Soledades.*

Si su exposición no resulta clara es, creo yo, entre otras cosas, porque le cohibía la grandiosidad de esa empresa de cambiar, con su "metafísica de poeta", con su filosofía existencial, el rumbo de la metafísica clásica. Lo que él al escribir el apéndice, incluso la segunda parte, sin duda no sabía, es que por la misma época, en 1927, con *Sein und Zeit,* recogiendo hilos del pasado, partiendo sobre todo de Kierkegaard y apoyándose en el método riguroso de Husserl, Heidegger iba a intentar con toda seriedad esa empresa. De haberlo sabido, como Machado dijo años más tarde, hacia 1935, cuando lo leyó, Mairena "hubiera tomado más en serio las fantasías poético-metafísicas de su maestro Abel Martín" (p. 600). El se dió en seguida cuenta que la metafísica de Heidegger era en esencia, como la suya, metafísica de poeta y para poetas. El mismo dice en 1937, en el artículo dedicado a exponer *Sein und Zeit,* que el hacer básica "la existencia del hombre" para abordar los problemas metafísicos, es algo con una "nota profundamente lírica, que llevará a los poetas a la filosofía de Heidegger, como las mariposas a la luz" (p. 795).

Finalmente, aun en la segunda parte del apéndice, para terminar esa brevísima exposición de la metafísica de Mairena, dice Machado que *Los siete reversos* es el tratado filosófico en que Mairena pretende enseñarnos los siete caminos por donde el hombre puede llegar a comprender la obra divina: la pura nada" (p. 403). Lo que con esto se dice, de modo más inmediato, es tal vez, simplemente, que por muchos caminos llegamos siempre a descubrir la misma desolada situación del hombre, la falta de Dios, la nada. Pero debe también tenerse en cuenta que en la primera parte se especifica que esos "reversos" no son sino "formas de objetividad", es decir, proyecciones de nuestro anhelo erótico", apariencias en suma (p. 378). Y así resultaría que lo que dice en la segunda parte es que esas apariencias o "reversos" son los caminos que nos llevan a descubrir la nada; o sea que es en el mundo, ante las cosas, cuando descubrimos que ellas carecen de fundamento.

En la primera parte, nos dice que es "en camino de vuelta" cuando se adquiere "plena y fecunda intimidad", esto es, cuando do "se reintegran a la pura unidad heterogénea", o sea a la conciencia, "las citadas formas o *reversos del ser*" (p. 378); es decir, cuando reconocemos que es dentro de nosotros donde se encuentra lo que buscábamos fuera; pero nadie, agrega, "logrará ser el *que es, si antes no logra pensarse como no es*", nadie logrará ser él mismo sino gracias a ese impulso hacia lo otro, lo que él no es, aunque eso otro no exista. Todo esto no es sino parte de esa metafísica de Martín en tanto que ésta trata de la "heterogeneidad del ser". Pero entonces resulta que si gracias a esos "reversos", al descubrirlos como inmanentes, es cuando do adquirimos conciencia de nosotros mismos, cuando descubrimos la trágica heterogeneidad, y es entonces cuando (como antes decíamos y Machado parece insinuar) se descubre la nada, esto se halla aparentemente en oposición con lo que se dice en la segunda parte, ya que una vez es "en camino de vuelta", al volver hacia nosotros cuando, en suma, se descubre la nada, y otra es no al volver, sino en esas mismas apariencias, al vivir entre ellas, cuando descubrimos la nada. Para uno la nada se revela al descubrirse el carácter inmanente de lo otro todo, y para el poeta, que acepta las apariencias como realidades, la nada se revela en esas mismas apariencias. La contradicción, más aparente que real desde luego, proviene de que a lo largo del apéndice el pensamiento de Machado va evolucionando, y pasa de esa metafísica de la heterogeneidad del ser, llena aun de ecos bergsonianos, a la más clara y definitiva metafísica de la pura nada, metafísica poética, existencial.

Lo importante es que en la segunda parte, como al final de la primera, la nada "asombra" al poeta, y éste se plantea, aunque no explícitamente, el problema del *ser,* no racional sino existencialmente, desde el fondo de su corazón. No le preocupa el poeta la esencia de lo que aparece, de lo que él ama, sino su existencia y su futura desaparición. El *ser,* en suma, revelado a la conciencia por la nada, no es el ser inmutable, sino el ser inmerso en la corriente del tiempo y considerado desde nuestro ser, inmerso en el tiempo también. Y esto nos lleva a plantearnos con algún mayor detenimiento la relación de Machado con Heidegger, a la que ya hemos repetidamente aludido; la relación con *El ser y el tiempo,* y con *¿Qué es metafísica?,* donde se habla del ser y de la nada.

RELACIÓN ENTRE EL PENSAMIENTO DE MACHADO Y EL DE HEIDEGGER

En su "analítica existenciaria", en *Sein und Zeit,* Heidegger hace una investigación del *Dasein,* de la existencia, tal como ésta se descubre a sí misma en la angustia, y ello como un paso previo a la investigación del problema del *ser,* a la metafísica, entendida como ontología. Machado pudo conocer esta obra, aunque ello sea muy poco probable, antes de escribir la *segunda parte* del apéndice, ya que ésta apareció en 1928 y la obra de Heidegger es de 1927. Pero en ella apenas trata Heidegger del problema del *ser,* y tampoco se habla en ella mucho de la nada, sino, más bien, del ser del *Dasein.* Su analítica existenciaria, dice sin embargo Heidegger al terminar su obra, tenía por objeto "encontrar una posibilidad de responder a la pregunta que interroga por el sentido del ser en general". Y antes, al comenzar su estudio, había advertido, con una de sus abstrusas fórmulas, que el libro no tendía sino a descubrir "el tiempo como horizonte de la comprensión del ser, partiendo de la temporalidad como ser del *Dasein* que comprende el ser". Lo cual, si mal no entiendo, quiere decir que siendo el *Dasein* —el hombre que se angustia, sintiéndose perdido en el mundo, no el hombre en sus momentos banales— quien "comprende el ser", quien pregunta por el *ser*; y siendo, en último término, como él trata de mostrar, la "temporalidad" la íntima estructura de ese *Dasein,* es decir, siendo la temporalidad el ser del *Dasein,* resulta así que es el tiempo —aunque no sea el tiempo entendido de un modo "vulgar"— "aquello desde lo cual el *Dasein...* comprende... lo que se dice *ser*"; o sea que es el tiempo "el horizonte de la comprensión del ser" *. En dicho libro, que es sólo parte de una obra mayor, nunca terminada, de una metafísica aun no publicada, no se aborda directamente, repetimos, el problema del *ser* en general, sino lo que se hace sobre todo es investigar el ser del hombre, el ser de ese *Dasein.* A. de Waelhens muy oportunamente comenta, al comenzar su estudio sobre Heidegger ** : "Le but ultime et principal est l'édification d'une métaphysique générale que l'analytique existentiale a pour mission d'introduire. Telles sont les intentions de Heidegger. C'est une autre question de savoir si, en fait, cette analytique, de simple introduction qu'elle devait être, n'a pas fini par absorber la majeure partie ou la totalité de l'attention de son au-

* Cf. *El ser y el tiempo,* trad. por José Gaos [México, Fondo de Cultura Económica, 1951], pp. 428 y 21.
** *La philosophie de Martin Heidegger,* 3.ª ed., Louvain, 1948.

teur. Et c'est une autre question encore de décider si les ré-
sultats acquis par cette analytique existentiale ne sont pas de
nature à interdire définitivement toute thèse touchant l'être en
général, rendant impossible toute métaphysique au sens usuel
de ce mot"... (p. 9). La causa por la que pone en duda o, más
bien, en verdad niega Waelhens la posibilidad de una metafísica
en Heidegger, queda indicada cuando más adelante, en el capítulo "Heidegger et la métaphysique", el mismo autor escribe:
"Si, selon la conception unanimement acceptée, l'ontologie est
faite d'énonciations dont l'homme ne saurait être la mesure, alors
nous pensons qu'il n'y a et ne peut y avoir chez Heidegger rien
qui ressemble à une métaphysique" (p. 318).

En *¿Qué es metafísica?*, de 1929, en cambio, sí que se plantea Heidegger el problema de la pregunta por el *ser*. Si antes,
en *El ser y el tiempo* partía del hombre concreto y de sus angustias para llegar a plantear el problema del *ser,* ahora, invirtiendo en cierto modo los términos, empieza por plantear ante
todo el problema del *ser,* pero lo hace ligando inmediatamente
ese problema con los específicos problemas del hombre que se
plantea esa pregunta, esto es, con el sentimiento que de la nada
tiene el hombre. Relaciona, pues, Heidegger en ese ensayo, y
muy explícitamente, el *ser* con la *nada,* de un modo análogo
a como Machado lo había hecho ya en el apéndice, en 1926
y 1928.

Ese concebir la nada como fondo necesario para la revelación del ser, de que se habla en *¿Qué es metafísica?*, y el concebir el tiempo como "genuino horizonte de toda comprensión
y toda interpretación del ser" a que se alude en *El ser y el
tiempo*, no son en verdad, según me parece, sino dos aspectos
de una misma concepción. De otro modo podría uno preguntarse: ¿En qué quedamos? La base para la comprensión del

*ser, ¿*es el tiempo o es la nada? Pero la respuesta creo que es: el tiempo y la nada, que no son sino dos aspectos de lo mismo. No se habla en verdad mucho de la nada en *El ser y el tiempo,* ni mucho del tiempo en *¿Qué es metafísica?* Pero, ¿nos preocuparíamos acaso de la nada si no fuera por el tiempo? Y, al contrario, ¿nos preocuparíamos del tiempo si no fuera por el temor a la nada? La angustia de que habla Heidegger en su obra fundamental —angustia de "ser en el mundo", angustia pura, por nada— en que descubrimos nuestra "posibilidad de ser", ese vital impulso hacia el futuro que no acaba sino en la muerte, ¿qué es sino angustia por el tiempo? Esa angustia que, según se dice en la obra primera, es la que nos revela nuestro propio ser, es la misma que, según se dice en el ensayo, nos revela la nada, agregando que esa nada es la que despierta en nosotros la pregunta por el *ser.* Hay, pues, una estrecha relación entre *El ser...* y *¿Qué es met.?,* aunque dicha relación no haya sido destacada lo bastante. A una cierta relación entre ambas obras se refiere, sin embargo, A. de Waelhens: "Il n'y a donc aucune contradiction entre *Sein und Zeit* qui attribue à l'angoisse la découverte de la mondanité pure... et *Was ist Metaphysik,* où cette même angoisse nous révèle l'existant brut dans son néant d'intelligibilité. Il s'agit de deux expériences opposées mais rigoureusement complémentaires et indissolublement liées" (op. cit., p. 260).

El objeto de destacar la posible relación entre esas dos obras, aunque ésta no se perciba siempre a primera vista, ni sea algo de lo que mucho se haya hablado, es para mostrar que si lo que el filósofo alemán dice en su ensayo en cuanto al ser y la nada estaba ya en cierto modo implícito, apuntado, en su obra anterior, de 1927, ello estaba sólo apuntado; y que, por tanto, difícilmente, cuando aun ahora no se ve con claridad, podría haberlo visto Machado entre 1927 y 1928, si es que leyó *Sein und Zeit* apenas se publicó en alemán esa obra. Ya veremos que hay motivos para suponer que Machado no empezó a leer a Heidegger sino hasta 1934 ó 1935; pero aunque hubiera leído *Sein...* en 1927, poco podría haber usado de esa obra para la *seguna parte* del apéndice. Y siempre quedaría la primera, donde él habla también, como hemos dicho, al tratar el poema *Al gran cero,* del ser y de la nada. Explícitamente, no trata Heidegger del ser y la nada sino hasta 1929, en el ensayo que Machado no pudo leer al escribir su apéndice. La precedencia de Machado con respecto a Heidegger, al menos en lo que respecta a ese punto del ser y la nada, me parece, pues, indiscutible. Y en cuanto a otros parecidos, que son también parecidos con otros existencialistas, como el simple hecho de poner el énfasis en la existencia, y no en la esencia; el sentimiento de la nada o la angustia y, a la vez, la "trascendencia" del ser, cierta trascendencia; todo ello que vemos en Machado como en Heidegger —con diferencias, cierto es, muy grandes también, sobre todo de método— no indica tampoco ni mucho menos la dependencia de Machado con respecto a Heidegger, ya que de ello se habla en la primera parte, en 1926, antes de haberse siquiera publicado *Sein...* Y no me parece innecesario insistir en esta precedencia de nuestro poeta ya que, por un lado, en lo que se refiere a la relación entre el ser y la nada el parecido es grande, como vamos a ver inmediatamente; y por otra parte, aunque este parecido mayor no haya sido percibido por los críticos que han aludido a la relación entre ambos, casi todos coinciden en insinuar que el pensamiento de Machado fué influído por el de Heidegger. Lo que sí me parece un hecho es que *después de 1934,* después de haber leído a Heidegger, Machado perfila y retoca su pensamiento, ajustándolo al de él y clarificándolo un poco; aunque, por desgracia, sólo se refiera a su metafísica en algunos pocos fragmentos de *Juan de Mairena*.

Ya dijimos que en 1926, comentando el poema *Al gran cero*, Machado escribió que el pensamiento "necesita de la nada para pensar lo que es" (p. 384). Y aunque pudiera caber duda, como casi siempre, si al decir "nada" quiere decir *no ser*, en el sentido de negación u oposición al ser, no debe ser así por el hecho de que se trate de un comentario al poema en que se refiere en verdad a la nada, que hace cantar al poeta. Pues bien, casi con las mismas palabras escribiría Heidegger en 1929: "Es la nada lo que hace posible para nuestra humana existencia la revelación de lo que es en cuanto tal. La nada no es sólo un concepto en oposición a lo que es, sino algo original, esencial". Y el sentido de estas líneas resulta completamente claro por lo que en el mismo ensayo se dice anterior y posteriormente.

La nada, pues, viene a decir Heidegger, es la que, presentida, nos hace mirar con extrañeza y preguntar por el ser. Porque sentimos la nada en el fondo de nosotros es por lo que nace la extrañeza, y de ésta el asombro: "Sólo por ese asombro, es decir, por la revelación de la nada, brota el ¿*por qué*? en nuestros labios". Y este ¿*por qué*? es lo que nos hace buscar "razones y pruebas", y el que nos lleva a convertirnos nosotros mismos, los que preguntamos, en problema. Y así nace la metafísica, la inquietud metafísica, que no es de ningún modo un problema llevado al hombre desde fuera de él, sino algo en que "mientras existimos, estamos"; algo que vive en nosotros, aunque a veces lo ignoremos. No necesitamos sino libertarnos de "ídolos", sigue diciendo Heidegger, dejar que en nosotros libremente se revele la nada, para que de nuevo brote la cuestión fundamental de la metafísica, cuyo origen está en la nada misma: "¿Por qué el Ser y no la Nada?" Así termina el ensayo. La posición de Sartre en relación con el mismo problema del ser y la nada, aunque inspirada seguramente en la de Heidegger, es diferente y hasta opuesta a la de éste. Como explica R. Jolivet en *Les doctrines existentialistes* (pp. 169-171): "Contrairement à ce que pense Heidegger, pour qui l'être surgit 'sur fond de néant', le néant ne peut surgir, pour Sartre, que 'sur fond d'être' ". Para Sartre es el hombre "l'être par qui le Néant vient au monde", ya que "l'être est antérieur au néant et le fonde... l'être n'a nul besoin du néant pour se concevoir". Pero en cambio la nada "ne saurait avoir qu'une existence empruntée: c'est de l'être qu'il prend son être". (*L'Etre et le Néant,* páginas 60. 52). Y algo muy parecido se lee en *La nausée* (París, 1947), p. 175.

No muy diferente a lo que Heidegger escribe en *¿Qué es metafísica?* en cuanto al origen de la pregunta por el ser, es lo que poco antes escribía Scheler en el capítulo final de *El puesto del hombre en el cosmos,* de 1928: "Cuando el hombre se ha colocado *fuera* de la naturaleza y ha hecho de ella su 'objeto...' se vuelve en torno suyo *estremeciéndose...* En esta vuelta en torno suyo el hombre hunde su vista en la *nada,* por decirlo así. Descubre en esta mirada la *posibilidad* de la 'nada absoluta'; y esto le *impulsa* a seguir preguntando: ¿Por qué hay un mundo? ¿Por qué y cómo existo *yo*?" ¿Por qué existen en vez de "no existir"? Después de este "descubrimiento", una "doble conducta", dice Scheler, era posible: el hombre "podía *admirarse*", y éste "es el origen de la metafísica"; o podía seguir un "impulso de salvación", buscando protegerse, y así nace "lo que llamamos religión". Scheler no acepta "esa relación semi-infantil y semi-temerosa del hombre con la Divinidad". Y hasta ahí no parece muy lejos de Heidegger. Pero

él no rechaza toda posición religiosa, lo que propugna es subs-
tituir ese infantil temor por el *"acto* elemental del hombre que
personalmente hace suya la causa de la Divinidad y se *identifica* en todos los sentidos con la *dirección* de sus actos espirituales". Mas "la última 'realidad' del ser existente por sí *no
es susceptible de objetivación"*. Para Scheler "la conciencia del
mundo, la conciencia de sí mismo y la conciencia de Dios forman una indestructible unidad estructural"; mas la *"esfera de
un ser absoluto* pertenece a la *esencia* del hombre" (cf. *El puesto...*, pp. 156-157).

Como ya indicamos anteriormente, la religión de Scheler
en esta obra, al menos por lo que tiene de inmanentista, no es
muy diferente de la de Machado, en otras ocasiones. Pero en lo
que se refiere al problema del ser y la nada, a quien Machado
más se parece es a Heidegger, pues, como él, excluye la conciencia de Dios al tratar de ese problema. Scheler se adelanta
en cierto modo a Heidegger —dejando aparte el hecho de que
ponga el énfasis en lo religioso— ya que, al parecer, pronunció
esa conferencia en 1927, aunque no trate el problema del ser
y la nada tan detallada y originalmente como él, y ni siquiera
como Machado. En todo caso, lo cierto es que Machado se
adelanta a ambos. *El puesto...*, de 1928, se tradujo por primera
vez al español, por la *Revista de Occidente,* en 1929.

El interés y la originalidad, al menos relativa, de estos pensamientos de Machado y de Heidegger, quizás no se adviertan
sino teniendo en cuenta la historia "de la pregunta que interroga
por el ser", historia a que alude el mismo Heidegger al comenzar su obra. "La mencionada pregunta está hoy caída en olvido... Tuvo en vilo el meditar de Platón y de Aristóteles, cierto
que para enmudecer desde entonces *como pregunta expresa de una
investigación efectiva.* Lo que ganaron ambos se conservó a

través de variadas modificaciones y 'retoques' hasta la misma 'lógica' de Hegel. Y lo que en otro tiempo se arrancó a los fenómenos en el supremo esfuerzo del pensamiento, aunque fragmentariamente y en primeras arremetidas, está hace mucho trivializado" (*El ser y el tiempo*, p. 3). Después de lo cual pasa a mostrar los "prejuicios" que han oscurecido a través de los siglos esa pregunta. Es necesario, dice más adelante, "ablandar la tradición", destruir el "contenido tradicional de la ontología antigua" en busca de "las experiencias originales", y eso es lo que se propone hacer en su obra, la cual tiene "por meta llevar a cabo un desarrollo fundamental de la pregunta que interroga por el ser" (pp. 26-27). Y de lo mismo trata, con más claridad, en el ensayo *¿Qué es met.?*, donde escribe que "la metafísica clásica concibió la nada como *no ser*, esto es, como materia informe incapaz de llegar por sí misma a 'ser', y que no puede por tanto presentar una apariencia". Los cristianos, dice, negaron luego la clásica proposición "de la nada nada adviene", pues según ellos Dios extrajo el mundo de la nada, resultando así, otra vez, la Nada lo opuesto al Ser Supremo. Hegel, sigue diciendo, tampoco vió con claridad el problema. Mas para él, Heidegger, "la nada deja de ser la vaga oposición de lo que es, revelándose como una parte integral del ser de lo que es". Y por tanto, la vieja proposición debería, según él, cambiarse por otra que dijese: "Todo ser, en cuanto tal, proviene de la nada". Lo cual quiere decir que el problema del ser es provocado por la nada.

En 1935, en el primer volumen de *Juan de Mairena,* escribía Machado: "Todo lo problemático del ser es obra de la nada" (p. 606). Aquí ya no se hace ninguna confusión de *nada* con *no ser*. Ya no dice, como en 1928, que es el *no ser* (queriendo decir *la nada*) lo que pone "sobre el tapete" el verdadero problema del ser: dice ahora, claramente, *la nada*. Es casi seguro que por entonces, 1935, había ya Machado leído *¿Qué es metafísica?* —la traducción de X. Zubiri, en *Cruz y Raya,* apareció en septiembre de 1933—, y más que probable que hubiera ya empezado a leer *Sein und Zeit.* Días antes aludía a Husserl y a Heidegger, sin nombrar a éste; y poco después le nombra por vez primera. Todo ello dos años antes de que dedicara a *Sein und Zeit* todo un artículo. La alusión que decimos a Husserl, ya antes citada, y Heidegger, se encuentra en estas líneas de 1935: "Juan de Mairena era un hombre de otro tiempo... no tuvo noticia de este moderno resurgir de la fe platónico-escolástica en la realidad de los universales, en la posible intuición de las esencias... de los fenomenólogos de Friburgo. Mucho menos pudo alcanzar las últimas consecuencias del temporalismo bergsoniano, la fe en el valor ontológico de la existencia humana" (p. 600).

Machado parece interesado en hacer notar que él no había tenido noticia, cuando escribió el apéndice, del existencialismo de Heidegger. Y por ello agrega lo siguiente, que en parte ya antes citamos: "Porque de otro modo, hubiera tomado más en serio las fantasías poético-metafísicas de su maestro Abel Martín. Y aquel *existo, luego soy,* con que su maestro pretendía nada menos que enmendar a Descartes, le hubiera parecido algo más que una gedeonada, buena para sus clases de Retórica y de Sofística". A continuación recuerda algunas de esas "fantasías" de Martín. Y luego siguen varios fragmentos, íntimamente unidos entre sí —lo que no siempre ocurre— que aparecen bajo el siguiente título, muy significativo: *"Mairena empieza a exponer la poética de su maestro Abel Martín* (pp. 602-607). Machado no hace ahí sino repetir gran parte de lo que en cuanto a su metafísica, en cuanto al ser y la nada, había ya dicho en el apéndice. Dice, por ejemplo, al comenzar, que lo que en último término determina el pensamiento metafísico, esa fe en lo nunca visto, llámese "el ser, la esencia, la substancia", no es verdad sino "la pura nada" (p. 502). Y agrega que "para el poeta", la nada es sobre todo "causa de admiración y extrañeza" (p. 603). Al poeta, "el ser poético... no le plantea problema... La nada, en cambio, sí. ¿Qué es? ¿Quién la hizo?..." Y estas preguntas no brotan sólo en su cabeza "sino también en su corazón". Y a continuación dice, pensando seguramente otra vez en Heidegger: "Porque la nada es, como se ha dicho, motivo de angustia" (ib).

No es difícil adivinar por qué Machado repite, tras años de silencio, lo que había escrito en el apéndice: leyendo a Heidegger debió sorprenderle la semejanza entre el pensamiento de éste y el suyo. A esa semejanza, y al asombro que ésta le producía, aludiría él, aunque modesta y discretamente, en más de una ocasión. En 1935, Machado aparece ya libre de las confusiones que antes oscurecían la exposición de la metafísica de Martín o Mairena, pues si ahora ésta parece aun oscura, ello se debe, sobre todo, a lo conciso de sus explicaciones. Y entonces él trata, creo yo, de destacar la semejanza entre sus ideas y las de Heidegger, a la vez que sugiere que aunque no se hubiese ocupado explícitamente de la angustia, y en esto se diferenciaría por tanto de él, ésta se hallaba en verdad en el fondo de todo su pensamiento, y era algo que había originado ya sus versos primeros, como luego inspiraría su "metafísica de poeta". Esto lo indica en todo caso muy claramente en 1937, al ocuparse directamente de Heidegger, como vamos a ver. Pero ya en 1935 lo insinúa al escribir que esa nada que hace "problemático el ser", es algo que "se ha introducido en nuestras almas muy tempranamente, y apenas hay recuerdo infantil que no la contenga" (p. 606). Dice *nada,* y no angustia. Pero él mismo había recordado, en el mismo artículo, que "la nada es, como se ha dicho, motivo de angustia" (p. 603). Nada y angustia se identifican. Y por ello, tras habernos dicho que el sentimiento de la nada se encuentra en casi todos sus recuerdos infantiles, como prueba de ello cita un viejo poema de *Soledades* que se refiere en efecto a un tal recuerdo infantil, pero en el que en verdad no se habla del sentimiento de la nada, sino de "angustia", de un abejorro que, junto a la fuente, mientras las niñas cantan, o en el techo, esperando, como dormido, parece materializar una latente angustia (p. 606-607).

Machado pensaba que, como la suya, la metafísica de Heidegger era una metafísica de poeta, y por eso, cuando días después le nombra por vez primera, escribe: "Los filósofos... irán poco a poco enlutando sus violas para pensar, como los poetas, en el *fugit irreparabile tempus.* Y por este declive romántico llegarán a una metafísica existencialista, fundamentada en el tiempo; algo en verdad, poemático más que filosófico. Porque será el filósofo quien hable de angustia, la angustia esencialmente poética del ser junto a la nada... Así hablaba Mairena, adelantándose al pensar vagamente en un poeta a lo Paul Valéry y en un filósofo a lo Martín Heidegger" (pp. 626-627). Obsérvese que la última frase de esta última cita está mal construída. Para entenderla habría que suprimir la palabra "adelantándose", que tal vez le dictó el subconsciente, si es que no se trata de un error de imprenta.

Unos meses después, a mediados de 1936, apareció el volumen primero de *Juan de Mairena,* donde recogía los artículos que con regularidad había ido publicando durante poco más de un año en los periódicos de Madrid. Estalló en julio la guerra civil. En noviembre fué trasladado por el gobierno a Valencia, y días después se instaló con su familia (su madre, su hermano y varias sobrinas) en el pueblecito de Rocafort, cercano a Valencia. Desde allí fué escribiendo mes a mes, a partir de enero de 1937, los artículos que fué publicando en la revista *Hora de España,* y que ahora constituyen el volumen segundo de *Juan de Mairena.* Meses después, apareció en el número XIII de *Hora de España,* enero de 1938, el famoso artículo dedicado a Heidegger, que está fechado en diciembre de 1937.

Es en ese artículo donde, refiriéndose a los andaluces, pero pensando seguramente en él mismo, exclama: "¿Es que somos algo heideggerianos sin saberlo?" (p. 790). Esta pregunta, muchas veces repetida por los críticos, ha dado lugar a diversas confusiones. Ella es la que puso en la pista a todos cuantos se han referido a una posible y vaga relación, nunca aclarada, entre el pensamiento de Machado y el de Heidegger. Generalmente se ha supuesto que si Machado era en cierto modo "heideggeriano", sin saberlo, era en sus poesías primeras—ya que esto él mismo lo indica—y que luego en sus prosas no hizo sino comentar el pensamiento de Heidegger.

Como lo que especialmente hace Machado en ese artículo es exponer *Sein und Zeit,* y en esta obra, como dijimos, no se habla mucho de la nada, de ella tampoco trata él; y como no recuerda nunca explícitamente lo que él había escrito en cuanto al ser y la nada en el apéndice —y, además, lo que había escrito ahí, o luego, en 1935, no se ha entendido— no se aclara que por lo que él resulta "algo heideggeriano" es por su "metafísica de poeta". Al exponer *Sein und Zeit* y referirse a la angustia heideggeriana, por las razones ya indicadas —queriendo introducir la pieza que faltaba para que la semejanza fuese realmente grande— cita unos versos de *Soledades* (las dos primeras estrofas del poema *En una tarde cenicienta y mustia...*

de p. 112), los cuales, según él, "pueden tener una inequívoca interpretación heideggeriana", pues hay en ellos "como una inquietud existencial *(Sorge)*, antes que verdadera angustia *(Angst)* heideggeriana, pero que va a transformarse en ella" (p. 791). De esto se ha deducido lo que Machado quiere que se deduzca, y en cierto modo es verdad: que él, con sus poemas, desde principios de siglo, era ya "algo heideggeriano". Mas el error está en creer que es sólo, o sobre todo, por eso. El error está en creer que el existencialismo de Machado consiste en la angustia que hay encerrada en sus poemas, especialmente los primeros, y no en una *meditación* sobre esa angustia, meditación posterior, angustiada seguramente, pero meditación. De ser sólo por sus poemas, lo mismo podría decirse de otros muchos poetas, empezando, en España, por Jorge Manrique, y no habría motivo alguno, pese a lo que Machado dijera, para hablar de él como especialmente heideggeriano.

Poesía y filosofía, aunque nazcan de la misma raíz, no son la misma cosa, ni siquiera cuando se trata de una filosofía existencialista. No es poesía, sino filosofía, una reflexión sobre el carácter de la poesía, como en Machado; ni aun cuando esa reflexión tenga como base, como Machado dice de la filosofía de Heidegger, "la angustia esencialmente poética del ser junto a la nada". Es al reflexionar, aunque sea con emoción, pero al *reflexionar* sobre la poesía, la angustia, la nada, el hombre, o lo que sea, cuando se filosofa, y no al experimentar angustia ni al expresar esa experiencia de angustia en términos poéticos que la hagan transmisible. El poeta canta, gime; el filósofo existencialista reconoce ese cantar, ese gemir como la auténtica, original situación del hombre. Y, por lo tanto, es con sus prosas, por su "metafísica de poeta" por lo que Machado puede ser considerado "algo heideggeriano", y aun mucho; y "sin saberlo", porque él meditó por su cuenta, sin tener, en efecto, noticia de Heidegger.

Machado hace una mediana exposición de *Sein und Zeit,* lo cual en 1937 era cosa aun mucho más difícil de lo que hoy es.

A la exposición de Machado, un poco confusa ciertamente, se mezclan, esbozadas tan sólo, algunas críticas. Aparte de ésa, a que ya aludimos al principio de este trabajo, de que Heidegger no tiene en cuenta al "otro" suficientemente, a Machado, como a muchos, le sorprende esa "paradójica" *libertad para la muerte".* En Machado, como en Heidegger, es junto a la nada como se revela la trascendencia del ser, ese dramático impulso hacia lo otro, hacia lo de más allá, que no encuentra nunca su meta. Pero le parece a él excesivo el intento grandioso de Heidegger de querer hacer de esa "libertad" algo heroico: "Por una vez intenta un filósofo —y había de ser un alemán quien lo intentase— darnos un cierto consuelo del morir en la muerte misma... No descendamos al fondo gedeónico que esta filosofía, como tantas otras, muestra en su parte constructiva... Donde Heidegger pone un sí rotundo de resignación, pone nuestro don Miguel un no casi blasfematorio ante la idea de una muerte que reconoce, no obstante, como inevitable" (páginas 792-793). No sé yo si es muy cierto que Heidegger presente esa "libertad para la muerte" como "consuelo", y no como un hecho, ya que hay trascendencia y muerte, y ambas cosas se descubren juntas, al revelarse la autenticidad del *Dasein,* en la angustia. Pero, en todo caso, Machado eso dice, y no es él sólo. Por otra parte, Machado recomienda a sus discípulos, fiel a su posición de escéptico, tomar ésa, como otras filosofías, en serio, sí, mas no sin cierta distancia o "ironía" (p. 795). Y, además, recordando su nostalgia de razón de otras veces, mira no sin recelo ese "nuevo humanismo, tan humilde y tristón como

profundamente zambullido en el tiempo... Los que buscábamos en la metafísica una cura de eternidad, de actividad lógica
al margen del tiempo, nos vamos a encontrar... definitiva y
metafísicamente cercados por el tiempo" (pp. 796-797). Esta
es, en esencia, la misma crítica que hace a Heidegger A. de
Waelhens, y hacen otros, cuando afirman que Heidegger en
verdad cierra el camino a toda verdadera metafísica. Pero claro
es que esa misma crítica podía aplicarse al propio temporalismo de Machado, a su propia "metafísica", tal como él la expone
en el apéndice, donde tanto se aleja de toda "actividad lógica".

Dice Julián Marías, en "Machado y Heidegger" (Suplemen-
to de *Insula*, 15 oct. 1953) que "con toda probabilidad, Machado no había leído *Sein und Zeit*". La base para la exposición
"sumamente pobre" aparecida en el núm. XIII de *Hora de España* debió ser el "pequeño manual de Georges Gurvitch...
Las tendencias actuales de la filosofía alemana, Madrid, 1931".
Y como prueba se ofrece una confrontación de textos, bastante convincente. Pudo Machado, pienso yo, conocer la obra de
Heidegger, aunque utilizase para su exposición el manual de
Gurvitch. Mas aunque no la conociera, ello nada afecta, claro
es, cuanto aquí hemos dicho. Nos hemos esforzado en mostrar
que el pensamiento de Machado, en lo esencial, está ya expresado en la primera parte del apéndice, publicada en 1926, y que
es anterior, por tanto, a la obra de Heidegger. A lo que Marías
se opone es a la "creencia dominante" de que hay una "influencia efectiva de Heidegger sobre Machado". Mas ya antes advierte que "si se trata de ver en qué medida ciertos temas o intuiciones son comunes a ambos", y "si las adivinaciones poéticas
de Machado muestran alguna afinidad con la doctrina de Heidegger, la cuestión es interesante y acaso fecunda". Interesante
es la cuestión, desde luego, pues existe sin duda una cierta afi-

nidad, y numerosas coincidencias, aunque también diferencias grandes. Y existe por lo menos un tema, el referente al ser y la nada, en que la coincidencia es sorprendente. Cosa extraña y lamentable es que Marías, que como pocos está capacitado para hacer la comparación que nosotros hemos intentado, no haya, al parecer, reparado en esa coincidencia. Y, en relación con este punto, alguna "influencia efectiva" debió haber, sin embargo, *a posteriori,* de Heidegger sobre Machado, según ya dijimos, pues no debe ser casual que en 1935, en *Juan de Mairena,* cuando Machado le alude en más de una ocasión, clarificara lo dicho en el poema *Al gran cero* y en otras partes del apéndice en cuanto al ser y la nada, sin vacilar ya ni confundir *no-ser* con *nada*; esto es, que hablara entonces ya claramente de la *nada* como origen de la pregunta por el ser: igual que hace Heidegger en el ensayo *¿Qué es metafísica?,* que Machado debió leer, en español, en 1933. Antes de comenzar esa exposición nos dice: "Para penetrar y hacer cordialmente suya esta filosofía de Heidegger, Mairena, por lo que tenía de bergsoniano, y, sobre todo de *poeta del tiempo* —no precisamente del suyo— estaba muy preparado" (p. 788). Siguiendo esta indicación, y alguna otra del propio Machado, se ha hablado también del "temporalismo" de nuestro poeta, y se ha insinuado que es en esto en lo que consiste verdaderamente el parecido entre él y Heidegger. Ello sin duda es cierto, pero necesita ser precisado, pues no hay que olvidar que Machado no hace en ningún momento un análisis metódico del *Dasein,* y que, por tanto, la "temporalidad" que como reconcentrada esencia de ese análisis Heidegger descubre como "sentido" de la preocupación o inquietud, de la "cura"; la tensión de la "temporalidad" que Heidegger descubre como "sentido del ser del ente que llamamos *Dasein*", no es lo mismo que esa mucho más simple *temporalidad,* a que Machado, como vamos a ver, se refiere al hablar de la poesía. Aunque, claro es, en último término ambas tengan que ver con la angustia por el paso del tiempo. No se parecen ellos tanto por lo que escriben de la "temporalidad" o de la "angustia" como por lo que escriben de la "nada", del ser y de la nada, lo cual es cosa que nadie ha destacado. Mas es evidente que entre los sentimientos de nada, angustia y tiempo hay siempre una íntima dependencia.

Como es la nada, revelada en la angustia, lo que despierta la pregunta por el *ser,* sólo el hombre desde el fondo de sí mismo, donde encuentra la angustia, puede plantearse esa pregunta e intentar responderla; esto es, que *la metafísica sólo es posible de un modo existencial:* eso viene a decir Heidegger, creo yo, y en eso consiste su existencialismo, si es que de existencialismo puede hablarse tratando de Heidegger *. Y eso viene a decir Machado también, que creía, además, que *ese modo existencial de enfrentarse al problema del ser lo lograba sobre todo el poeta,* el cual, sintiendo la emoción del tiempo escribe poesía

---

* Heidegger mismo ha protestado contra el hecho de que se le incluya entre los existencialistas, ya que su análisis de la existencia lo considera él sólo como una base para enfrentarse a los problemas del ser en general. La filosofía de Heidegger, en *El ser y el tiempo,* es una "analítica existenciaria". Mas como el objeto inmediato de su interés es la existencia, e incluso en *¿Qué es metafísica?,* al abordar el problema de la pregunta por el ser, relaciona íntimamente esa pregunta, el problema del ser en general, con la existencia que —al experimentar la nada— hace la pregunta, bien pudiera Heidegger ser llamado *existencialista,* sin olvidar por ello las diferencias entre él y otros existencialistas menos analíticos y más directamente derivados de Kierkegaard. Unos y otros existencialistas, en todo caso, ponen el énfasis en la existencia concreta del ser que filosofa, sean luego o no las angustias y problemas de ese ser existente base para posteriores especulaciones metafísicas. Pero, claro es que entendido de ese modo el existencia-

"temporal", y así adquiere conciencia de su propio ser, de su verdadera y trágica situación en el mundo. Esta convicción, que expresa en el apéndice, es lo que constituye su filosofía existencialista, su "metafísica de poeta", ese pensamiento suyo que, como él advertiría en 1935 no era sino una "meditación sobre el trabajo poético" (p. 600). Ya señalamos el hecho significativo de que en la segunda parte del apéndice "La metafísica de Juan de Mairena" sea una breve sección que no sólo sigue a la que se titula "El arte poética de Juan de Mairena", sino que en verdad es sólo un comentario de ella, aunque a primera vista parezca que entre ambas no hay relación alguna, ya que primero se trata de la "temporalidad" en la poesía, en oposición a conceptismo barroco, y luego de la "pura nada" y del "asombro" del poeta ante esa nada.

De la poesía fué Machado a la filosofía; pero filosofando descubrió —y de ahí su existencialismo— que ese sentimiento del cual arranca la poesía —al menos la poesía "temporal"— era, o debía de ser, la raíz de toda auténtica filosofía. Y en esto viene a coincidir con Heidegger, que por otros caminos viene a decir lo mismo, ya que éste quiere partir de la existencia auténtica, de la raíz del hombre, de la angustia, para emprender la peregrinación en busca de las verdades metafísicas *.

lismo —un filosofar con el corazón, y no sólo con la cabeza— ni el existencialismo es cosa nueva ni hay fronteras muy claras entre filosofía existencial, religión y poesía. Y no sólo Kierkegaard, sino San Agustín, Lutero, Calvino, San Juan de la Cruz, Pascal, Jorge Manrique, Rilke, Antero de Quental, Nietzsche o Leopardi son, con Unamuno, profundos existencialistas.

* El mismo Heidegger, como otros filósofos, se ha referido a la hermandad profunda entre el filósofo —el filosófico que, como él, arranca de la existencia auténtica— y el poeta. Al terminar el "Postcript" agregado a *¿Qué es metafísica?* escribe: "The thinker utters Being.

Lo que Machado había escrito en el apéndice en cuanto al poeta y las apariencias, lo repite en *Juan de Mairena*: el filósofo puede dudar de la realidad del mundo externo, pero el poeta no, ya que "nadie duda de lo que ve, sino de lo que piensa", y "para el poeta sólo hay *ver*". Por eso la poesía es "un acto vidente, de afirmación de una realidad absoluta, porque el poeta cree siempre en lo que ve" (p. 601). El ser poético "se revela o se vela; pero allí donde aparece, es". Dicho ser poético, no le plantea al poeta "problema alguno", es decir, no plantea el problema de su realidad; pero "la nada, en cambio, sí" (p. 603). Es la nada lo que convierte cuanto es, o cuanto aparece, en problemático. Y por eso canta el poeta: por el asombro de la nada, al ver proyectado el ser sobre la nada. Lo que el poeta contempla aparece, gracias a la nada, erguido momentáneamente sobre el vacío, milagrosamente sostenido, yendo a su destrucción. Y el poeta mismo se siente temporalmente, sólo temporalmente, flotando sobre vacío, yendo también a su destrucción. Y así el poeta canta el brillo de unos ojos que un día han de eclipsarse, los cabellos que habrán de encanecer, el crepúsculo cuyos colores se extinguen. Canta porque el tiempo pasa y lleva todo a la nada. "¿Cantaría el poeta sin la angustia del tiempo?", preguntaba meses antes Machado, por boca de Mairena. Y agregaba que es "la poesía como diálogo del hombre con el tiempo" (pp. 478-479). Y poco más adelante, en 1935: "Sin el tiempo... el mundo perdería la angustia de la

The poet names what is holy" (*Existence and Being*, p. 391). Y en el mismo libro, en el ensayo "Hölderlin and the Essence of Poetry" decía años después: "...the poet speaks the essential word... Poetry is the establishing of being by means of the word" (p. 304).

espera y el consuelo de la esperanza. Y el diablo ya no tendría
nada que hacer. Y los poetas tampoco" (p. 565). Y dos años después, en el volumen segundo de *Juan de Mairena*: "Sólo en
silencio, que es, como decía mi maestro, el *aspecto sonoro de
la nada,* puede el poeta gozar plenamente del gran regalo que
le hizo la divinidad, para que fuese cantor, descubridor de un
mundo de armonías" (p. 728). Sabemos ya que ese regalo no
es sino la nada, el sentimiento de la nada; o el del tiempo, que
lleva a ella. Y muy poco antes de morir aun escribía que el
"encanto melódico" de la vida es el de "su acabamiento", encanto que "se complica con el terror a la mudez" (p. 777).

No puede, pues, caber duda de que Machado, en sus últimos años pensaba que la intuición de la nada, y la consiguiente
emoción ante el paso del tiempo, era lo que determinaba la poesía. Pero eso es también lo que él mismo había dicho en el
apéndice, no sólo al tratar de la metafísica de Martín o de Mairena, sino al tratar del "arte poética", en la segunda parte, esto
es, al tratar de la "temporalidad" en la poesía.

Hay "temporalidad" en los poemas de Machado no como
pudiera creerse, y el propio Machado parece indicar, sólo porque se aluda en ella al paso del tiempo; ni tampoco por el carácter rítmico, melódico, de sus mejores versos. Estos son tan
sólo medios obvios, y muy necesarios, de poner de manifiesto
la "temporalidad" que debe tener la poesía.

Temporalidad es emotividad. Poesía temporal quiere decir
en Machado en último término poesía emotiva. Poesía escrita
con una emoción cuya raíz se halla en el sentimiento del tiempo o, si se prefiere, de la nada. Por eso en dicha "arte poética"
condena Machado la poesía barroca española (lo cual hace pensando, a la vez, en los poetas *puros,* neogongorinos, de hacia
1927), acusándola de excesivamente artificiosa, de fría e intelec-

tual, y pone como ejemplo de esa poesía el soneto "A las flores" de Calderón; y, en cambio, en las mismas páginas, se ensalza la famosa estrofa de Jorge Manrique: "¿Qué se hicieron las damas/sus tocados, sus vestidos/sus olores...?", pues "la emoción del tiempo es todo en la estrofa de don Jorge; nada, o casi nada, en el soneto de Calderón" (pp. 392-393). Y ello aunque en ambos el tema sea el mismo, esto es, "la fugacidad del tiempo y lo efímero de la vida humana" (p. 390). Y es que en el soneto "conceptos e imágenes conceptuales —pensadas, no intuídas— están fuera del tiempo psíquico del poeta, del fluir de su propia conciencia" (p. 391). Por eso, agrega, Calderón "no canta, razona, discurre en torno a unas cuantas definiciones". Y, en cambio, Manrique habla de una vivida experiencia; no de "cualesquiera damas, tocados, fragancias y vestidos, sino aquellos que, estampados en la placa del tiempo, conmueven —¡todavía!— el corazón del poeta" (p. 392). Y por eso, digo ahora yo, si no hay poesía temporal por el simple hecho de aludirse al paso del tiempo, puede, en cambio, haberla aunque no se aluda a él.

Al señalar las características del "barroco literario español", dice poco más adelante Machado que una de éstas es su "carencia de temporalidad". Y con ello quiere decir que hay en esa poesía "preponderancia del substantivo y su adjetivo definidor sobre las formas temporales del verbo; el empleo de la rima con carácter más ornamental que melódico y el total olvido de su valor mnemónico" (p. 396). Esto podría hacer creer, y así algunos lo han creído, que lo que Machado entiende por "temporalidad" es el uso de esas "formas temporales" del verbo, o sea las que más aluden al paso del tiempo; y, por otro lado, el empleo de las rimas con valor melódico. Mas lo que él quiere en verdad decir es que esa carencia de elementos que él llama "temporales" en el poema, de elementos que sugieren el paso del tiempo, es un cierto indicio de la frialdad y artificiosidad del poema, de su falta de emoción, esto es, de su esencial falta de temporalidad. Y así, aunque el poema tuviera esa aparente "temporalidad", lograda con medios técnicos, de nada ello valdría si faltara la emoción del tiempo, si faltara la verdadera *temporalidad*. Por eso Mairena, que "se llama a sí mismo *el poeta del tiempo*" (p. 388), refiriéndose a "medida, acentuación, pausa, rimas", afirma que "el poema que no tenga muy marcado el acento temporal estará más cerca de la lógica que de la lírica". Pero inmediatamente agrega esto, que es lo verdaderamente importante: "La temporalidad necesaria para que una estrofa tenga acusada la intención poética está al alcance de todo el mundo; se aprende en las más elementales preceptivas. Pero una intensa y profunda impresión del tiempo sólo nos la dan muy contados poetas" (p. 389). Y en la misma página, líneas antes, se dice que "es el tiempo (el tiempo vital del poeta con su propia vibración) lo que el poeta pretende intemporalizar, digámoslo con toda pompa: eternizar".

Y así vemos que lo importante, en definitiva, es "el tiempo vital del poeta", esa "intensa y profunda impresión del tiempo", es decir, lo importante es la "emoción del tiempo". Y en tal emoción reside la "temporalidad" de la poesía, de que Machado tanto habla. Y por eso hemos calificado de poesía "temporal" ésa que nace de un sentimiento de angustia ante el paso del tiempo, ante el desvanecimiento de las cosas, ante la nada. En diversas ocasiones, sin embargo, se refiere Machado a "temporalidad" entendida como fluidez y movilidad —eco bergsoniano— en oposición a rigidez; o bien como equivalente a historicidad en oposición a una pretendida "intemporalidad" de la poesía abstracta, intelectual. Pero siempre, en último término, lo que se quiere destacar es el indispensable contenido emotivo, "temporal" de la verdadera poesía lírica. "La lírica... debe darnos la sensación estética del fluir del tiempo. Es precisamente el flujo del tiempo uno de los motivos líricos que la poesía trata de salvar del tiempo, que la poesía pretende intemporalizar", escribía en *Los complementarios* (*Cuad. Hispanoam.*, sept.-dic., 1949, página 258). Por eso en su "gramática lírica" el verbo era lo importante, como decía en un poema (p. 346). Y por eso desdeñó siempre los "laberintos de imágenes y conceptos" de los "poetas jóvenes", ya que "la lírica ha sido siempre una expresión del sentimiento...", como escribía a *Guiomar* (cf. *De Machado a su grande y secreto amor,* p. 62), lo cual repetiría en diferentes ocasiones.

Podría pensarse que esa poesía "temporal" preconizada por Machado en *El arte "poética" de Juan de Mairena* es diferente de esa otra poesía social, futura, a que se alude, al final de la misma segunda parte del apéndice, en el diálogo entre Mairena y Meneses. Mas no es así, ya que Meneses, si bien se refiere a una lírica que habrá de trascender del "yo aislado, acotado, vedado al prójimo", destaca también el carácter emotivo, "temporal", de la misma al advertir que "no hay lírica que no sea sentimental" (p. 405); y aunque en esa poesía futura el poeta prescindiera "de su propio sentir..., anota el de su prójimo y lo reconoce en sí mismo como sentir humano" (p. 410). Y ésa era la poesía de Machado; poesía hija de la soledad, brotada de la contemplación de lo que aparece, de lo otro; fruto de un apasionado diálogo del hombre con el mundo y con el tiempo. Poesía que implica un entrañable planteamiento del problema del *ser;* y por eso la metafísica existencialista de Mairena, una metafísica que se quiere arranque, como en Heidegger, del original asombro ante las cosas, no es en definitiva sino una exaltación del valor de la poesía "temporal" como medio de conocimiento; conocimiento al menos de nuestro propio e íntimo ser. La "metafísica" de Machado no es, en último término, sino una justificación de sus ideas sobre la poesía, un comentario a su mejor poesía.

Veamos ahora, en resumen, cuanto hemos dicho. El punto de partida del pensamiento de Machado está en sus *Soledades,* en ese como pasmo del alma —alma asombrada ante las cosas, ante los recuerdos, ante sí misma— de que él nos habla en ese libro. Partió de esas primeras experiencias de su niñez y adolescencia —ese melancólico sentirse solo en el mundo— y a ellas volvería. En *Campos de Castilla,* ya en su madurez, frente al paisaje y los hombres, enamorado, queriendo escapar de su soledad, busca una poesía "objetiva". Pero el año que publica ese libro, 1912, muere su esposa y Machado vuelve a sentirse solo, irremediablemente solo. Sin embargo, no se resigna. La musa se aleja y se hunde en la filosofía. Adopta una actitud displicente, irónica. Le falta Dios. Mas en el fondo de su corazón aún espera. Sueña en una razón salvadora, objetiva, que hiciera posible la comunicación de los espíritus. Reconoce, más tarde, que es en el amor, sobre todo, en la fraternidad cristiana, donde podría hallarse la salvación: en una apasionada comunión de las almas. Su vena poética se ha ido debilitando cada vez más. Y ahora siente la necesidad, aunque no sin timidez, no sin reservas, de escribir sobre todo aquello que durante años le había estado obsesionando sin cesar.

En el apéndice recoge varias de sus ideas, reflexiones, comentarios; pero a la vez agrega algo que no estaba en sus escritos anteriores. Vuelve ahora la espalda a la razón, a la filosofía clásica. Se acentúa el influjo de Bergson; pero él siente que tiene algo que decir, algo nuevo que aún es confuso en su mente,

La confusión la acentúa él exponiendo sus ideas con el mayor desorden posible. Y el fondo trágico de su pensamiento queda oculto bajo una capa de humor en que se envuelve por horror a lo melodramático y por desconfianza de sí mismo y de su propio pensamiento. En énfasis lo pone ahora, decididamente, en el amor, en la necesidad que del *otro* tenemos; pero ese otro no está tal vez sino en nuestro propio corazón: lo único cierto es la "heterogeneidad del ser", esa *otredad* inmanente, sin salida, ese deseo de amor nunca satisfecho. Llega un momento en que se descubre que la soledad es irremediable. La filosofía tal vez no pueda consistir, en último término, sino en darse cuenta de eso. Para el poeta, en cambio, al parecer, no hay problema, pues él no se propone conocer, sino amar, y ama como real lo que ante él aparece; mas el problema para él está en la desaparición de eso que aparece: el problema está en el tiempo, en la nada. Es precisamente la nada, es el tiempo, lo que hace brotar la poesía. Y así lo que el poeta siente es lo mismo que el filósofo descubre cuando éste se desprende del andamiaje intelectual con el que oscurecía el sentimiento que dió origen a la filosofía: que la nada es el fundamento de todo. Al sentir la heterogeneidad sin objeto de nuestra alma nos sentimos solos, solos en medio del mundo y llenos de deseos, caminando hacia la muerte ante un mundo que se desvanece. Poesía y filosofía no son la misma cosa, pero brotan de un mismo sentimiento original. El poeta es más fiel que el filósofo a esta emoción original, que él reproduce cada vez que, angustiadamente, canta el mundo que contempla. Y la filosofía debe volver a encontrar sus raíces acercándose a la poesía. Sólo por la poesía, o con esa nueva, poética, filosofía existencial que él intuye, nos daríamos cuenta de lo que somos, recobrando así nuestra intimidad, nuestro propio ser, nuestro espíritu, hecho de angustia por el tiempo y ansia de lo otro, de lo desconocido; de asombro ante la nada y heterogeneidad, de angustia en la soledad y trascendencia; esto es, impulso hacia un más allá que no alcanzamos.

Pero lo típico de Machado, tanto como su honda melancolía, es no abandonar nunca del todo, aún creyendo sobre todo en la nada, una ardiente, aunque vaga, una remota esperanza de salvación para todos. Por eso la primera parte del apéndice, tras el poema "Al gran cero", acaba con el poema "Al gran pleno", de exaltación vital, panteísta. Y la segunda parte, tras la desolada metafísica de "la pura nada" de Mairena, termina con las esperanzadoras palabras de Meneses en cuanto a los poetas del mañana, que cantarán sentimientos colectivos, libres ya del narcisismo, del romanticismo o barroquismo de los poetas actuales.

Pensando no ya en el apéndice, sino en la obra toda de Machado, creo puede también decirse que ésta, esencialmente melancólica, no es sino un intento de escape de la soledad, una desesperada búsqueda de salvación. En no pocos de sus poemas, de cualquier época, se percibe, creo yo, una nota que es siempre la misma, una ilusión "cándida y vieja", como viento de primavera que quisiera levantarse de los campos de nieve, o ilusión que en un vuelo quisiera desprenderse de la tristeza y de la muerte. Ya en *Soledades* él cantaba:

En el ambiente de la tarde flota
ese aroma de ausencia,
que dice al alma luminosa: nunca,
y al corazón: espera (p. 48).

Y un sentimiento muy parecido expresaría él en sus poemas

otras muchas veces *. Mas esa esperanza que el corazón mantiene, ese como buen presagio más allá de la razón, ¿no es
acaso lo que aparece también constantemente en las prosas de
Machado, con sus siempre renovadas apelaciones al "hombre
nuevo", a la fraternidad y al amor, así como a la razón salvadora y a la objetividad? Y es que el pensamiento de Machado,
como su poesía, es triste, pero él no quería en modo alguno
que lo fuese.

"Hay que buscar razones para consolarse de lo inevitable",
escribía en 1935 en una última carta, tristísima, a su amada
Guiomar, de la que había tenido que separarse. Y por esos mismos días, cuando él se muestra en sus escritos, no sin razón,
especialmente grave; por esos días en que estaba leyendo a Heidegger, y así reafirmaba sus más amargas convicciones, escribía
en *Juan de Mairena:* "Porque —todo hay que decirlo— nuestro
pensamiento es triste, y lo sería mucho más si fuera acompañado de nuestra fe, si tuviera nuestra íntima adhesión. ¡Eso nunca!" (p. 707). Estas palabras quizás sean, de todas cuantas de
él he leído, o le oí decir, las que mejor le retratan.

La inconformidad de Unamuno con la muerte tenía un
acento recargadamente trágico, que él quería que tuviera. Machado, en cambio, nunca clama: su tono es el de la melancolía,

---

* Escribía, por ejemplo, en *Soledades:* "Fué una clara tarde de melancolía, Abril sonreía.../...el viento traía/perfume de rosas, doblar de
campanas..." (p. 81). Y en el famoso poema "A un olmo seco", de
Campos..., poema que fecha en "Soria, 1912", y que debió escribir en
la primavera de ese año, no lejos de su esposa enferma, poco antes de
que ésta muriera: "Mi corazón espera/también, hacia la luz y hacia
la vida,/otro milagro de la primavera" (p. 194). Como dice acertadamente Aranguren en su mencionado ensayo: "Machado vacila, fluc-
túa, va y viene una y otra vez de la esperanza a la desesperanza, de la
desesperanza a la esperanza".

no el de la desesperación. Machado lo que no aceptaba era, precisamente, su honda y verdadera tristeza, su profunda y muy justificada melancolía. El amaba a los otros, miraba a los otros. El miraba siempre hacia el mañana, aunque tras éste no viera sino la nada. Muy significativo es que uno de sus últimos poemas, antes de la guerra, ése con el que suelen cerrarse las últimas ediciones de sus *Poesías completas,* el llamado "Otro clima", aluda al "mundo nuevo", a las luchas que se avecinan:

> *el tiempo lleva un desfilar de auroras*
> *con séquito de estrellas empañadas...*

Pero más allá de "la selva huraña", donde percibe "torsos de esclavos jadear desnudos", aparece *"un nihil de fuego escrito"*; más allá del previsible futuro está la nada. Sin embargo, en ese futuro ponía él sus ojos.

Ese querer elevar la mirada y levantar una esperanza por encima de la pena, aunque la nada esté detrás, es lo que distingue a él, tan noventaiochista en otros aspectos, de sus compañeros todos de generación.

La vida toda de Machado, sus ideas, su modo de hablar, su físico, sus amores: todo estaba en perfecta consonancia con lo que es su mejor poesía, y ésta con su filosofía. Machado era sólo uno. Era un solitario que había mirado a los ojos de la Esfinge, un triste que tenía el corazón lleno de amor y de piedad para los otros. Fué un gran poeta; un pensador también, no metódico, pero sí profundo. Y fué, sobre todo, un hombre bueno.

INDICE GENERAL

I. *LA FORMACION DEL PENSAMIENTO DE UNAMUNO*

UNA CONVERSION "CHATEAUBRIANESCA" A LOS VEINTE AÑOS

PRIMERA CRISIS EN CEBERIO, 15. Tranquila infancia, 17. Entrada en Madrid, 19.

LA PÉRDIDA DE LA FE, 19. Carta a Clarín, 21. "Crisis de retroceso", 23.

LA CONVERSIÓN EN BILBAO EN 1884, 23. Añoranza materna, 25. Influencia "chateaubrianesca", 27. Antipatía a la fe rutinaria, 29.

SOBRE LA CONCEPCION DE "PAZ EN LA GUERRA"

UNA MARAVILLOSA "REVELACIÓN NATURAL", 31. "Paz en la Guerra", 33. "Suprema armonía", 35. Misterio de la "personalidad", 37.

LA NADA Y LA PAZ, 38. Concepción pesimista del mundo, 39. Recrudecimiento de su fe, 41.

UNA EXPERIENCIA DECISIVA: LA CRISIS DE 1897

II. *LOS ULTIMOS AÑOS*

EL MISTERIO DE LA PERSONALIDAD EN UNAMUNO. COMO SE HACE UNA NOVELA

EL PENSAMIENTO DE ANTONIO MACHADO
EN RELACION CON SU POESIA